HISTOIRE

DE L'IMPRESSIONNISME

Tome II 1874-1886

Le Livre de Poche. Série Art.
Collection dirigée par André Fermigier.

Ouvrages parus :

Élie Faure. *L'art antique.*
Élie Faure. *L'art médiéval.*
Élie Faure. *L'art renaissant.*
Élie Faure. *L'art moderne, tome I.*
Élie Faure. *L'art moderne, tome II.*
Élie Faure. *L'esprit des formes, tome I.*
Élie Faure. *L'esprit des formes, tome II.*
John Rewald. *Histoire de l'impressionnisme, tome I.*
John Rewald. *Histoire de l'impressionnisme, tome II.*
Herbert Read. *Histoire de la peinture moderne.*
Henri Focillon. *L'art d'Occident, tome I.*
Henri Focillon. *L'art d'Occident, tome II.*
Eugène Fromentin. *Les maîtres d'autrefois.*
Jean Laude. *Les arts de l'Afrique Noire* (Inédit).
Jacob Burckhardt. *La civilisation de la Renaissance en Italie, tomes I, II, III.*
E.-H. Gombrich. *L'art et son histoire, tome I.*
E.-H. Gombrich. *L'art et son histoire, tome II.*
I.E.S. Edwards. *Les pyramides d'Égypte.*
Bernard Teyssèdre. *L'art au siècle de Louis XIV* (Inédit).
Paul Guinard. *Les peintres espagnols* (Inédit).
Michaël Levey. *La peinture à Venise au XVIIIᵉ siècle.*
Heinrich Wölfflin. *Renaissance et baroque.*
Kenneth Clark. *Léonard de Vinci.*
Dora Vallier. *L'art abstrait* (Inédit).
René Passeron. *Histoire de la Peinture surréaliste* (Inédit).
John Golding. *Le Cubisme.*
Françoise Cachin. *Gauguin* (Inédit).
J. M. Richards. *L'Architecture moderne.*
Émile Mâle. *L'Art religieux du XIIIᵉ siècle en France* (2 vol.).
Max Friedlander. *De l'Art et du Connaisseur.*
Kenneth Clark. *Le Nu* (2 vol.).
Michaël Sullivan. *Introduction à l'art Chinois.*
Nikolaus Pevsner. *Génie de l'architecture européenne* (2 vol.).
André Fermigier. *Picasso.*

John Rewald

Histoire

de l'Impressionnisme

Albin Michel

Traduit de l'anglais par
Nancy GOLDET-BOUWENS

1874-1877

ARGENTEUIL.

CAILLEBOTTE ET CHOCQUET.

VENTES AUX ENCHÈRES ET NOUVELLES

EXPOSITIONS.

LE PAMPHLET DE DURANTY:

« LA NOUVELLE PEINTURE ».

Le mot *impressionnisme,* inventé par esprit de dérision, devait bientôt être accepté par le groupe d'amis. Malgré la répugnance manifestée par Renoir pour tout ce qui pouvait leur donner l'apparence de constituer une nouvelle école artistique, malgré l'hostilité de Degas à admettre l'application de ce terme à son art, et malgré l'obstination de Zola à appeler ces peintres « naturalistes », le mot nouveau devait rester. Bien que chargé de ridicule et vague en lui-même, ce vocable semblait aussi bon que tout autre pour souligner l'élément commun de leurs efforts. Aucun terme, à lui seul, ne pouvait prétendre définir avec précision les tendances d'un groupe de peintres qui mettaient leurs propres sensations au-dessus de tout programme artistique. Mais quelle qu'ait été la signification du mot « impressionnisme » à l'origine, son vrai sens devait être formulé non par des critiques iro-

194

niques mais par les peintres eux-mêmes. C'est ainsi que de leur milieu, et sans doute avec leur consentement, vint la première définition du terme. C'est un ami de Renoir qui la proposa bientôt, en écrivant: «Traiter un sujet pour les tons et non pour le sujet lui-même, voilà ce qui distingue les impressionnistes des autres peintres (1).»

Dans leur effort pour atteindre ce but et trouver une expression plus fidèle à la première impression que donne l'apparence des choses, les impressionnistes avaient créé un style nouveau. S'étant complètement dégagés des principes traditionnels, ils avaient élaboré ce style de manière à pouvoir suivre en toute liberté la voie des découvertes que leur suggérait leur sensibilité intense. En agissant de cette manière, ils renonçaient à toute prétention de recréer la réalité. Rejetant l'objectivité du réalisme, ils avaient choisi un seul élément de la réalité – la lumière – pour interpréter la nature tout entière (2).

Ce nouveau point de vue avait petit à petit amené les peintres à établir une nouvelle palette et à inventer

194. **MANET.** *Claude Monet*, 1880. Encre. Collection Robert von Hirsch, Bâle.

une nouvelle technique, adaptée à leurs efforts, pour capter le jeu fluide de la lumière. L'observation attentive de la lumière les avait conduits à supprimer les ombres noires traditionnelles et à adopter des couleurs claires. Elle les avait conduits également à subordonner la notion abstraite de couleur locale à l'effet atmosphérique général. En appliquant la couleur en touches perceptibles, ils avaient réussi à adoucir les contours des objets et à les fondre avec leur entourage. Cette technique leur avait, de plus, permis d'introduire une couleur dans la zone d'une autre sans la dégrader ni la perdre, diversifiant ainsi les coloris. Mais surtout, la multitude de touches apparentes et leurs contrastes avaient contribué à exprimer ou à suggérer l'activité, la vibration de la lumière et à les recréer, dans une certaine mesure, sur la toile (3). D'autre part, cette exécution par petites touches vives semblait convenir le mieux à leurs efforts pour saisir des aspects rapidement changeants. Puisque la main est plus lente que l'œil — prompt à percevoir les effets instantanés — une technique permettant aux peintres un travail rapide était essentielle pour qu'ils puissent traduire leurs perceptions sans trop de retard. Faisant allusion à ces problèmes, Renoir avait coutume de dire: «En plein air on triche tout le temps (4).» Cependant la «tricherie» consistait simplement à faire un choix parmi la multitude d'aspects qu'offrait la nature, afin de transposer les miracles de la lumière en un langage de couleurs et à deux dimensions, et aussi à rendre l'aspect choisi avec les tons et l'exécution qui se rapprochaient le plus de l'impression reçue.

Le public, évidemment, n'était pas encore préparé à accepter leurs innovations, mais les impressionnistes, ayant éprouvé leurs méthodes individuellement et collectivement, étaient certains d'avoir réalisé un grand progrès

dans la représentation de la nature depuis l'époque de
leurs maîtres, Corot, Courbet, Jongkind et Boudin.
L'hostilité générale ne pouvait ébranler leurs convictions, mais elle pouvait leur rendre la vie très difficile
et elle ne manquait pas de le faire. Cependant, ils acceptèrent avec stoïcisme, sans jamais dévier de leur chemin,
une situation qui les privait de toute approbation. S'il
fallait du courage pour s'engager dans une voie marquée
par la misère, combien en fallait-il surtout pour continuer
pendant de longues années un effort incroyable qui ne
rencontrait pas le moindre écho. Renoncer à l'approbation, cela signifie également avoir la force de surmonter ses propres doutes et de progresser tout seul, sans
autre guide que soi-même. Sans hésiter, les impressionnistes poursuivirent, dans un isolement total, leurs
efforts créateurs comme une troupe d'acteurs qui
joueraient soir après soir devant une salle vide.

Il n'existe probablement pas de lieu qui s'identifie
mieux à l'impressionnisme qu'Argenteuil, où presque
tous les amis ont travaillé et où, en 1874 particulièrement,
Monet, Renoir et Manet sont allés peindre. Après la
clôture de l'exposition, Monet eut de nouveau des difficultés avec son propriétaire et ce fut Manet qui, grâce
à des amis, lui trouva une nouvelle maison à Argenteuil.
Renoir y vint fréquemment, peignant de nouveau aux
côtés de Monet et choisissant les mêmes motifs; Manet
lui-même décida bientôt de passer quelques semaines
à Argenteuil.

C'est là, en regardant peindre Monet, que Manet
se laissa définitivement gagner par le travail en plein air.
Il adopta des couleurs plus claires et des touches plus
légères mais, moins intéressé par le paysage pur, il préférait étudier les êtres au milieu de la nature. Se servant
de modèles ou d'amis pour ses compositions, il les plaçait

195. MONET. *Le Pont d'Argenteuil*, daté 1874. Bayerische Staatsgemäldesammlungen,
Munich. Ph. Archives photographiques françaises. — 196. MONET. *Le pont du chemin
de fer à Argenteuil*, 1875. Collection Sidney R. Barlow, Beverly Hills, Cal.

195

196

197

198

197. MONET. *Voiliers à Argenteuil*, 1873-74. Collection privée, Paris. Ph. Durand-Ruel. — 198. RENOIR. *Voiliers à Argenteuil*, 1873-74. Portland Art Museum, Ore. Ph. du Musée. — 199. MANET. *La famille de Monet dans leur jardin à Argenteuil*, 1874. Propriétaire actuel inconnu. Ph. Musées nationaux français. — 200. RENOIR. *Madame Monet et son fils dans leur jardin à Argenteuil*, 1874. Ancienne collection Claude Monet. Collection Mrs. Mellon Bruce, New York.

199

200

contre un fond naturel — jardin, rivage ou rivière — s'efforçant de réaliser l'unité des figures et du paysage environnant, problème qui avait déjà tant préoccupé Bazille, Monet, Renoir et Berthe Morisot. C'est ainsi que Manet peignit un jour Mme Monet dans son jardin avec son fils, tous deux assis sous un arbre, alors que Monet lui-même jardinait. Lorsque Renoir arriva et vit Manet en train de travailler, la scène lui apparut d'un charme si irrésistible qu'il demanda à Monet de lui prêter sa palette, une toile et des couleurs, afin de faire le même motif aux côtés de Manet. Plus tard Monet rapportera que Manet commença à observer Renoir «du coin de l'œil et, de temps à autre, s'approchait de la toile. Alors, il esquissait une grimace, passait discrètement près de moi pour me souffler dans l'oreille, en désignant Renoir: « Il n'a aucun talent, ce garçon-là! Vous qui êtes son ami, dites-lui donc de renoncer à la peinture (5) ».

Renoir, toutefois, était fort satisfait de sa toile, brossée en une seule séance, et comme elle représentait la femme de Monet, il l'offrit immédiatement à son compagnon qui, petit à petit, accumula une vraie collection de portraits de Camille. Renoir, Monet et sa femme étaient liés par une profonde amitié, nouée à travers les bons et les mauvais jours, et à laquelle le charme tranquille de Camille, les vues réalistes de Monet, l'heureuse insouciance de Renoir devaient prêter un caractère particulier, fait d'intimité et de contrastes.

Si Manet éprouvait peu de sympathie pour Renoir, il rendit certainement justice à Monet, à l'homme aussi bien qu'à l'artiste. La force robuste du caractère et du talent de Monet impressionnait Manet et lui inspirait une certaine admiration. Alors que Manet était profondément préoccupé par l'attitude du public, Monet, en dépit de toutes ses difficultés, restait superbement indif-

201

férent au succès et, malgré son ambition, se montrait
uniquement préoccupé par son art. Dans ses tableaux
de 1874 à Argenteuil, Monet atteignit une luminosité
plus grande que jamais auparavant. Ses couleurs sont
plus claires et plus riches, son exécution pleine de vigueur.
Ses effets ne sont pas, comme chez Manet, produits par
quelques accents brillants au milieu d'harmonies généralement sobres; toute sa gamme de valeurs s'échelonne
parmi les teintes claires d'une grande pureté, la plus vive
constituant la note dominante.

   Pendant l'été qu'ils passèrent ensemble à Argenteuil,
Manet fit plusieurs portraits de Monet et de sa femme
qu'il représenta deux fois dans le bateau-atelier de Monet.
Sans doute inspiré par le fameux *Botin* de Daubigny,
Monet avait fait construire un bateau semblable, assez

201. MANET. *Monet travaillant dans son bateau à Argenteuil,* 1874. Ancienne collection
Chocquet. Bayerische Staatsgemäldesammlungen, Munich. Ph. Musées nationaux
français.

grand même pour y coucher. De cet atelier flottant il aimait observer « les effets de la lumière d'un crépuscule à l'autre (6)...». Plus tard il fit même quelques voyages dans son bateau, emmenant une fois sa famille jusqu'à Rouen. Dans plusieurs des tableaux qu'il fit à Argenteuil, on voit la petite embarcation, avec sa cabine de bois vert-bleu, ancrée parmi les voiliers.

Bien qu'il ne l'eût jamais mentionné, il semble possible que Monet ait été aidé dans la construction de ce bateau par un voisin d'Argenteuil dont il fit la connais-

202   203

sance à cette époque. Gustave Caillebotte, un ingénieur, était spécialisé dans les constructions navales et possédait plusieurs yachts; il faisait aussi de la peinture pendant ses loisirs. Leur enthousiasme commun pour la peinture et la navigation créa entre les deux hommes un véritable lien qui s'étendit aussitôt à Renoir, lequel alla naviguer sur la Seine avec Caillebotte (7).

Riche célibataire, vivant tranquillement dans les environs de Paris, occupé à cultiver son jardin, peindre,

202. CAILLEBOTTE. *La Seine à Argenteuil*, 1874. Propriétaire actuel inconnu. Ph. Durand-Ruel. — 203. *Photographie de l'artiste*.

et construire des bateaux, Caillebotte était un homme modeste dont l'existence semble avoir été radicalement transformée par ses nouvelles amitiés. Ressemblant assez à Bazille par sa situation et son caractère — il avait le même esprit clair et calme et la même loyauté à toute épreuve — il allait à présent prendre sa place dans le groupe, celle d'un camarade et d'un protecteur. Il commença à acheter des œuvres de Renoir et de Monet parce qu'elles lui plaisaient et parce qu'il voulait venir en aide aux peintres; et son aide était souvent d'une extrême urgence.

Seul Renoir parvenait de temps en temps à vendre quelques tableaux, d'abord parce que, à côté de paysages, il peignait des portraits et des nus, et aussi parce que ses œuvres avaient un aspect plaisant, un charme que ne niaient pas ceux-là mêmes qui étaient hostiles à l'impressionnisme en général. Tout en rechignant, le père Martin, par exemple, paya quatre cent vingt-cinq francs pour la *Loge* de Renoir, exposée chez Nadar, alors qu'il se refusa à prendre des toiles de Pissarro. Il alla même jusqu'à dire à tout le monde que Pissarro n'avait aucune chance de sortir de l'ornière s'il continuait à peindre dans son style « lourd et commun », avec sa palette aux tons boueux (8).

Incapable de gagner sa vie, Pissarro avait quitté Pontoise pour se réfugier avec sa femme et ses enfants dans la ferme de son ami Piette à Monfoucault. Alors que Durand-Ruel n'était plus en mesure d'aider les peintres et que ceux-ci trouvaient de plus en plus difficilement à vendre leurs œuvres, le coût de la vie augmentait régulièrement, menaçant leur existence même.

« Tout augmente ici d'une manière effrayante, écrivait une des tantes de Pissarro à un neveu resté à Saint-Thomas, à commencer par les impositions sur les appartements qui ont presque doublé, puis sur la nourriture en général. Les nouveaux impôts depuis la guerre ont fait subir encore une hausse sur toutes les denrées. Pour te donner une idée: le café que l'on avait à deux francs la livre est à trois francs vingt, le vin de quatre-vingts centimes à un franc le litre, le sucre de soixante centimes à quatre-vingts, et ainsi de suite; la viande est hors de prix, le fromage, le beurre, les œufs ont subi la même proportion. Avec la plus grande économie on ne meurt pas, mais on vit mal. Les affaires sont nulles et nos jeunes gens en sont tristes (9). »

Au milieu de cette situation décourageante, les finances de l'association formée par les peintres au début de l'année furent atteintes par la crise générale.

Le 10 décembre 1874 Renoir convoqua par lettre tous les membres de la *Société Anonyme Coopérative des Artistes Peintres, Sculpteurs, Graveurs, etc., à Capital et Personnel variables* à une assemblée générale pour le 17 décembre dans son atelier, 35, rue Saint-Georges. Pissarro, à Monfoucault chez Piette, et Brandon, malade, se firent excuser. Furent présents de Molins, Cals, Rouart, Monet, Degas, Latouche, Bureau, Sisley, Robert, A. Ottin, L. Ottin, Colin et Béliard qui, ayant nommé Renoir président de la séance, écoutèrent le rapport du trésorier. Celui-ci leur apprit que — toutes dettes extérieures payées — le passif de la société s'élevait encore à 3.713 francs (argent avancé par les sociétaires), alors qu'il ne restait dans la caisse que 277,99 francs. Chaque membre se trouvait donc redevable d'une somme de 184,50 francs pour solder les dettes intérieures et reconstituer le fonds social. Devant cet état de choses, la liquidation de la société leur parut urgente. Elle fut proposée, mise aux voix et adoptée à l'unanimité. On décida que les sommes versées par les

sociétaires pour la cotisation de la seconde année leur
seraient rendues, et on nomma une commission de liquidation composée de Bureau, Renoir et Sisley (10). [Voir
l'appendice.]

Cependant, Pissarro était déjà activement occupé à
rédiger les statuts d'une nouvelle société, *L'Union,*
à laquelle devaient adhérer Cézanne, Béliard, Latouche
et d'autres artistes qui n'étaient pas membres de la
première association. Il fallait, en effet, continuer la lutte
et, en dépit du premier échec, essayer de triompher de
l'hostilité du public.

Le public s'intéressait moins que jamais à l'art, et le
peu d'intérêt qu'il manifestait, il l'accordait exclusivement aux maîtres académiques dont les œuvres
semblaient constituer des placements sûrs. « Il faut une
grande dose de courage pour tenir le pinceau par ce
temps d'abandon et d'indifférence », écrivait Boudin à un
ami (11). Dans cette situation difficile, Renoir persuada
Monet et Sisley que le meilleur moyen de se procurer un
peu d'argent serait d'organiser une vente à l'Hôtel
Drouot. Ils étaient acculés à cette décision par le fait que
la liquidation de leur Société et un grand nombre de difficultés nouvelles rendaient impossible une seconde exposition du groupe avant l'automne 1875. Or ils n'étaient
apparemment pas en mesure d'attendre jusque-là.

Bien que né dans l'aisance, Sisley avait vu son père
privé de sa fortune par suite de spéculations et de pertes
durant la guerre et la Commune. Il était donc à présent
aussi pauvre que les autres, avec une femme et deux
enfants à sa charge. Aux trois amis se joignit Berthe
Morisot, qui, en décembre 1874, avait épousé Eugène
Manet, frère du peintre. Elle n'avait pas elle-même
besoin d'argent, mais ne voulait sans doute pas se déso-
lidariser de ses confrères dans leur nouvelle épreuve.

Décidée à partager leur sort, elle allait participer courageusement à leur tentative.

Afin de les aider à retenir l'attention publique,
Manet écrivit au nom de ses amis une lettre au critique
du *Figaro,* le très redouté et peu sympathique Albert
Wolff, qui se disait l'homme le plus spirituel de Paris.
Sa plume acerbe faisait et défaisait les réputations du
jour. «Mes amis MM. Monet, Sisley, Renoir et
Mme Berthe Morisot, expliquait Manet, vont faire une
exposition et une vente salle Drouot. Un de ces messieurs
doit vous porter le catalogue et une invitation. Il m'a
demandé cette lettre d'introduction près de vous. Vous
n'aimez pas encore cette peinture-là, peut-être; mais
vous l'aimerez. En attendant, vous seriez bien aimable
d'en parler un peu dans *Le Figaro* (12). »

La note qui parut dans *Le Figaro* ne répondit guère
aux espoirs de Manet. Elle disait: «Il y a peut-être là
une bonne affaire pour ceux qui spéculent sur l'art de
l'avenir»; concluant par cette réserve: «l'impression que
procurent les impressionnistes est celle d'un chat qui se
promènerait sur le clavier d'un piano, ou d'un singe qui se
serait emparé d'une boîte à couleurs (13). »

La vente eut lieu le 24 mars 1875. Elle comprenait
soixante-treize œuvres; Sisley en envoya vingt et une,
Monet vingt, Renoir vingt et Berthe Morisot douze (dont
sept pastels et aquarelles). Dans une prudente introduction au catalogue, Philippe Burty disait: «Les
amateurs de peinture... se souviennent de l'exposition
organisée l'an dernier par un groupe d'artistes qui se
virent systématiquement exclus du Salon... Cette exposition attira de ces curieux dont l'opinion compte et
prévaut; elle reçut de la critique indépendante des
conseils ou des éloges. Cette épreuve devait se renouveler cette année au printemps. Il faut espérer· que les

obstacles de diverses sortes qu'elle a rencontrés ne la retarderont pas au-delà de l'automne prochain.» Commentant les œuvres, le critique écrivait: «Ce sont comme de petits fragments du miroir de la vie universelle, et les choses rapides et colorées, subtiles et charmantes qui s'y reflètent ont bien droit qu'on s'en occupe et qu'on les célèbre (14).»

La vente, à laquelle Durand-Ruel participa officiellement en qualité d'expert, fut l'occasion de violences sans précédent. D'après ses souvenirs, le commissaire-priseur fut obligé d'appeler la police pour empêcher les altercations de dégénérer en véritables bagarres. Le public, exaspéré contre les rares défenseurs des infortunés exposants, voulait empêcher la vente et poussait des hurlements à chaque enchère (15). Dans l'impossibilité d'acheter pour lui-même, Durand-Ruel était le témoin impuissant de ce spectacle et voyait les tableaux de ses amis se vendre pour des sommes dérisoires. Il racheta cependant pour eux un certain nombre de toiles dont les enchères couvraient à peine le prix des cadres.

Berthe Morisot obtint relativement les meilleurs prix: une moyenne de deux cent cinquante francs, l'enchère la plus élevée étant de quatre cent quatre-vingts francs et la plus basse de quatre-vingts francs. Les prix de Monet varièrent de cent soixante-cinq à trois cent vingt-cinq francs, ceux de Sisley de cinquante à trois cents. Renoir, chose surprenante, obtint les plus basses enchères. Dix de ses toiles n'atteignirent pas cent francs et il dut en racheter plusieurs. Parmi les tableaux de Renoir se trouvaient une version réduite de la *Loge,* la *Source,* qu'il décida de garder parce que le prix ne monta pas à plus de cent dix francs, et le *Pont-Neuf* qui fut vendu trois cents francs. Le résultat net de la vente fut de onze mille quatre cent quatre-vingt-onze francs (cette somme comprenant les œuvres rachetées par les peintres); le prix moyen fut de cent soixante-trois francs. Non seulement les peintres avaient obtenu moins que la moitié des prix que leurs œuvres avaient atteints auparavant, ils s'étaient une fois de plus exposés à la risée du public.

Duret et Caillebotte se trouvaient du nombre des rares amis qui avaient essayé de pousser les enchères et avaient acheté quelques toiles. Mais on vit aussi parmi les acheteurs un homme inconnu de tous, Victor Chocquet. Il devait raconter par la suite qu'il avait voulu visiter l'exposition chez Nadar mais que des amis l'en avaient dissuadé. Ils ne réussirent pas, cependant, à l'empêcher d'aller à cette vente où il acheta une des vues d'Argenteuil de Monet. Lorsqu'il fut plus tard présenté au peintre, il s'exclama avec des larmes dans les yeux: « Quand je pense que j'ai perdu une année, que j'aurais pu connaître votre peinture un an plus tôt. Comment a-t-on pu me priver d'un tel plaisir (16)! »

Simple inspecteur des douanes, Chocquet avait l'âme d'un vrai collectionneur, préférant faire ses découvertes tout seul, ne prenant pour guide que son propre goût et son plaisir, ne pensant jamais à spéculer, et se désintéressant totalement de ce que faisaient ou pensaient les autres. Bien que ses ressources fussent limitées, il avait réussi, avec combien de soins, à se faire peu à peu une très belle collection d'œuvres de Delacroix. Ne pouvant oublier que treize ans plus tôt Delacroix, vieillissant, avait refusé de faire le portrait de sa femme, Chocquet était décidé maintenant à ne plus courir de tels risques. Ayant discerné chez Renoir certaines qualités qui lui rappelaient son idole, il lui écrivit le soir même de la vente. « Il me faisait, dit ensuite Renoir, toutes sortes de compliments de ma peinture et me demandait si

204. RENOIR. *Victor Chocquet*, vers 1875. Fogg Art Museum, Cambridge, Mass.
(Legs G. L. Winthrop). Ph. du Musée.

je consentirais à faire le portrait de Mme Chocquet (17). »
Renoir accepta immédiatement. Peu après il rendit visite
à Chocquet dans son appartement de la rue de Rivoli,
donnant sur le jardin des Tuileries, pour organiser les
séances de pose. Le collectionneur désirait que sa femme
posât de manière telle que dans le fond du portrait par
Renoir paraisse un de ses tableaux de Delacroix. « Je
veux vous avoir ensemble, vous et Delacroix », disait-
il (17).

Renoir fut profondément touché par la sincérité,
l'enthousiasme et la chaleureuse sympathie de Chocquet.
Une grande amitié naquit bientôt entre eux, et Renoir
fit par la suite deux portraits du collectionneur.
Le peintre était impatient de présenter son nouvel
amateur à ses amis, car leur esprit de camaraderie était
tel qu'aucun ne pensait exclusivement à soi, mais essayait
toujours de faire profiter les autres de ses nouvelles
connaissances. Si pressant que fût le besoin de vendre
de chacun d'entre eux, nul ne manquait jamais de partager avec les autres membres du groupe les bienfaits
d'un nouveau protecteur, conseillant même ses amis sur
les prix à demander. Manet lui-même accrochait à
l'occasion les toiles de ses confrères dans son atelier pour
que des acheteurs possibles puissent les voir. Il sembla
donc tout naturel à Renoir d'emmener Chocquet à la
boutique de Tanguy pour lui montrer des œuvres de
Cézanne.

En dépit de sa modeste pension, Cézanne était plus
à l'aise que ses compagnons, car il pouvait du moins
compter sur une somme fixe. En 1875 il habitait à Paris
au quai d'Anjou, près de Guillaumin, avec qui il allait
peindre parfois au bord de la Seine. Renoir savait que
rien ne pouvait plus stimuler Cézanne que le fait de
trouver un nouvel admirateur. Dans une lettre à sa mère,

205

206

207. CÉZANNE. *Victor Chocquet*, 1876-77. Troisième exposition impressionniste, 1877. Collection Lord Rothschild, Londres.

Cézanne venait de déclarer: «Pissarro a bonne opinion de moi, qui ai très bonne opinion de moi-même. Je commence à me trouver plus fort que tous ceux qui m'entourent (18)...» Mais il vivait beaucoup plus isolé que les autres et avait peu d'amis avec lesquels partager ces convictions. Chocquet, s'il appréciait l'art de Cézanne, pouvait devenir un facteur important dans la vie du peintre. Et Renoir avait deviné juste. Chez Tanguy, Chocquet acheta immédiatement une toile de Cézanne en s'écriant: «Comme cela fera bien entre un Delacroix et un Courbet (17).» Peu après le collectionneur rencontra Cézanne lui-même par l'entremise de Renoir, et Cézanne à son tour emmena Chocquet déjeuner chez Monet, au début de 1876.

L'année 1875 avait été très difficile pour Monet; à plusieurs reprises il avait été obligé d'emprunter de l'argent à différents amis. Plus d'une fois il avait fait appel à Manet, lui écrivant en juin: «De plus en plus dur. Depuis avant-hier, plus un sou et plus de crédit, ni chez le boucher, ni chez le boulanger. Quoique j'aie foi dans l'avenir, vous voyez que le présent est bien pénible... Ne pourriez-vous point m'envoyer par retour du courrier un billet de vingt francs? Cela me rendrait service pour le quart d'heure (19)».

En automne 1875 Manet partit pour un court séjour à Venise et ne fut donc pas en mesure d'assister son ami. Des appels urgents furent adressés au docteur roumain, de Bellio, qui avait acheté la fameuse toile, *Impression, Soleil levant,* ou à Émile Zola dont les romans commençaient à se vendre. C'est à ce dernier que Monet écrivit en 1876: «Voulez-vous et pouvez-vous me rendre un grand service? Si je n'ai pas payé demain soir, mardi, la somme de six cents francs, notre mobilier et tout ce que je possède sera vendu et nous serons sur le pavé. Je n'ai pas le premier sou de cette somme. Toutes les affaires sur lesquelles je comptais ne peuvent se faire en ce moment. Je serais désespéré d'apprendre la réalité à ma pauvre femme. Je tente un dernier effort et je m'en viens à vous avec l'espoir que vous voudrez peut-être me prêter deux cents francs. Ce serait un appoint qui pourrait peut-être me faire accorder du temps. Je n'ose venir moi-même. Je serais capable de vous voir sans oser vous dire la cause de ma visite. Un mot de réponse et de toute façon prière de ne pas ébruiter cela, car c'est toujours un défaut d'être dans le besoin (20). »

Probablement vers la même époque, Monet s'adressa aussi au D\u02b3 de Bellio: « Je suis on ne peut plus malheureux; je vais être vendu au moment où j'espérais arranger mes affaires. Une fois sur le pavé et dépourvu de tout, il ne me restera plus qu'une chose à faire: accepter un emploi quel qu'il soit (21). » Sans doute les amis de Monet réussirent-ils à le sauver de la saisie, mais cela ne fut guère la fin de ses difficultés, car à la naissance de son second enfant, Monet devait écrire de nouveau à Zola: « Voulez-vous me rendre un service? Nous n'avons pas un sou à la maison, pas même de quoi faire bouillir la marmite aujourd'hui. Avec cela ma femme mal portante et réclamant bien des soins, car vous saurez peut-être qu'elle est heureusement accouchée d'un superbe garçon. Voulez-vous me prêter deux ou trois louis, ou même un seul? Si cela vous gêne, je pourrai vous rendre cela d'ici une quinzaine. Vous nous rendriez un bien grand service, car j'ai couru toute la journée d'hier sans pouvoir trouver un sou (22). »

Depuis 1875 la femme de Monet avait été souffrante; les soucis et les privations ne pouvaient manquer d'aggraver son état. Lorsqu'elle succomba en 1879, un an et demi après avoir donné naissance à leur second

enfant, un billet supplia de Bellio: « Je viens vous
demander un nouveau service; ce serait de faire retirer
du Mont-de-Piété le médaillon dont je vous envoie la
reconnaissance: c'est le seul souvenir que ma femme
avait pu conserver et je voudrais le lui mettre au cou
avant de partir (23). »

Cependant, harassé comme il l'était sans répit,
Monet ne cessa jamais de travailler. Contemplant au
matin Camille sur son lit de mort, il se rendait compte
qu'en dépit de son chagrin, ses regards étaient pré-
occupés avant tout des différentes colorations de son
jeune visage. Avant même qu'il ne décide de faire d'elle
un dernier portrait, son instinct lui avait fait remarquer
les tonalités bleues, jaunes et grises de la mort. Avec
horreur il se sentait prisonnier de ses expériences
visuelles et comparait son sort à celui de l'animal qui
fait tourner une meule (24).

La vie de Manet, au contraire, était toute d'aisance
bien que dépourvue de satisfactions d'amour-propre.
Manet passait l'été 1876 à Montgeron, dans la propriété
du collectionneur Hoschedé. Il y rencontra de nouveau
Carolus-Duran qui habitait dans le voisinage, et fit son
portrait. Carolus-Duran avait depuis longtemps abandonné la voie des recherches et du travail original pour
suivre la route du succès facile. Grâce à son habileté,
il s'était rapidement rendu célèbre comme peintre
mondain, et Manet ne pouvait s'empêcher d'admirer la
carrière de son confrère. Au fond il souhaitait le même
genre de succès. Être reconnu par la foule, occuper une
position sociale comme peintre, obtenir des médailles et
peut-être le ruban rouge de la Légion d'honneur, tel lui
semblait le but suprême pour un artiste de son temps.
Alors que tant de médiocres réalisaient cette ambition,
il ne comprenait pas pourquoi lui, qui leur était supérieur,

ne se verrait pas récompenser de la même manière. Mais le moment n'était pas encore venu.

Afin d'éviter des refus, Manet n'avait envoyé qu'un seul tableau au Salon de 1875, une toile peinte l'année précédente à Argenteuil. Son œuvre, bien qu'admise, provoqua de nouveau des attaques violentes et ne gagna point les faveurs du public. Le vaillant Castagnary s'insurgea alors une fois de plus contre ceux qui se moquaient de Manet et écrivit: «Est-ce qu'il n'a pas mérité des médailles depuis le temps qu'il expose? Il est chef d'école et exerce une influence incontestable sur un certain groupe d'artistes. Par ce fait même, sa place est marquée dans l'histoire de l'art contemporain. Le jour où l'on voudra écrire les évolutions ou déviations de la pein-ture française au XIXᵉ siècle, on pourra négliger M. Cabanel, on devra tenir compte de M. Manet (25)...»

Mais l'estime officielle allait néanmoins à Cabanel. Poussé par son ambition, Manet essaya de se rapprocher de ceux qui décidaient du succès au Salon, renouant non seulement avec Carolus-Duran, mais commençant même un portrait du critique redoutable Albert Wolff, qui se lassa vite cependant de poser. Malgré tous les soins qu'il prenait pour se faire accepter des milieux officiels, Manet ne cessait de prouver sa profonde sympathie à Monet. Il l'aida à plusieurs reprises car, le nombre de ses pro-tecteurs étant très limité, Monet devait constamment faire appel aux mêmes personnes. Si ce n'était Manet, Zola ou de Bellio, c'était Duret, ou bien alors Caillebotte, Hoschedé, le chanteur Faure, l'éditeur Charpentier qui commençait à acheter des tableaux impressionnistes, ou Victor Chocquet.

Si grande que fût son admiration pour Monet et pour Renoir, Chocquet réservait son enthousiasme pour Cézanne, qui fit plusieurs portraits de lui, mais jamais aucun de sa femme. Durant les longues années de leur amitié, Chocquet allait ajouter un grand nombre d'œuvres de Cézanne à son ensemble de Delacroix, complétant encore sa collection par d'autres œuvres impressionnistes, en particulier de Renoir et de Monet (26).

La rencontre avec Chocquet fut pratiquement le seul avantage que les amis tirèrent de leur vente de 1875. Les prix dérisoires obtenus les firent revenir sur leur décision de faire une nouvelle exposition d'ensemble la même année, projet que Burty avait annoncé dans son introduction au catalogue. C'est seulement en 1876 qu'ils décidèrent d'affronter le public avec une seconde exposition. Mais le nombre des participants fut considérablement réduit cette fois, beaucoup des exposants de 1874 ne voulant pas se compromettre de nouveau en compagnie des impressionnistes.

De Nittis n'avait pas oublié le mauvais traitement dont il avait été l'objet. Désireux, d'autre part, d'obtenir la Légion d'honneur, il préféra s'abstenir. Astruc et treize autres peintres, dont Bracquemond et Boudin, en firent autant. Guillaumin, que son emploi au service de la Ville de Paris empêchait de travailler à sa peinture, ne participa pas à l'exposition, non plus que Cézanne qui était de nouveau dans le Midi et avait décidé d'envoyer un tableau au Salon. Il annonça du reste bientôt à Pissarro qu'une lettre de refus lui avait été adressée, ce qui ne l'avait guère surpris (27). D'autre part, les amis de Degas: Lepic, Levert et Rouart se présentèrent une seconde fois et il y eut aussi quelques nouveaux venus: Caillebotte, Desboutin, Legros (qui vivait toujours en Angleterre où Pissarro l'avait connu en 1871), Tillot, un ami de Degas, et quelques autres. Manet refusa une fois de plus de se joindre à ses amis, bien que le jury eût rejeté les deux toiles qu'il avait envoyées au Salon: le *Linge* et l'*Artiste,* un portrait de Marcellin Desboutin. Éva Gonzalès avait été admise et exposait pour la première fois comme « élève de Manet ». En avril 1876, outré du refus qu'il venait d'essuyer, Manet invita le public à son atelier où il exposa les toiles refusées (28).

Le geste de Manet ne manqua pas d'étonner la presse qui commenta railleusement: « Le jury vient de lui rendre le service de refuser ses deux envois et de retremper ainsi sa popularité dans le monde artistique des brasseries. Mais pourquoi n'avoir pas favorisé de ses deux tableaux l'exposition de ses frères et amis, les impressionnistes? Pourquoi faire bande à part? C'est de l'ingratitude. Quel éclat la présence de M. Manet n'eût-elle pas donné au cénacle de ces renards de la peinture, qui se disent fièrement *impressionnistes* et tiendront leur drapeau debout d'une main ferme, jusqu'au jour où ils auront enfin appris à dessiner et à manier la brosse, si jamais ce jour-là arrive (29)! »

Comme Manet, les impressionnistes firent leur exposition au mois d'avril. Elle eut lieu à la galerie Durand-Ruel et comprenait deux cent cinquante-deux peintures, pastels, aquarelles, dessins et eaux-fortes par vingt exposants. Cette fois-ci, selon un rapport de Degas, adressé à Berthe Morisot, les peintres avaient résolu de montrer chacun ses envois groupés au lieu de les entremêler. Degas était représenté par plus de vingt-quatre œuvres, dont sa toile *Portraits dans un bureau,* peinte à La Nouvelle-Orléans; Monet montrait dix-huit tableaux, parmi lesquels un grand nombre prêtés par le chanteur Faure qui avait suivi les conseils de Durand-Ruel et fait des achats importants. Il y avait aussi un paysage prêté par Chocquet. La toile de Monet qui attira le plus d'attention s'intitulait *Japonnerie* et représentait une

208. MANET. *L'artiste* (Marcellin Desboutin), daté 1875. Refusé par le jury du Salon en 1876. Museum de Arte Moderna, Sao Paulo. Ph. Musées nationaux français.

208

jeune femme portant un kimono richement brodé; elle se vendit pour la somme élevée de deux mille francs. Berthe Morisot figurait au catalogue avec dix-sept tableaux. Pissarro en envoya douze, dont un appartenant à Chocquet et deux à Durand-Ruel. Renoir exposait quinze toiles dont six faisaient partie de la collection de Chocquet (l'une son portrait, semble-t-il). Manet prêta le *Portrait de Bazille* que Renoir avait peint en 1867. Il y avait huit paysages de Sisley (30).

Victor Chocquet ne se contenta pas de prêter des tableaux, il était personnellement sur la brèche. «Il fallait le voir..., a dit Théodore Duret, il devenait une sorte d'apôtre. Il prenait les uns après les autres les visiteurs qu'il connaissait et s'insinuait auprès de beaucoup d'autres pour chercher à les pénétrer de sa conviction et leur faire partager son admiration et son plaisir. C'était un rôle ingrat... il ne recueillait guère que des sourires ou des railleries... M. Chocquet ne se rebutait point. Je me rappelle l'avoir vu s'efforcer de gagner ainsi les critiques connus, tels qu'Albert Wolff, et des artistes hostiles, venus par simple esprit de dénigrement (31).»

Dans l'ensemble il vint moins de visiteurs à cette exposition qu'à la première et la presse se montra tout aussi violente qu'auparavant. Bien que certains critiques constatent que les «impressionnalistes» ont «monté d'un cran dans l'estime publique (32)», et que d'autres essaient honnêtement de rendre justice aux peintres, l'opinion générale se reflète dans l'article de l'influent Albert Wolff que Chocquet n'avait pas réussi à convaincre:

« La rue Le Peletier a du malheur, écrivait-il dans *Le Figaro*. Après l'incendie de l'Opéra, voici un nouveau désastre qui s'abat sur le quartier. On vient d'ouvrir chez Durand-Ruel une exposition qu'on dit être de peinture.

Le passant inoffensif, attiré par les drapeaux qui
décorent la façade, entre, et à ses yeux épouvantés s'offre
un spectacle cruel: cinq ou six aliénés, dont une femme,
un groupe de malheureux atteints de la folie de l'ambition, s'y sont donné rendez-vous pour exposer leurs
œuvres. Il y a des gens qui pouffent de rire devant ces
choses. Moi, j'en ai le cœur serré. Ces soi-disant artistes
s'intitulent les intransigeants, les impressionnistes; ils
prennent des toiles, de la couleur et des brosses, jettent
au hasard quelques tons et signent le tout... Effroyable
spectacle de la vanité humaine s'égarant jusqu'à la
démence. Faites donc comprendre à M. Pissarro que les
arbres ne sont pas violets, que le ciel n'est pas d'un ton
beurre frais, que dans aucun pays on ne voit les choses
qu'il peint et qu'aucune intelligence ne peut adopter de
pareils égarements!... Essayez donc de faire entendre
raison à M. Degas; dites-lui qu'il y a en art quelques
qualités ayant nom: le dessin, la couleur, l'exécution,
la volonté; il vous rira au nez et vous traitera de réaction-
naire. Essayez donc d'expliquer à M. Renoir que le torse
d'une femme n'est pas un amas de chairs en décomposition avec des taches vertes, violacées, qui dénotent
l'état de complète putréfaction dans un cadavre!... Et
c'est cet amas de choses grossières qu'on expose en
public, sans songer aux conséquences fatales qu'elles
peuvent entraîner! Hier, on a arrêté, rue Le Peletier, un
pauvre homme qui, en sortant de cette exposition,
mordait les passants. Pour parler sérieusement, il faut
plaindre les égarés; la nature bienveillante avait doué
quelques-uns de qualités premières qui auraient pu faire
des artistes. Mais, dans la mutuelle admiration de leur
égarement commun, les membres de ce cénacle de la
haute médiocrité vaniteuse et tapageuse ont élevé la
négation de tout ce qui fait l'art à la hauteur d'un prin-

209

cipe; ils ont attaché un vieux torche-pinceau à un manche
à balai et s'en sont fait un drapeau. Sachant fort bien
que l'absence complète de toute éducation artistique leur
défend à jamais de franchir le fossé profond qui sépare
une tentative d'une œuvre d'art, ils se barricadent dans
leur insuffisance, qui égale leur suffisance, et tous les ans
ils reviennent avant le Salon avec leurs turpitudes à
l'huile et à l'aquarelle protester contre cette magnifique
école française qui fut si riche en grands artistes... Je
connais quelques-uns de ces impressionnistes pénibles; ce
sont de jeunes gens charmants, très convaincus, qui se
figurent sérieusement qu'ils ont trouvé leur voie. Ce
spectacle est affligeant (33)... »

209. CÉZANNE. *L'Estaque*, 1876-78. Ancienne collection Chocquet. Collection
Mrs. Richard J. Bernhard, New York. Ph. Sam Salz.

De nouveau les efforts des peintres paraissaient avoir été vains. Cependant, alors qu'il ne semblait pas y avoir de paroles assez dures pour décrier leurs œuvres, leur influence se faisait sentir jusque dans l'art officiel. Castagnary fut le premier à le reconnaître lorsqu'il écrivit en 1876 : «... Ce qui caractérise le Salon actuel, c'est un immense effort vers la lumière et la vérité. Tout ce qui rappelle le convenu, l'artificiel, le faux, déplaît. J'ai vu poindre l'aube de ce retour à la simplicité franche, mais je ne croyais pas que ses progrès fussent si rapides. Ils sont flagrants, ils éclatent cette année. La jeunesse y est lancée tout entière et, sans s'en rendre compte, la foule donne raison aux novateurs... Eh bien! les impressionnistes ont eu une part dans ce mouvement. Les personnes qui sont allées chez Durand-Ruel, qui ont vu les paysages si justes et si vibrants de MM. Monet, Pissarro, Sisley, ne le mettent pas en doute (34). »

Mais les changements observés au Salon, malgré ce qu'ils devaient à l'impressionnisme, n'avaient avec lui que des rapports superficiels. Une nouvelle génération d'artistes tentait d'accommoder les découvertes des impressionnistes au goût corrompu du public. Ils inventèrent un art hybride – si on peut parler d'art – où une conception académique s'unissait à une technique tant soit peu impressionniste. Ils se servaient moins de couleurs bitumeuses et avaient recours parfois aux traits de pinceau apparents, non pas pour rester près de la nature, mais dans l'espoir d'infuser un semblant de vie nouvelle à l'académisme mourant. Les impressionnistes, loin de profiter de ce développement nouveau, en souffrirent plutôt, puisque l'approbation du public allait aux opportunistes et non pas à eux.

Peut-être la seule consolation pour les peintres était le fait que leur seconde exposition ne s'était pas soldée, comme la première, par un déficit. La location des salles de Durand-Ruel s'était élevée à 3.000 francs. La moitié seulement fut effectivement versée par les exposants en parts égales (ce qui faisait 75 francs pour chacun des vingt participants), tandis que Durand-Ruel devait prélever les autres 1.500 francs sur les entrées. Or, il ne rentra pas seulement dans ses frais, mais put rembourser l'avance faite par les artistes, dont chacun touchait même un dividende de 3 francs. Cézanne considérait cela « un joli commencement » et a pu regretter de s'être abstenu, mais Pissarro, père de trois enfants et approchant la cinquantaine, n'a guère dû trouver beaucoup d'encouragement en ces 3 francs.

Cézanne passait l'été 1876 à l'Estaque où il peignit deux vues de la Méditerranée pour Chocquet. C'est là qu'il reçut des nouvelles de Pissarro auxquelles il répondit: « Si j'osais, je dirais que votre lettre est empreinte de tristesse. Les affaires picturales ne marchent pas; je crains bien que vous ne soyez moralement influencé un peu en gris, mais je suis convaincu que ce n'est que chose passagère. » Puis, les deux amis discutèrent d'une affaire assez bizarre dans laquelle ils s'étaient embarqués l'été précédent lorsque la faillite de la première exposition impressionniste semblait exclure toute nouvelle tentative. Sur les instances de Pissarro, Cézanne et Guillaumin s'étaient alors joints à un groupement nouveau, *L'Union Artistique*, une coopérative dirigée par un certain Alfred Meyer. Ils crurent sans doute y trouver un cadre pour montrer leurs œuvres. Mais depuis le succès relatif de la nouvelle exposition de Monet, l'organisation de Meyer ne paraissait plus présenter d'attraits et Pissarro ne put cacher à Cézanne que le plus clair des activités du directeur de *L'Union Artistique* semblait consister en intrigues contre Monet.

« Je souhaite, répondit Cézanne, que l'exposition de notre coopérative soit un four si nous devons exposer [en 1877] avec Monet. Vous me trouverez canaille, mais d'abord son affaire propre avant tout... Je concluerai en disant comme vous, que puisqu'il se trouve une tendance commune entre quelques-uns d'entre nous, espérons que la nécessité nous forcera à agir de concert, et que l'intérêt et la réussite fortifieront le lien que bien souvent la bonne volonté n'aurait pas suffi à consolider (35). »

C'est en raison de cette attitude que Cézanne, Pissarro et Guillaumin finiront par donner leur démission à *L'Union Artistique*. Entre-temps, à un dîner-réunion qui avait eu lieu après la fermeture de la seconde exposition impressionniste, Cézanne avait été proposé comme devant être un des trois nouveaux sociétaires. Sa candidature avait été chaudement défendue par Monet et avait été acceptée bien que Lepic, ami de Degas, se soit élevé contre sa réception. Mais tandis que de telles différences restaient une affaire intérieure, les opinions plutôt hérétiques de Degas — ou du moins ce que les autres croyaient être ses opinions — allaient voir le jour lorsque Duranty publia un pamphlet sur le groupe. Prenant prétexte d'un article du peintre-écrivain Fromentin, qui avait constaté avec regret que le « plein air » prenait une importance excessive en peinture, Duranty traita toute la question de la « peinture nouvelle » (il prit garde de ne pas employer le mot « impressionnisme ») dans une brochure intitulée *La nouvelle peinture : à propos du groupe d'artistes qui expose dans les galeries Durand-Ruel*. Il est impossible de dire maintenant dans quelle mesure l'écrit de Duranty reflète les opinions de Degas, mais il est certain que cet opuscule n'est pas, comme on l'a prétendu, l'œuvre du peintre lui-même. Depuis le moment où il avait fait paraître sa revue, *Réalisme,* vingt-cinq ans auparavant, Duranty avait cherché à souligner certaines tendances communes à la littérature et à l'art de son temps. Un des précurseurs du mouvement naturaliste en littérature qui tournait à présent autour de Zola et dans lequel lui-même n'occupait qu'une position mineure, Duranty, comme les Goncourt, avait découvert dans la vie de tous les jours des sujets de romans réalistes et y avait aperçu également des motifs pour les peintres. Dès 1856 il avait proclamé :

« J'ai vu une société, des actions et des faits, des professions, des figures et des milieux divers. J'ai vu des comédies de gestes et de visages qui étaient vraiment *à peindre.* J'ai vu un grand mouvement de groupes formé par les relations des gens, lorsqu'ils se rencontrent sur différents terrains de la vie : à l'église, dans la salle à manger, au salon, au cimetière, sur le champ de manœuvre, à l'atelier, à la Chambre, partout. Les différences d'habit jouaient un grand rôle et concouraient avec les différences de physionomies, d'allures, de sentiments et d'actes. Tout me semblait arrangé comme si le monde eût été fait uniquement pour la joie des peintres, la joie des yeux (36). »

De tous les amis peintres de Duranty, Degas paraît avoir été le seul à partager son intérêt pour la vie quotidienne, pour la description exacte des êtres et des choses. Après Courbet c'est lui qui, le premier, eut l'idée d'abattre la cloison qui séparait l'atelier de l'artiste de la vie courante. C'est lui aussi qui avait essayé de représenter ses contemporains dans leurs attitudes caractéristiques et leurs actes professionnels ; c'est lui encore qui pouvait, suivant l'expression de Duranty, révéler par un simple geste toute une gamme de sentiments.

Considérant la peinture sous un angle littéraire et social, et déterminé en cela par son ancienne amitié et son

admiration pour Courbet, Duranty — comme Edmond de
Goncourt — voyait avant tout chez Degas le commen-
tateur de la vie contemporaine. C'est cette appréciation
limitée, mais sincère, de l'œuvre du peintre qui avait valu
à Duranty l'amitié de Degas. Il est possible évidemment
que, par suite de leurs rapports amicaux, les propres idées
de Degas aient contribué à former les opinions de
Duranty, mais cela ne signifie pas que l'artiste ait guidé sa
plume.

Après avoir attaqué l'École des Beaux-Arts dans sa
brochure, en citant les écrits de Lecoq de Boisbaudran,
Duranty chercha à démontrer que le nouveau mouvement artistique prenait racine dans un passé plus ou
moins récent, nommant Courbet, Millet, Corot, Chintreuil, Boudin, Whistler, Fantin, Manet et même Ingres,
qui n'avait jamais «triché devant les formes modernes»,
affirmation qui a bien pu être suggérée par Degas.
Duranty exprima aussi l'espoir que certains parmi les plus
jeunes initiateurs et leurs compagnons puissent se joindre
au groupe dans les années à venir, traduisant ici encore,
très certainement, les souhaits de Degas.

« C'est une grande surprise, écrivait Duranty, à une
époque comme celle-ci, où il paraissait qu'il n'y avait plus
rien à trouver... de voir jaillir soudainement des données
nouvelles... Un jeune rameau s'est développé sur le vieux
tronc de l'art. » Puis il montrait les nouvelles qualités de
ce groupe d'artistes: « Une coloration, un dessin et une
série de vues originales... Dans la coloration ils ont fait
une véritable découverte, dont l'origine ne peut se
trouver ailleurs... La découverte consiste proprement à
avoir reconnu que la grande lumière *décolore* les tons, que
le soleil reflété par les objets tend, à force de clarté, à les
ramener à cette unité lumineuse qui fond ses sept rayons
prismatiques en un seul éclat incolore, qui est la lumière.

D'intuition en intuition, ils en sont arrivés peu à peu à décomposer la lueur solaire en ses rayons, en ses éléments, et à recomposer son unité par l'harmonie générale des irisations qu'ils répandent sur leurs toiles. Au point de vue de la délicatesse de l'œil, de la subtile pénétration du coloris, c'est un résultat tout à fait extraordinaire. Le plus savant physicien ne pourrait rien reprocher à leurs analyses de la lumière. »

En parlant du dessin moderne, Duranty attribuait tout spécialement à Degas de nouvelles conceptions et

210   211

de nouvelles idées, et défendait la peinture de « plein air » contre le reproche d'*inachevé,* expliquant que son but essentiel était de saisir l'instant. Mais dans sa récapitulation il montrait finalement une certaine réticence, insinuant des réserves que Degas sans doute approuvait. Considérant le groupe de peintres, il dit qu'il était formé par « des originalités avec des excentricités et des ingénuités, des visionnaires à côté d'observateurs profonds,

210. DESBOUTIN. *Edgar Degas*, 1876. Eau-forte. — 211. DESBOUTIN. *Edmond Duranty*, vers 1876. Eau-forte.

des ignorants naïfs à côté de savants qui veulent retrouver la naïveté des ignorants; de vraies voluptés de peinture, pour ceux qui la connaissent et qui l'aiment, à côté d'essais malheureux qui froissent les nerfs [ceci apparemment pour Cézanne] (37); l'idée fermentant dans tel cerveau, l'audace presque inconsciente jaillissant sous tel pinceau. Voilà la réunion.

« Est-ce que ces artistes seront les primitifs d'un grand mouvement de rénovation artistique? demandait Duranty. Seront-ils simplement des fascinés; seront-ils les sacrifiés du premier rang tombés en marchant au feu devant tous et dont les corps, comblant le fossé, feront le pont sur lequel doivent passer les combattants qui viendront derrière?» Et Duranty concluait: « Je souhaite bon vent à la flotte, pour qu'il la porte aux Iles Fortunées; j'invite les pilotes à être attentifs, résolus et patients. La navigation est périlleuse, et l'on aurait dû s'embarquer sur de plus grands, de plus solides navires; quelques barques sont bien petites, bien étroites, et bonnes seulement pour la peinture de cabotage. Songeons qu'il s'agit, au contraire, de peinture au long cours (38)! »

Ces derniers mots, avec le manque de confiance qu'ils impliquent, parurent particulièrement inopportuns aux peintres. Mais leur ressentiment se porta surtout contre Degas, dont ils reconnaissaient l'attitude particulière dans les réticences de Duranty et ses prudentes réserves. Renoir, sans montrer ses sentiments, fut extrêmement agacé, et Monet répondit au pamphlet par un silence dédaigneux (39). Attaqués par leurs adversaires et mal soutenus par leurs amis, les peintres ne trouvaient d'espoir et de soulagement que dans leur travail.

« Tout le clan peintre est dans la détresse, écrit en septembre 1876 Eugène Manet à sa femme, Berthe Morisot. Les marchands sont encombrés. Édouard

[Manet] parle de se restreindre et de supprimer son atelier. Espérons que les acheteurs reviendront. Le moment, il est vrai, n'est pas favorable (40)... »

En dépit de soucis continuels, l'année 1876 fut particulièrement féconde. Sisley, à son retour d'Angleterre, travailla de nouveau à Louveciennes et à Marly où les inondations allaient lui fournir le sujet de toute une série de toiles qui sont parmi les meilleures qu'il ait faites. Monet alla passer quelque temps chez Hoschedé à Montgeron (Sisley y vint aussi une fois) et y fit de nombreux paysages dont plusieurs furent achetés par son hôte. Monet s'installa ensuite à Paris où il fut aussitôt attiré par la gare Saint-Lazare. L'immense enceinte avec sa verrière contre laquelle les grosses locomotives cra-

212

212. SISLEY. *Inondations à Port-Marly*, daté 1876. Seconde exposition impressionniste, 1876. Musée du Jeu de Paume, Paris, Ph. Giraudon. — 213. MONET. *La Gare Saint-Lazare*, daté 1877. Fogg Museum of Art, Cambridge (Collection Maurice Wertheim). Ph. du Musée.

chaient leur fumée opaque, les départs et les arrivées
des trains, la foule et le contraste saisissant entre le ciel
limpide dans le fond et les sombres machines fumantes,
tout cela offrait des sujets nouveaux et passionnants; sans
se lasser, Monet installait son chevalet dans différents
coins de la gare. Comme Degas aimait à le faire, il
étudiait le même motif sous des aspects multiples,
saisissant avec vigueur et subtilité à la fois le caractère
spécifique du lieu et son atmosphère propre. Duranty
aurait pu reconnaître dans ces études la conquête d'une
des scènes les plus caractéristiques de la vie contemporaine, si le point de vue de Monet n'avait pas été
dépourvu de toute préoccupation sociale. Il voyait dans
cette gare de chemin de fer un prétexte plutôt qu'un but

213

214. **DEGAS.** *Le Café-Concert, Les Ambassadeurs*, 1876-77. Pastel sur monotype.
Probablement troisième exposition impressionniste, 1877. Musée de Lyon.
Ph. Durand-Ruel.

en soi; il découvrait et fouillait tous les aspects picturaux du machinisme, mais ne faisait aucun commentaire sur sa laideur, son utilité ou sa beauté, ni sur ses rapports avec l'homme.

Degas continuait aussi à explorer de nouveaux milieux, mais son intérêt se fixait sur l'homme et ses problèmes psychologiques. Il se mit à fréquenter les music-halls, les cafés-concerts et les cirques, toujours attiré par les gestes des exécutants obéissant à un mécanisme impitoyable. « Il vous faut la vie naturelle, expliquait-il à ses confrères, à moi, la vie factice (41). » Mais cette assertion ne suffisait pas à définir ce qui le séparait des impressionnistes. « J'ai toujours essayé, expliqua plus tard Degas au peintre anglais Walter Sickert, de pousser mes collègues à chercher de nouvelles combinaisons dans la voie du dessin que je considère plus féconde que celle de la couleur. Mais ils n'ont pas voulu m'entendre et ont suivi l'autre direction (42). » Degas considérait apparemment leur attitude envers la nature trop passive et n'approuvait pas leur fidélité absolue au motif choisi. Leur principe de ne rien omettre et de ne rien changer, la préoccupation unique des sensations immédiates les rendaient, à son avis, esclaves des hasards de la nature et de la lumière. « C'est très bien de copier ce que l'on voit, disait-il à un ami, mais c'est beaucoup mieux de dessiner ce que l'on ne voit plus que dans sa mémoire. C'est une transformation pendant laquelle l'imagination collabore avec la mémoire. Vous ne reproduisez que ce qui vous a frappé, c'est-à-dire le nécessaire. Là vos souvenirs et votre fantaisie sont libérés de la tyrannie qu'exerce la nature (43). »

Degas était maître de son inspiration. Il se considérait comme parfaitement libre de modifier les détails de ses sujets suivant les besoins de la composition, comme il le fit dans une série représentant le même *Foyer de Danse,* où la pièce, dans chacun des tableaux, montre une variété de détails qui ne se retrouvent pas dans les autres toiles. Alors que les impressionnistes, prisonniers de leurs sensations, devaient achever leurs tableaux sur place — que ce fût en une ou plusieurs séances — sans pouvoir ensuite les retoucher, la méthode de Degas l'encourageait à revenir incessamment sur la même toile. Cette méthode portait en elle-même une malédiction dont il devint la victime : la hantise du perfectionnisme. Jamais satisfait de son travail, il détestait vendre ses œuvres et hésitait souvent à les exposer, projetant toujours de les parachever. C'est ainsi qu'il fut amené à conclure un curieux marché avec Faure, l'amateur de Manet, qui en 1874 avait acheté à Durand-Ruel six toiles que Degas regrettait d'avoir vendues; Faure les restitua au peintre pour qu'il pût y travailler de nouveau. En échange, Degas promit de peindre quatre grandes compositions pour le chanteur. Deux lui furent remises en 1876. Après avoir patienté onze ans pour les deux autres, Faure finit par intenter un procès à Degas afin d'obtenir satisfaction (44).

C'est vers 1876 que Degas semble avoir abandonné la plus grande partie de sa fortune pour venir en aide à un frère qui aurait tout perdu à la suite de spéculations imprudentes sur des valeurs américaines (45). Degas ne parlait jamais de ses affaires personnelles, mais on sait qu'à partir de ce moment il commença à dépendre des ventes qu'il réalisait. Il n'avait pas beaucoup de peine à trouver des acquéreurs, ni à obtenir des prix relativement élevés, mais il était dans l'obligation — à son grand regret — de se séparer de ses œuvres. Bien que les deux faits soient peut-être sans rapport, il commença à ce moment à faire davantage de pastels, moyen d'expression qui ne permet guère de retouches. Il

parvint avec cette technique à une liberté d'expression
de plus en plus grande, manifestant en même temps une
prédilection pour des couleurs plus claires et des effets
plus simples que lorsqu'il peignait à l'huile.

Pendant ce temps Renoir, dans son atelier de la rue
Saint-Georges, travaillait surtout à des portraits et des
nus. Il avait fait la connaissance de Charpentier, l'éditeur
de Zola et de Daudet, qui lui fit faire les portraits de sa
femme et de ses enfants. C'est sans doute cette com-
mande qui permit à Renoir de louer — pour cent francs
par mois — une petite maison avec un jardin sur les
hauteurs de Montmartre, rue Cortot. Son atelier était
devenu le lieu de réunion, en fin d'après-midi, d'un grand
nombre d'amis parmi lesquels se trouvaient Maître,
Duret, Chocquet et plusieurs jeunes nouveaux venus,
dont les peintres Franc-Lamy et Cordey (46). Ces
derniers avaient travaillé dans les classes de Lehmann,
le disciple d'Ingres, jusqu'au jour où ils avaient, avec
d'autres, organisé une révolte contre leur professeur.
Lehmann refusant de démissionner et le directeur des
Beaux-Arts ne leur permettant pas d'entrer dans d'autres
classes, ils quittèrent l'École. Le groupe d'insurgés
adressa alors une lettre pleine d'éloquence à Manet, lui
demandant de les accepter pour élèves dans un atelier
libre, placé sous sa direction. Mais Manet refusa, en
partie sans doute dans la crainte de s'aliéner les sym-
pathies officielles, et en partie probablement parce qu'il
se sentait peu enclin à renouveler une expérience où
Courbet avait déjà échoué.

Franc-Lamy et Cordey, avec leurs amis Rivière et
Lestringuez, étaient à présent des visiteurs quotidiens
chez Renoir. Après que celui-ci fut allé passer quelques
semaines avec Daudet à Champrosay, ils le suivirent à
Montmartre. Le grand jardin de sa maison de la rue

215. RENOIR. *L'atelier de l'artiste, rue Saint-Georges*, Paris, 1876. (De gauche à droite : Lestringuez, Rivière, Pissarro, le musicien Cabaner ; au premier plan, Cordey). Ancienne collection Eugène Murer. Collection Antonio Santamarina, Buenos Aires. Ph. Musées nationaux français.

Cortot, une sorte de parc à l'abandon, permit à Renoir de travailler souvent en plein air. Ses amis posaient volontiers pour lui, ainsi qu'une jeune actrice, Mlle Samary, que Renoir avait dû rencontrer chez les Charpentier, dont la beauté et le radieux sourire étaient célèbres à la ville comme à la scène. C'est dans ce jardin et avec ses amis

216. RENOIR. *Le bal au Moulin de la Galette*, Montmartre, daté 1876. Ancienne collection Chocquet. (Une plus grande version, exposée à la troisième exposition impressionniste, 1877, fut léguée au Musée du Louvre par Caillebotte). Parmi les danseurs, des amis de Renoir : Frank-Lamy, Gœneutte, Rivière, Gervex, Cordey, Lestringuez et Lhote. Collection Hon. et Mrs. John Hay Whitney, New York.

pour modèles que Renoir peignit *La Balançoire*. Mais
la grande composition, *Le bal au Moulin de la Galette,*
qui date de la même époque, fut exécutée dans le jardin
même du célèbre établissement où ses amis aidaient
Renoir à transporter chaque jour sa toile. De nouveau
Franc-Lamy, Cordey, Lestringuez et le peintre Lhote
lui servirent de modèles, tandis que Renoir choisit leurs
danseuses parmi les jeunes filles qui venaient valser tous
les dimanches au vieux Moulin (47).

Dans ces tableaux, ainsi que dans d'autres de la
même époque, Renoir se montre préoccupé d'un problème particulier. Plaçant ses modèles sous les arbres,
afin qu'ils fussent parsemés de taches de lumière tombant
à travers le feuillage, il étudiait les effets bizarres des
reflets verts et des points lumineux sur leurs visages,
leurs vêtements ou leurs corps. Ses modèles devenaient
simplement un prétexte à représenter de curieux et
fugitifs effets de lumière et d'ombre qui dissolvaient

en partie les formes, offrant à l'observateur le spectacle capricieux et gai de la lumière dansante. Monet, de son côté, étudia des effets semblables.

Caillebotte qui avait pour principe — comme de Bellio — d'acquérir surtout les œuvres de ses amis qui paraissaient ne pas être « vendables », acheta *La Balançoire* et aussi *Le bal du Moulin de la Galette* (une réplique plus petite de ce tableau fut acquise par Chocquet). Timide dans sa propre peinture, Caillebotte appréciait l'audace de ses amis; en peu de temps il avait réuni une collection si importante de leurs œuvres qu'il commença à se préoccuper de son sort futur. En novembre 1876, bien qu'âgé seulement de vingt-sept ans, il fit son testament, léguant tous ses tableaux à l'État, à condition qu'ils aillent un jour au Louvre. Il désigna Renoir pour son exécuteur testamentaire. Hanté par le pressentiment d'une mort prématurée, Caillebotte était particulièrement anxieux d'assurer les moyens financiers d'une nouvelle exposition d'ensemble. Dans le tout premier paragraphe de son testament il disait en effet: « Je désire qu'il soit pris sur ma succession la somme nécessaire pour faire en 1878, dans les meilleures conditions possible, l'exposition des peintres dits les Intransigeants ou les Impressionnistes. Il m'est assez difficile d'évaluer aujourd'hui cette somme; elle peut s'élever à trente, quarante mille francs ou même plus. Les peintres qui figureront dans cette exposition sont Degas, Monet, Pissarro, Renoir, Cézanne, Sisley, Berthe Morisot. Je nomme ceux-là sans exclure les autres (48). »

Après avoir pourvu généreusement à l'avenir, Caillebotte continua à consacrer tous ses efforts désintéressés au présent. C'est en grande partie grâce à son inépuisable enthousiasme et à sa ténacité que la troisième exposition du groupe fut organisée — non pas en

217. RENOIR. *La Balançoire*, daté 1876. Peint dans le jardin de Renoir, rue Cortot, à Montmartre. Troisième exposition impressionniste, 1877. Musée du Jeu de Paume, Paris (Legs Caillebotte). Ph. Hachette.

1878 comme il l'avait prévu – mais dès le printemps de 1877.

« Nous sommes bien ennuyés pour notre exposition, écrivit-il en janvier à Pissarro, à qui il venait d'acheter une nouvelle toile. Le local de Durand-Ruel est loué tout entier pour un an... Mais ne nous désolons pas, déjà plusieurs combinaisons offrent des chances. L'exposition se fera; il faut qu'elle se fasse (49)... » Les peintres finirent par trouver un appartement vide au second étage d'un immeuble, 6, rue Le Peletier, dans la même rue que les galeries de Durand-Ruel. Les pièces grandes et bien éclairées avec des plafonds hauts et de longs murs étaient

218

218. MONET. *Femme dans un jardin*, vers 1875. Seconde exposition impressionniste, 1876, acquis plus tard par Mary Cassatt. Walters Art Gallery, Baltimore. Ph. du Musée.

particulièrement appropriées. Caillebotte, qui connaissait le propriétaire, avança le montant du loyer. Son attitude pleine de tact empêcha beaucoup de discussions parmi les exposants, et les préparatifs se firent à peu près sans heurts. Les invitations furent envoyées par Renoir et Caillebotte qui convièrent également les membres du groupe à une réunion où les problèmes en suspens devaient être discutés. Degas insista auprès de tous ses amis pour qu'ils fussent présents, leur disant: « Il va se discuter une grosse question: si l'on peut exposer au Salon et avec nous? Très grave (49)!» Degas obtint satisfaction et une décision fut prise, interdisant aux membres de l'*Association Coopérative* d'exposer au Salon. Par contre, Degas ne fut pas suivi lorsqu'il se montra violemment hostile au titre d'*Exposition des Impressionnistes* qu'on voulait choisir. Il disait que ce mot ne signifiait rien, mais ne put empêcher les autres d'annoncer l'exposition de cette manière et d'accepter ainsi pour la première fois – à la grande joie de M. Leroy – le nom qui leur avait été donné par moquerie.

Dix-huit peintres seulement prirent part à l'exposition de 1877. Plusieurs des anciens participants s'abstinrent, comme Béliard et Lepic, mais il y eut quelques nouveaux venus. Renoir avait invité ses amis Franc-Lamy et Cordey (51), Pissarro avait amené Piette. Cézanne et Guillaumin se joignirent de nouveau aux autres. La liste complète des exposants comprenait Caillebotte, Cals, Cézanne, Cordey, Degas, Jacques-François (pseudonyme d'une femme peintre), Guillaumin, Franc-Lamy, Levert, Maureau (un ami de Degas), Monet, Morisot, Piette, Pissarro, Renoir, Rouart, Sisley et Tillot (52).

Il y eut plus de deux cent trente œuvres, chacun des impressionnistes envoyant un plus grand nombre de toiles qu'auparavant. Cézanne exposait trois aquarelles et une douzaine de tableaux, surtout des natures mortes et des paysages, ainsi qu'un portrait de Chocquet. Degas avait envoyé vingt-cinq peintures, pastels et lithographies représentant des danseuses, des scènes de café-concert et des femmes à leur toilette; il exposa aussi un portrait de son ami Rouart. Guillaumin était représenté par douze toiles. Monet avait trente-cinq œuvres à cette exposition, dont plusieurs paysages de Montgeron et sept vues de la gare Saint-Lazare. Onze de ses toiles étaient prêtées par Hoschedé, deux par Duret et le même nombre par Charpentier et par Manet (qui possédait un paysage d'Argenteuil), trois par le docteur de Bellio. L'envoi de Pissarro se composait de vingt-deux paysages d'Auvers, de Pontoise et de Montfoucault (où vivait Piette), trois d'entre eux étant prêtés par Caillebotte. En vue de rehausser l'effet de ses couleurs, Pissarro présenta ses œuvres dans des cadres blancs comme ceux que Whistler avait parfois employés. Parmi les vingt et une toiles de Renoir figuraient *La Balançoire* et *Le bal au Moulin de la Galette,* en même temps que les portraits de Mme Charpentier, de sa fillette, de Mlle Samary, de Sisley et de Mme Daudet; il y avait encore plusieurs études de fleurs, des paysages et des têtes de jeunes filles. Sisley exposait dix-sept paysages des environs de Paris, dont une vue des *Inondations à Marly.* Trois de ses œuvres étaient prêtées par Hoschedé, trois par le docteur de Bellio, deux par Charpentier, une par Duret, et une autre, *Le pont d'Argenteuil,* par Manet.

Le comité d'accrochage se composait de Renoir, Monet, Pissarro et Caillebotte. Dans la première pièce furent mises des œuvres de Monet, Caillebotte et Renoir; la seconde était consacrée à une grande composition décorative de Monet, *Les Dindons blancs,* à *La Balançoire*

---

219. GUILLAUMIN. *Le Pont Louis-Philippe*, Paris 1875. National Gallery of Art, Washington (Collection Chester Dale). Ph. du Musée. — 220. CÉZANNE. *Baigneurs* (petite version), 1875-76. Probablement troisième exposition impressionniste, 1877, sous le titre « Étude, projet de tableau ». Collection Mrs. Nate B. Spingold, New York. Ph. Sam Salz.

219

220

de Renoir et à d'autres toiles de ces deux peintres ainsi qu'à des œuvres de Pissarro, Sisley, Guillaumin, Cordey et Franc-Lamy. Les envois de Cézanne étaient accrochés sur un mur de l'immense salon au centre de l'appartement, un autre mur étant réservé à ceux de Berthe Morisot; tous deux occupaient ainsi des places d'honneur. Dans la même pièce se trouvaient *Le bal au Moulin de la Galette* et un grand paysage de Pissarro. La pièce attenante contenait d'autres œuvres de Monet, Sisley, Pissarro et Caillebotte, tandis qu'une petite galerie au bout de l'appartement était presque entièrement réservée à Degas (53).

L'ouverture eut lieu au début d'avril. Il vint beaucoup de monde et le public semblait moins disposé à se moquer qu'aux expositions précédentes. Mais, à de rares exceptions près, la presse aussitôt rivalisa d'attaques stupides, plaisanteries faciles, répétitions monotones des commentaires antérieurs (54). Les peintres, qui avaient espéré trouver cette fois un peu plus de compréhension, pensant que leurs manifestations répétées pourraient avoir raison de l'hostilité générale et leur valoir tout au moins la considération due à des efforts sérieux, se virent bientôt en présence d'une nouvelle foule moqueuse. Les œuvres de Cézanne en particulier provoquaient l'hilarité du public. Personne ne fut plus outré de cette attitude que Victor Chocquet qui passait de nouveau tout son temps à l'exposition. Rivière, l'ami de Renoir, a raconté plus tard comment le collectionneur travaillait sans relâche à convaincre les visiteurs obstinés, faisant honte aux rieurs de leurs plaisanteries, les harcelant de remarques ironiques dans des discussions où ses adversaires n'avaient pas le dernier mot. A peine quittait-il un groupe qu'on le voyait un peu plus loin traînant presque de force un amateur au goût obstiné devant les toiles de Renoir, de Monet ou de Cézanne, essayant de lui faire partager son admiration. Il trouvait des mots éloquents et des arguments habiles pour convaincre ses auditeurs, leur expliquant avec clarté les raisons de ses préférences. Tour à tour persuasif ou véhément, il se dévouait sans se lasser ni se départir de cette urbanité qui faisait de lui à la fois le plus charmant et le plus formidable des adversaires (55). D'après les souvenirs de Théodore Duret, « Chocquet s'était fait ainsi un renom et lorsqu'il apparaissait, on se plaisait à l'attaquer sur son sujet favori. Il était toujours prêt. Il avait toujours le mot, lorsqu'il s'agissait des peintres, ses amis. Il était surtout infatigable au sujet de Cézanne, qu'il mettait au tout premier rang... Beaucoup s'amusaient de l'enthousiasme de M. Chocquet, qui leur paraissait quelque chose comme une douce folie (56). »

Chocquet fut secondé dans ses efforts par Georges Rivière à qui Renoir avait suggéré de publier un petit journal pour défendre les peintres et répondre aux attaques de M. Wolff et de ses semblables. Les autres acceptèrent ce projet et pendant la durée de l'exposition Rivière fit paraître *L'Impressionniste, journal d'art*, écrivant lui-même la plupart des articles avec la collaboration occasionnelle de Renoir (57). Rivière disait que ses amis avaient adopté le mot « impressionniste » afin d'assurer au public qu'on ne verrait à leur exposition ni tableaux de genre, ni peintures historiques, bibliques ou orientales. Cette explication purement négative était due sans doute au fait que les peintres ne tenaient pas à présenter des théories pour justifier leurs efforts, théories qui auraient pu risquer de les séparer plus que de les unir. Mais dans ces conditions le soutien apporté par Rivière, et notamment son éloge de Cézanne, éveillèrent peu d'attention. Il écrivait un peu en amateur et ses rapports avec les impressionnistes étaient trop connus pour que son enthousiasme pût convaincre les lecteurs.

D'après Duret, « la pensée de la majorité des visiteurs fut que les artistes qui exposaient n'étaient peut-être pas dénués de talent, et qu'ils eussent peut-être pu faire de bons tableaux, s'ils eussent voulu peindre comme tout le monde, mais qu'avant tout ils cherchaient le tapage pour ameuter la foule (58) ». Le journal de Rivière a dû être considéré tout simplement comme faisant partie de ce tapage.

221

Après la fermeture de l'exposition, le 30 avril, les peintres décidèrent à nouveau d'organiser une vente. Mais ni Berthe Morisot, ni Monet n'en firent partie. Par contre, Pissarro y participa cette fois, ainsi que Caillebotte, celui-ci sans autre raison que le désir de se solidariser avec ses amis. Comme il fallait s'y attendre, les

221. **EXPOSITION DES PEINTRES IMPRESSIONNISTES.** « *Madame ! cela ne serait pas prudent. Retirez-vous !* » Caricature par Cham, publiée dans « Le Charivari », 1877.

résultats de cette seconde vente ne furent pas très différents de ceux de la première (59).

A présent, l'impressionnisme avait acquis une espèce de célébrité dans tout Paris. Les journaux représentaient les impressionnistes en caricature et les peintres devenaient même le thème de plaisanteries au théâtre. Ludovic Halévy, ami de Degas, écrivit en collaboration avec Meilhac une comédie, *La Cigale,* qui fut jouée avec beaucoup de succès aux Variétés, en octobre 1877. Le personnage principal de cette pièce était un peintre impressionniste ou « intentionniste » dont les œuvres pouvaient se regarder aussi bien à l'envers qu'à l'endroit. Un paysage avec un nuage blanc, par exemple, devenait dans l'autre sens une marine avec un bateau à voile. Degas lui-même fit un croquis pour la scène d'atelier car, expliqua-t-il à Halévy, « j'ai beau mal y voir, la chose me plaît beaucoup à faire (60)... »

A l'étranger la cause impressionniste ne gagnait pas non plus de terrain. Le jeune Auguste Strindberg, alors à Paris, fut conduit par un ami peintre à la galerie de Durand-Ruel. Il se rappellera plus tard : « Nous vîmes des toiles très merveilleuses, signées principalement Manet et Monet. Mais comme j'avais autre chose à faire à Paris que de regarder des tableaux... je regardais cette nouvelle peinture avec indifférence calme. Mais le lendemain je revins sans trop savoir comment, et je découvrais « quelque chose » dans ces bizarres manifestations. Je vis le grouillement de la foule sur un embarcadère, mais je ne vis pas la foule même; je vis la course d'un train rapide dans un paysage normand, le mouvement des roues dans la rue, d'affreux portraits de personnes toutes laides qui n'avaient pu poser tranquillement. Saisi par ces toiles extraordinaires, j'envoyai à un journal de mon pays une correspondance dans laquelle j'avais essayé de traduire les sensations que je voyais que les impressionnistes avaient voulu rendre, et mon article eut un certain succès comme une chose incompréhensible (61). »

Alors que le public considérait surtout les impressionnistes comme des peintres « amusants » ou « incompréhensibles », deux nouvelles recrues se présentèrent au groupe. L'une était une jeune Américaine, Mary Cassatt, l'autre un employé de banque parisien, Paul Gauguin.

Au Salon de 1874, Degas avait remarqué pour la première fois les œuvres de Mary Cassatt. Vers la même époque, celle-ci conseilla à son amie new-yorkaise, Mrs. Havemeyer, d'acquérir des œuvres de Degas, quoique, à cette date, les deux artistes ne se soient pas connus. Depuis lors, l'admiration de la jeune femme pour Courbet, Manet et surtout Degas n'avait fait que grandir, mais elle avait continué à se présenter au Salon. Pourtant, elle le faisait sans enthousiasme, depuis qu'un portrait, refusé en 1875, avait été accepté l'année suivante tout simplement parce qu'elle avait peint le fond plus sombre, pour se conformer aux conventions académiques. En 1877, le jury refusa de nouveau son envoi, et c'est alors qu'un ami commun amena Degas à son atelier et que celui-ci l'invita à se joindre au groupe et à participer à leurs expositions. « J'acceptai avec joie, expliqua-t-elle plus tard. Enfin je pouvais travailler avec une indépendance absolue, sans m'occuper de l'opinion éventuelle d'un jury (62). »

Rien, si ce n'est cette soif d'indépendance, ne semble avoir prédestiné Miss Cassatt à l'abandon de sa tranquille existence de dame peintre exposant au Salon, pour le rôle ingrat d'une femme se joignant au groupe d'artistes le plus ridiculisé. Fille d'un riche banquier de Pittsburg, Mary Cassatt avait parcouru l'Europe

222

depuis 1868, visitant la France, l'Italie, l'Espagne et
la Hollande pour y étudier les vieux maîtres, et était
revenue à Paris en 1874, afin d'entrer à l'atelier de
Chaplin, l'ancien professeur d'Éva Gonzalès. Mais
l'expérience acquise et l'habitude d'une grande sévérité
pour elle-même lui firent sentir qu'elle ne pourrait jamais
s'exprimer librement en suivant les sentiers battus. Elle
était devenue peintre plus ou moins contre la volonté
de son père; à l'âge de trente-deux ans elle décida enfin
d'obéir à son intuition, dût-elle pour cela sortir de son
milieu. Elle réussit désormais à séparer sa vie mondaine
de son travail, sans jamais consentir au moindre com-

222. CASSATT, *Torero*, Séville, daté 1873. Collection privée, Chicago.

promis. Bien qu'elle ne fût pas à proprement parler
une élève de Degas, elle subit son influence plus que nulle
autre. Il y avait chez l'un et l'autre une même intellec-
tualité et une même prédilection pour le dessin, mais elle
y ajoutait un mélange de sentiment et de froide vivacité
qui lui sont tout à fait particuliers.

    Vers la même époque, Pissarro fit la connaissance,
apparemment par le collectionneur Arosa, du filleul de
celui-ci, Paul Gauguin, qui était alors un agent de change
prospère. C'est Arosa sans doute qui, le premier, éveilla
l'intérêt de l'ancien marin pour l'art, mais à sa banque
Gauguin avait connu un autre employé, Schuffenecker,
qui consacrait ses loisirs à la peinture. Peu de temps
après son mariage, en 1873, Gauguin, âgé alors de vingt-

223. GAUGUIN. *La Seine au pont d'Iéna*, en hiver, daté 1875. Musée du Jeu de
Paume, Paris. Ph. Hachette. — 224. Photographie de Paul GAUGUIN, employé de
banque, 1873.

cinq ans, se mit à dessiner et bientôt aussi à peindre.
En 1876, il avait envoyé au Salon un paysage qui fut
accepté. Cependant il ne tarda pas à découvrir dans les
expositions impressionnistes un art qui l'attirait plus que
tout ce qu'il avait encore vu. Peu à peu il acheta des
œuvres de Jongkind, Manet, Renoir, Monet, Pissarro,

3   224

Sisley, Guillaumin et aussi de Cézanne; il dépensa quinze
mille francs pour sa collection. La peinture impressionniste domina ainsi son existence et l'incita à poursuivre ses propres efforts dans des directions semblables.
Sentant le besoin d'être conseillé, il fut heureux de
connaître Pissarro qui était d'un abord facile et toujours
disposé à aider ses confrères. Par lui, Gauguin fit un peu
plus tard la connaissance de Guillaumin et de Cézanne.
Bien que Pissarro devînt le maître de Gauguin et s'efforçât
de développer ses dons par un contact étroit avec la
nature, ce fut Cézanne qui impressionna le plus profondément Gauguin.

     Cézanne passa une partie de l'année 1877 à Pontoise
avec Pissarro, tous deux peignant de nouveau côte à côte.

225

226

Cézanne travailla aussi en compagnie de Guillaumin dans le parc d'Issy-les-Moulineaux. « Je ne suis pas trop mal content, écrit-il à Zola, mais il paraît qu'une désolation profonde règne dans le camp impressionniste. Le pactole ne coule pas précisément dans leur poche et les études sèchent sur place. Nous vivons dans des temps bien troublés, et je ne sais quand la pauvre peinture reprendra un peu de son lustre (63). »

Cézanne sentait de plus en plus le besoin de s'isoler, de travailler dans le Midi, loin des bruits, des discussions et des intrigues de Paris, pour avancer tout seul, indifférent à l'opinion des autres. Là-bas, dans sa ville natale, il croyait pouvoir le mieux se consacrer à la tâche qu'il s'était donnée, celle de « faire de l'impressionnisme quelque chose de solide et de durable comme l'art des musées » (64).

NOTES.

1. G. RIVIÈRE : « L'exposition des Impressionnistes », L'Impressionniste, 6 avril 1877; cité par L. VENTURI : Les Archives de l'Impressionnisme, Paris-New York, 1939, v. II, p. 309.

2. Voir L. VENTURI : « The Aesthetic Idea of Impressionism », The Journal of Aesthetics, printemps 1941, et L. VENTURI : Art Criticism Now, Baltimore, 1941, p. 12.

3. Voir J.C. WEBSTER : « The Technique of Impressionism, a Reappraisal », College Art Journal, novembre 1944.

4. Voir R. RÉGAMEY : « La formation de Claude Monet », Gazette des Beaux-Arts, février 1927.

5. Voir M. ELDER : Chez Claude Monet à Giverny, Paris, 1924, p. 70 (TABARANT : Manet et ses œuvres, Paris, 1947, chap. XXX, dénonce cette anecdote comme inexacte).

6. ELDER, op. cit., p. 35.

7. Sur Caillebotte voir M. BERHAUT : « Gustave Caillebotte », Arts, 30 août 1948, et Musées de France, juillet 1948; A. TABARANT :

« Le peintre Caillebotte et sa collection », *Bulletin de la vie artistique,* 1ᵉʳ août 1921; J. BOURET: « Un peintre de notre temps », *Arts,* 25 mai 1951; et surtout M. BERHAUT: catalogue de l'exposition Caillebotte, Paris, Galerie Wildenstein, été 1951.

8. Voir A. TABARANT: *Pissarro,* Paris, 1924, p. 44.

9. Lettre de Mᵐᵉ Lopes-Dubec à son neveu Eugène Petit, 31 juillet 1874; document inédit, communiqué par M. Maurice Petit, Saint-Thomas.

10. Cité d'après le procès-verbal de la séance; document inédit, communiqué par M. L. R. Pissarro, Paris. (Voir appendice pp. 368-369.)

11. Boudin à Martin, 9 novembre 1876; voir G. JEAN-AUBRY: *Eugène Boudin,* Paris, 1922, p. 83.

12. Manet à A. Wolff, 19 mars [1875]; voir E. MOREAU-NÉLATON: *Manet raconté par lui-même,* Paris, 1926, v. II, p. 41. L'auteur assigne cette lettre à l'année 1877, supposant qu'elle avait été écrite à l'occasion de la seconde vente faite par les amis de Manet. Mais cette seconde vente fut organisée par Caillebotte, Pissarro, Sisley et Renoir et non pas par Monet, Sisley, Renoir et Morisot, dont Manet mentionne les noms. De plus, la vente de 1877 eut lieu le 28 mai, alors que celle de 1875 se tint le 24 mars, cinq jours après l'envoi de la lettre de Manet.

13. « Masque de Fer », dans *le Figaro;* cité par G. GEFFROY: *Claude Monet, sa vie, son œuvre,* Paris, 1924, v. I, ch. XIII.

14. P. BURTY, introduction au catalogue: *Vente du 24 mars 1875. Tableaux et aquarelles par Cl. Monet, B. Morisot, A. Renoir, A. Sisley.*

15. P. DURAND-RUEL: *Mémoires,* dans VENTURI: *Archives,* v. II, p. 201. Sur la vente voir aussi VENTURI, *op. cit.,* v. II, pp. 290-291 et 300; GEFFROY, *op. cit.,* v. I, ch. XIII; R. MARX: *Maîtres d'hier et d'aujourd'hui,* Paris, 1914, p. 309; A. VOLLARD: *Renoir,* ch. VIII; M. ANGOULVENT: *Berthe Morisot,* Paris, 1933, pp. 50-51.

16. Voir F. FELS: *Claude Monet,* Paris, 1925, p. 16.

17. Voir VOLLARD, *op. cit.,* ch. VIII, et pour une interprétation semblable M. DENIS: *Nouvelles Théories,* Paris, 1922, pp. 115-116.

18. Cézanne à sa mère, 26 septembre 1874; voir CÉZANNE: *Correspondance,* Paris, 1937, p. 122.

19. Monet à Manet, 28 juin [1873]; voir A. TABARANT: « Autour de Manet », *L'Art Vivant,* 4 mai 1928.

20. Monet à Zola [sans date, 1876], 17, rue de Moncey; document inédit conservé parmi les papiers de Zola à la Bibliothèque Nationale, Paris.

21. Monet à de Bellio [sans date]; voir « La grande misère des Impressionnistes », *Le Populaire,* 1ᵉʳ mars 1924.

22. Monet à Zola, 7 avril [1878], 26, rue d'Édimbourg; document

inédit conservé parmi les papiers de Zola à la Bibliothèque Nationale, Paris.

23. Monet à de Bellio, 5 septembre 1879, *op. cit.*

24. Voir G. CLEMENCEAU: *Claude Monet,* Paris, 1928, pp. 19-20. Monet parlait d'une personne « très chère » sans nommer Camille — mais il s'agit certainement d'elle. Camille mourut en 1879.

25. Article de Castagnary du 29 mai 1875, cité par TABARANT: *Manet et ses œuvres,* p. 265.

26. Dans la vente de la collection Chocquet figureront 32 toiles de Cézanne, 11 de Monet et de Renoir, 5 de Manet, 1 de Pissarro et 1 de Sisley. Sur Chocquet voir: GEFFROY, *op. cit.,* v. II, ch. XII; J. JOETS: « Les Impressionnistes et Chocquet », *L'Amour de l'Art,* avril 1935; G. RIVIÈRE: *Renoir et ses amis,* Paris, 1921, pp. 36-42. Voir aussi DURET, introduction au catalogue de la vente Chocquet.

27. Cézanne à Pissarro, avril 1876; voir CÉZANNE: *Correspondance,* p. 125.

28. Voir MOREAU-NÉLATON, *op. cit.,* v. II, pp. 37-38; A PROUST: *Édouard Manet, souvenirs,* Paris, 1913, pp. 79-82 et TABARANT: *Manet et ses œuvres,* pp. 279-281.

29. BERNADILLE dans *Le Français,* 21 avril 1876, cité par TABARANT: *Manet et ses œuvres,* p. 286.

30. Pour un catalogue résumé, voir VENTURI: *Archives,* v. II, pp. 257-259; cependant, ce résumé comporte une erreur: il n'y eut *pas* d'œuvres de Bazille à cette exposition, mais seulement son portrait par Renoir.

31. DURET, préface du catalogue de la vente après décès de Mᵐᵉ Chocquet, Paris, Galerie Georges Petit, 3-4 juillet 1899.

32. M. PROTH: *Voyage au pays des peintres,* Paris, 1876, p. 138. Pour d'autres articles sur l'exposition, voir VENTURI: *Archives,* v. II, pp. 286, 298, 301-305 et GEFFROY, *op. cit.,* v. I, ch. XIV. Voir aussi P.-A. LEMOISNE: *Degas et son œuvre,* Paris, 1946, v. I, pp. 237-238, notes 115 et 116.

33. A. WOLFF, article du *Figaro,* 3 avril 1876, cité par GEFFROY, *op. cit.* A la suite de cet article, Eugène Manet, mari de Berthe Morisot, manqua provoquer son auteur en duel.

34. CASTAGNARY, « Salon de 1876 », *Salons 1872-78,* Paris, 1892, pp. 213-214.

35. Cézanne à Pissarro, 2 juillet 1876; voir CÉZANNE: *Correspondance,* pp. 126-127. Parlant de tableaux « neutres » pour le Salon, Cézanne contredit son attitude de jeunesse qui lui faisait plutôt provoquer le jury; à cette époque il avait précisément reproché aux autres de peindre des « tableaux de Salon » (voir p. 171).

36. E. Duranty, cité par lui-même dans: *La nouvelle peinture*, Paris, 1876, p. 31. Voir la nouvelle édition de cette brochure, Paris, 1946, p. 48.

37. Duranty se servit de quelques traits de Cézanne pour une assez grossière caricature dans son roman: *Le peintre Louis Martin*, œuvre posthume publiée dans *Le pays des arts*, Paris, 1881. Voir J. Rewald: *Cézanne, sa vie, son œuvre, son amitié pour Zola*, Paris, 1939, ch. xvi.

38. Duranty, *La nouvelle peinture*, Paris, 1876 et 1946.

39. Voir G. Rivière: *Renoir et ses amis*, p. 102.

40. E. Manet à Berthe Morisot, septembre 1876; voir D. Rouart: *Correspondance de Berthe Morisot*, Paris, 1950, p. 88.

41. Voir G. Moore: *Impressions and Opinions*, New York, 1891, p. 308.

42. W. Sickert: « Degas », *Burlington Magazine*, novembre 1917.

43. G. Jeanniot: « Souvenirs sur Degas », *La Revue Universelle*, 15 octobre, 1er novembre 1933. Voir aussi J. Rewald: « The Realism of Degas », *Magazine of Art*, janvier 1946. Pour la comparaison de paysages peints par les impressionnistes avec les photographies de leurs motifs voir E. Loran: *Cézanne's Composition*, Berkeley, 1943; F. Novotny: *Cézanne und das Ende der Wissenschaftlichen Perspective*, Vienne, 1938; Rewald: *Cézanne*, etc.; L. Venturi: *Paul Cézanne*, Paris, 1939; Venturi: *Archives, op. cit.* Voir aussi les articles illustrés de E. Johnson dans *The Arts*, avril 1930 et de Rewald dans *L'Amour de l'Art*, janvier 1935, *Art News*, 1er-14 mars 1943, 1er-14 octobre 1943, 15-29 février 1944, 1er-14 septembre 1944.

44. Voir *Lettres de Degas*, Paris, 1931, note p. 16.

45. Voir Moore, *op. cit.*, p. 310.

46. Sur les ateliers de Renoir rue Saint-Georges et rue Cortot, voir Rivière, *op. cit.*, pp. 56 et 61-67.

47. Sur le jardin de Renoir, rue Cortot et sur le Moulin de la Galette, voir *ibid.*, pp. 121-137.

48. Voir A. Tabarant: « Le peintre Caillebotte et sa collection », *Bulletin de la vie artistique*, 1er août 1921; le testament de Caillebotte est en partie reproduit dans l'ouvrage de G. Mack: *La vie de Paul Cézanne*, Paris, 1938, p. 283.

49. Caillebotte à Pissarro, 24 janvier 1877; lettre inédite trouvée dans les papiers de Pissarro.

50. Degas à Berthe Morisot [1877]; voir Rouart, *op. cit.*, p. 92.

51. Au début de 1877 il y eut même une scission; quelques membres de la *Coopérative* fondèrent une association rivale, l'*Union Artistique*, dont la première exposition eut lieu au Grand Hôtel du

15 février au 17 mars, c'est-à-dire avant celle des Impressionnistes. (Renseignement communiqué par O. Reutersvärd.)

52. Pour le catalogue résumé voir VENTURI: *Archives*, v. II, pp. 262-264.

53. Sur l'exposition, voir RIVIÈRE, *op. cit.*, pp. 156-159; RIVIÈRE: *Le maître Paul Cézanne*, Paris, 1923, pp. 84-85 et GEFFROY, *op. cit.*, ch. XIX.

54. Pour les commentaires de la presse voir VENTURI: *Archives*, v. II, pp. 291-293, 303-304, 330; et M. FLORISOONE: *Renoir*, Paris, 1938, pp. 162-163; pour des articles sur les envois de Degas voir LEMOISNE, *op. cit.*, v. I, pp. 240-243, notes 120-127.

55. Voir RIVIÈRE: *Renoir et ses amis*, p. 40.

56. DURET, préface au catalogue de la vente Chocquet.

57. Pour des extraits de *L'Impressionniste, journal d'art*, voir VENTURI: *Archives*, v. II, pp. 306-329. La charte de *l'Association Coopérative* du 27 décembre 1873 avait prévu sous J 3: «La publication, le plus tôt possible, d'un journal exclusivement relatif aux arts.»

58. Voir T. DURET: *Les peintres impressionnistes*, Paris, 1878.

59. Suivant GEFFROY, *op. cit.*, v. I, ch. XIX, les paysages de Pissarro rapportèrent entre 50 et 260 francs, les toiles de Renoir: entre 47 et 285 francs, celles de Sisley entre 105 et 165 francs et Caillebotte obtint jusqu'à 655 francs. Les quarante-cinq toiles vendues rapportèrent la somme globale de 7.610 francs, le prix moyen étant de 169 francs.

60. Degas à Halévy, septembre 1877; voir *Lettres de Degas*, Paris, 1945, pp. 41-42 et RIVIÈRE: *M. Degas*, Paris, 1935, pp. 88-89. D'après Sacha GUITRY (*Bulletin de la vie artistique*, 1ᵉʳ mars 1925, p. 118) Monet et Renoir auraient peint des décors pour le troisième acte de *La Cigale*, mais cela paraît extrêmement douteux.

61. Strindberg à Gauguin, 18 février 1895; voir J. DE ROTONCHAMP: *Paul Gauguin*, Paris, 1924, pp. 149-150. L'article que Strindberg envoya à Stockholm était intitulé: *Du Café de l'Ermitage à Marly-le-Roy*; il est réimprimé dans STRINDBERG: *Kulturhistorika Studier*, Stockholm, 1881.

62. Voir A. SEGARD: *Mary Cassatt*, Paris, 1913, p. 8; aussi G. BIDDLE: «Some Memories of Mary Cassatt», *The Arts*, août 1926.

63. Cézanne à Zola, 24 août 1877; CÉZANNE: *Correspondance*, p. 131.

64. Voir M. DENIS: *Théories, 1890-1910*, Paris, 1912, p. 242.

1878-1881

LE CAFÉ
DE LA NOUVELLE-ATHÈNES.
RENOIR, SISLEY ET MONET AU SALON.
SÉRIEUX DÉSACCORDS.

Le Café Guerbois, devenu par trop bruyant au goût de Marcellin Desboutin, fut délaissé par celui-ci, en faveur d'un petit café plus tranquille, la Nouvelle-Athènes, place Pigalle, non loin du cirque Fernando où allaient parfois Renoir et Degas. Lorsque, vers 1876, Degas fit le portrait de Desboutin avec l'actrice Ellen Andrée, tableau intitulé *L'Absinthe,* il les représenta à la terrasse de la Nouvelle-Athènes. Ses amis l'y suivirent peu à peu et en firent leur lieu de réunion du soir, mais le groupe ne fut plus tout à fait le même que celui du Café Guerbois. Parmi les impressionnistes, seul Renoir qui habitait toujours Paris, venait assez régulièrement et Pissarro apparaissait chaque fois qu'il était en ville, c'est-à-dire tous les mois. Monet et Sisley n'y venaient presque jamais, Cézanne pas davantage; il se joignait seulement aux autres lorsque son ami, l'excentrique mais aimable

227. MANET. *La Prune*, 1877. Collection Mr et Mrs. Paul Mellon, Upperville. Ph. Archives photographiques françaises.

musicien Cabaner, réussissait à l'amener (1). Guillaumin,
qui devait gagner sa vie et ne pouvait peindre que pendant
ses loisirs, n'avait pas non plus le temps de venir.

Les habitués les plus assidus de la Nouvelle-
Athènes, outre Desboutin, étaient Manet et Degas.
Ce dernier était parfois accompagné par ses jeunes amis
et «disciples» Forain, Raffaëlli et Zandomeneghi. Le
graveur Henri Guérard, qui en 1878 épousa Éva Gonzalès,
était également un hôte fréquent. Quelques critiques et
des écrivains, parmi lesquels Duranty, Armand Silvestre
et Burty, ainsi que Ary Renan, Jean Richepin, Villiers
de l'Isle-Adam, Alexis, l'ami de Zola, et d'autres se
joignaient aux peintres. On y voyait aussi l'ancien modèle
de Manet, Victorine Meurent (2). Un jeune Irlandais,
George Moore, venu à Paris en 1873 pour étudier la
peinture avec Cabanel et qui avait abandonné l'art au
bout de quelques années, rencontrait les autres à la
Nouvelle-Athènes et se mêlait à leurs conversations.

George Moore, âgé alors d'environ vingt-cinq ans,
fut plus tard décrit par Duret comme un bellâtre aux
cheveux blonds dont personne ne faisait cas, mais qui,
malgré son snobisme, était partout bien accueilli, parce
que ses façons étaient amusantes et son français très
drôle (3). Manet l'aimait bien et dessina trois portraits
de lui; pourtant, celui qu'il ébaucha de Moore au Café
de la Nouvelle-Athènes où ils s'étaient connus, ne plut
pas au peintre et fut détruit. Quand Moore se mit à
écrire, Degas rompit vite toutes relations avec lui, par
une horreur innée de la critique d'art et à cause de sa
conviction que la littérature avait toujours nui à l'art.
De plus, il ne pardonnait pas à Moore d'avoir parlé de
la situation financière de sa famille.

Quoique George Moore n'ait pas fréquenté longtemps la Nouvelle-Athènes, c'est lui qui en a donné la

228

229

228. MANET. *George Moore à la Nouvelle-Athènes*, vers 1879. Croquis à l'huile.
Metropolitan Museum of Art, New York (Don de Mrs. Ralph J. Hines). Ph. Harry
N. Abrams, Inc. — 229. DEGAS. *Le café de la Nouvelle-Athènes*, daté 1878. Crayon.
Ancienne collection Exteens, Paris.

230   231

plus vivante description. Une cloison, dépassant d'un mètre à peu près les chapeaux des hommes assis devant les tables de marbre, séparait la terrasse vitrée du reste de l'établissement. Deux tables à droite étaient réservées à Manet, Degas et leurs amis. Moore admirait le fin visage de Manet, au menton un peu saillant, entouré d'un collier de barbe blonde, le nez aquilin, les yeux gris clair, la voix décidée, l'aisance du corps bien découplé, toujours scrupuleusement mais simplement mis. L'ardeur des convictions de Manet lui fit impression, ainsi que son langage franc et simple, « clair comme de l'eau de roche », quoique parfois un peu dur, amer même (4).

« Le soir quelques fois, à la Nouvelle-Athènes, je vois Manet, Duranty, etc., écrit Alexis en août 1879 à Zola. L'autre fois grande discussion à propos d'un congrès artistique qu'on annonce. Manet déclarait vouloir y aller, prendre la parole, et tomber l'École des Beaux-Arts. Pissarro, qui écoutait cela, était vaguement inquiet. Duranty, en sage Nestor, le rappelait aux moyens pratiques (5). »

230. MANET, *Autoportrait*, 1878. Collection Mr. et Mrs. John L. Loeb, New York. — 231. Photographie d'Édouard MANET.

Moore, de son côté, avait l'impression que Manet était au désespoir de ne pas savoir peindre d'atroces tableaux comme Carolus-Duran, de ne pas être fêté et décoré. Cependant, quelque chose d'étrangement primesautier dans son caractère donnait du charme même à sa vanité (4).

L'impatience non dissimulée de Manet d'obtenir le ruban rouge fut l'occasion d'une violente querelle avec Degas, lorsque leur ami de Nittis fut décoré de la Légion d'honneur en 1878. Degas ne comprenait pas de telles faiblesses, non par modestie, mais parce que son immense orgueil le rendait indifférent aux signes extérieurs du succès et lui faisait même éviter tout ce qui l'eût distingué de la foule anonyme. Son mépris pour la satisfaction de de Nittis fut grand et il ne le cacha pas. De Nittis a rappelé par la suite que Manet « l'écoutait avec ce sourire jeune, ce sourire de gamin, un peu goguenard, qui lui retroussait les ailes du nez ».

« Tout ce mépris, mon petit, répliqua Manet à Degas, c'est de la blague. Vous l'avez, voilà l'essentiel; et je vous en félicite du meilleur de mon cœur. La médaille d'honneur, c'est à vous que nous l'avons tous donnée dans notre esprit, avec bien d'autres choses plus flatteuses encore... Mon cher, s'il n'y avait pas de récompenses, je ne les inventerais pas; mais elles y sont. Et il faut avoir de tout ce qui vous sort du nombre... quand on peut. C'est une étape franchie... C'est encore une arme. Dans cette chienne de vie, toute de lutte, qui est la nôtre, on n'est jamais trop armé. Je ne suis pas décoré? Mais ce n'est pas de ma faute et je vous assure que je le serai si je peux et je ferai tout ce qu'il faudra pour ça.

— Naturellement, interrompit Degas, furieux et haussant les épaules, ce n'est pas d'aujourd'hui que je sais à quel point vous êtes un bourgeois (6). »

D'après Moore, Degas arrivait tard dans la soirée à la Nouvelle-Athènes, vers dix heures. Pour ceux qui le connaissaient, ses épaules voûtées, sa façon de marcher en se dandinant, son costume poivre et sel et sa claire voix masculine avaient un caractère unique.

Avec des livres et des cigarettes le temps passait en d'agréables discussions d'esthétique. Manet bruyant et déclamatoire; Degas vif, plus profond, dédaigneux et sarcastique; Duranty lucide, sec, plein de déceptions refoulées. Pissarro, ressemblant à Abraham — il avait la barbe et les cheveux blancs quoique n'ayant pas encore atteint la cinquantaine — restait à écouter, approuvant leurs idées, se mêlant tranquillement à la conversation. Personne n'était plus gentil que lui, selon Moore. Il se donnait toujours la peine d'expliquer aux élèves des Beaux-Arts pourquoi leur professeur, Jules Lefebvre, n'était pas un grand maître en dessin (7). Les dons pédagogiques innés de Pissarro s'exprimaient à chaque occasion avec une douce insistance et une parfaite clarté. « Il était un tel professeur, a dit une fois Mary Cassatt, qu'il eût appris aux pierres à dessiner correctement (8). »

Degas cherchait beaucoup moins à initier la jeune génération. Il se contentait de conseiller aux débutants de brûler leur table à modèle (9) et de travailler de mémoire. Ses jeunes amis peintres ont peut-être suivi le conseil, mais ils ne purent, semble-t-il, effacer de leur mémoire les œuvres de Degas qu'ils avaient étudiées. Leurs efforts dépendaient plus ou moins complètement de ses directives. Tandis que Degas ne paraissait pas s'en apercevoir, ses amis impressionnistes ne cachaient guère leur malaise à l'endroit de ses imitateurs zélés.

Renoir venait souvent à la Nouvelle-Athènes. Ce qui frappa surtout Moore, c'était sa haine pour le

xixᵉ siècle, ce siècle, disait-il, où personne ne savait
faire un beau meuble ou une belle pendule sans copier
l'ancien. Renoir attachait de plus en plus d'importance
au « métier », et cet intérêt allait trouver son expression
dans ses propres efforts (10).

Les rares visites de Cézanne ne passaient pas ina-
perçues. « Si cela peut vous intéresser, annonçait Duranty
à Zola, Cézanne est apparu, il y a peu de temps, au petit
café de la place Pigalle, dans un de ses costumes d'autrefois: cotte bleue, veste de toile blanche toute couverte
de coups de pinceaux et autres instruments, vieux
chapeau défoncé. Il a eu du succès! Mais ce sont des
démonstrations dangereuses (11). » Elles étaient dangereuses, en effet, car elles contribuaient à créer le mythe
d'un personnage fantastique. C'est ainsi que George
Moore, qui ne rencontra jamais Cézanne à la Nouvelle-
Athènes, apprit maintes histoires sur ce « sauvage, cet
ours mal léché » qui passait pour se promener en bottes
dans les collines aux environs de Paris, abandonnant ses
tableaux dans les champs. Il est évident que la légende
s'était emparée du peintre dès le moment où il avait
commencé à s'isoler.

Alors que les soirées au Café se passaient en discussions animées, tous les paysagistes qui étaient loin
de Paris poursuivaient leur âpre lutte pour la vie, incer-
tains souvent du pain du lendemain. Les comptes rendus
malveillants, les prix dérisoires obtenus dans les ventes,
les critiques du père Martin, irritants par eux-mêmes,
avaient surtout un terrible contrecoup: ils leur enle-
vaient le pain de la bouche. Il y avait une lamentable
monotonie dans la souffrance des peintres, une triste
succession de contretemps qui semblaient les plonger
toujours davantage dans la misère, sans que parût le
moindre signe d'encouragement.

Au mois d'avril 1878, spéculant sur des gains possibles, Faure vendit aux enchères une partie de sa collection. Le résultat fut désastreux. L'insuffisance des offres obligea le chanteur à racheter la plupart des tableaux, et les prix atteints par ceux qui furent vendus ne suffirent même pas à couvrir les frais. Deux mois plus tard, Hoschedé, ruiné, fut contraint par un jugement du tribunal de vendre sa collection qui comprenait entre autres cinq toiles d'Édouard Manet, neuf de Pissarro, douze de Monet et treize de Sisley. Les enchères furent encore une fois catastrophiquement basses (12). La moyenne obtenue pour les tableaux de Manet fut de cinq cent quatre-vingt-trois francs, prix inférieur à celui que Durand-Ruel avait payé autrefois. Les œuvres de Monet rapportèrent en moyenne cent quatre-vingt-quatre francs seulement, et celles de Sisley cent quatorze. Mais ce dernier s'estima satisfait, car il s'était sans doute attendu à pire. « La catastrophe d'Hoschedé troublera évidemment le camp de nos amis intransigeants, écrivit Duranty à Zola, mais ils regagnent des chances du côté de Chocquet dont la femme, m'a-t-on dit, aura un jour cinquante mille livres de rentes (11). » Cependant la bonne volonté de Chocquet ne pouvait certainement suffire à effacer les effets fatals de cette vente; Pissarro, par exemple, fut profondément découragé. « J'avais fini par dénicher un enthousiaste, écrivit-il à un ami, mais la vente Hoschedé m'a tué. Il se décidera pour quelques tableaux inférieurs de moi qu'il pourra se procurer à bon prix à l'Hôtel Drouot. Me voilà encore sans le sou (13). » Pissarro en était de nouveau réduit à accepter cinquante ou cent francs de ses toiles, lorsqu'il parvenait à les vendre.

Au printemps de 1878, Duret vint à l'aide de ses amis en écrivant une brochure, *Les peintres impressionnistes,* dans laquelle il essaya de convaincre le public

232. CÉZANNE. *Autoportrait au chapeau de paille*, 1877-80. Collection Mr. et Mrs William S. Paley, New York.

233. RENOIR. *Portrait d'Eugène Murer*, vers 1877. Collection Mrs. Ira Haupt,
New York. Ph. Musées nationaux français.

que les innovateurs sont toujours en butte aux railleries
avant d'être reconnus. Duret consacra de courtes notices
biographiques et des commentaires à Monet, Sisley,
Pissarro, Renoir et Berthe Morisot, détachant ainsi pour
la première fois ces cinq peintres comme les vrais
impressionnistes, les chefs du groupe. Il s'efforça de
prouver que leurs efforts ne s'opposaient pas à la tradition et se rattachaient au contraire à un grand passé. Il
insistait aussi sur le fait que des critiques comme Burty,
Castagnary, Chesneau et Duranty, des écrivains tels
qu'Alphonse Daudet, d'Hervilly et Zola, des collectionneurs comme de Bellio, Charpentier, Chocquet,
Faure, Murer, etc., avaient déjà su apprécier les impressionnistes, et il concluait en prédisant que le jour
viendrait où leur art serait universellement accepté.

Peu de temps après cette publication, Manet
informa Duret qu'il avait rencontré quelques-uns des
impressionnistes que la promesse de jours meilleurs avait
remplis d'un espoir nouveau. Et Manet ajoutait qu'ils en
avaient bien besoin car les temps étaient pour eux particulièrement difficiles (14).

Parmi les collectionneurs mentionnés par Duret
figurait un nom nouveau, celui d'Eugène Murer qui avait
depuis peu seulement assumé le rôle de protecteur des
arts. Ancien camarade de jeunesse de Guillaumin, Murer
était pâtissier de son état et possédait un restaurant,
petit mais prospère. Il avait fait décorer sa boutique par
Pissarro et Renoir, et achetait aussi leurs toiles, offrant
souvent des repas en échange. Mais quand il leur com-
manda les portraits de sa sœur et le sien, les peintres
eurent du mal à lui faire accepter leurs prix, pourtant
modestes. Rivière, l'ami de Renoir, devait plus tard
accuser Murer d'avoir proposé son aide seulement aux
moments les plus difficiles, lorsque les artistes étaient

prêts à accepter n'importe quoi (15). Cependant, tous les mercredis ils se réunissaient à dîner dans son restaurant, les hôtes les plus fréquents étant Guillaumin, Renoir, Sisley, Guérard, Cabaner, le père Tanguy et quelques autres.

Au cours de l'année 1878, Murer vint plusieurs fois au secours de Pissarro, dont les lettres devenaient de plus en plus sombres. « Je traverse une crise affreuse, écrivit-il à Murer, et je ne vois pas le moyen d'en sortir... Cela va mal. » Pissarro devait de l'argent au boucher, au boulanger, partout, et sa femme, qui attendait son quatrième enfant, était profondément découragée. « Mes études se font sans gaîté, expliquait-il, par suite de cette idée qu'il me faudra abandonner l'art et chercher à faire autre chose, s'il m'est possible de faire un nouvel apprentissage. Triste (16). »

Duret lui reprochant de ne pas savoir bien vendre, Pissarro fit taire son amour-propre et répondit : « Je ferai tout ce qui est dans mon pouvoir pour arriver à réaliser quelque argent, et renouerai même des relations d'affaires avec père Martin, si l'occasion s'en présentait. Mais vous devez penser que cela m'est dur, après avoir été si décrié par lui, car il n'hésitait pas à déclarer que j'étais perdu sans retour... Tous mes clients en sont persuadés. Je craignais même que vous ne fussiez influencé par lui (17)... »

Claude Monet, au contraire, fut estimé un habile homme d'affaires par Duret, trop habile même au goût de ses camarades, qui lui reprochaient parfois de trop chercher à vendre lors de leurs expositions. Pourtant, sa situation ne valait guère mieux que celle de Pissarro. A l'automne de 1877, il fut de nouveau réduit à mendier du secours. « Soyez assez bon, écrivit-il à Chocquet, de vouloir bien me prendre une ou deux croûtes que je vous laisserai au prix que vous y pourrez mettre: cinquante francs, quarante francs; ce que vous pourrez, car je ne puis attendre plus longtemps (18). »

Vers la fin de l'année, Monet devint si las de la lutte qu'il commença à désespérer de l'avenir. C'est alors que Manet conçut un projet pour lui venir en aide. « Je suis allé voir Monet hier, écrivit-il à Duret. Je l'ai trouvé navré et tout à fait à la côte. Il m'a demandé de lui trouver quelqu'un qui lui prendrait au choix, de dix à vingt tableaux, à raison de cent francs. Voulez-vous que nous fassions l'affaire à nous deux, soit cinq cents francs pour chacun?» Manet voulut que leur intervention personnelle ne fût point révélée à Monet et présenta la chose sous la forme d'une excellente affaire qui avait l'avantage d'aider un homme de talent (19). Mais Duret ne sembla pas en mesure de s'associer à Manet qui décida d'agir seul. Le 5 janvier 1878, il s'engagea par écrit à payer mille francs à Monet « valeur en marchandises (20) ». C'est certainement cet argent qui permit au peintre de s'établir à Vétheuil, sur les bords de la Seine, qui – étant plus éloigné de Paris – offrait plus de motifs de campagne et plus de solitude. Mais à la fin de l'année, Monet se retrouva encore sans argent, dans l'impossibilité d'acheter toiles et couleurs.

Duret, n'ayant pu aider Monet, réussit un peu plus tard à rendre service à Sisley qui lui demanda, en août 1878, s'il ne connaissait pas quelqu'un qui consentirait à lui verser cinq cents francs par mois pendant six mois, en échange de trente toiles. « Il s'agit pour moi, disait Sisley, de ne pas laisser passer l'été sans travailler sérieusement, sans préoccupations, pour pouvoir faire de bonnes choses, persuadé qu'à la rentrée on marchera (21). » Duret trouva parmi ses relations d'affaires un acquéreur pour sept toiles de Sisley.

Même Cézanne eut, en 1878, de sérieuses difficultés financières et pensa, comme Pissarro, renoncer à la peinture pour gagner sa vie autrement. Son père avait ouvert une lettre adressée par Chocquet au peintre et y avait trouvé mentionnés « Madame Cézanne et le petit Paul ». Le vieux banquier, furieux, promit de « débarrasser » son fils de ses charges de famille. En dépit de l'évidence, le peintre continua à nier tout, sur quoi son père réduisit sa pension de deux cents à cent francs par mois, disant que cela devait bien suffire à un célibataire. Cézanne se tourna aussitôt vers Zola, faisant appel à son amitié, pour lui demander d'user de son influence afin de lui trouver une situation (22).

Zola venait d'obtenir son premier grand succès avec *L'Assommoir* et était sur le point d'acheter, avec ses droits d'auteur, une petite propriété à Médan, sur les bords de la Seine. Il persuada Cézanne de ne pas provoquer une complète rupture avec son père et s'offrit à lui venir en aide. Tandis que Cézanne restait à Aix chez ses parents, jouant tant bien que mal l'insouciance, Zola, pendant près d'une année, fit vivre Hortense Fiquet et l'enfant, qui demeuraient à Marseille.

Renoir n'était pas moins déprimé que ses amis. Ayant, comme les autres, si peu réussi aux diverses expositions, il décida, en 1878, d'envoyer de nouveau une toile au Salon. Plus tard, il s'en expliqua en ces termes à Durand-Ruel : « Il y a dans Paris à peine quinze amateurs capables d'aimer un peintre sans le Salon. Il y en a quatre-vingt mille qui n'achèteront même pas un nez si un peintre n'est pas au Salon... De plus, je ne veux pas tomber dans la manie de croire qu'une chose ou une autre est mauvaise suivant la place. En un mot, je ne veux pas perdre mon temps à en vouloir au Salon. Je ne veux même pas en avoir l'air. Je trouve qu'il faut faire

234

la peinture la meilleure possible. Voilà tout. Ah! si l'on m'accusait de négliger mon art, ou par ambition imbécile faire des sacrifices contre mes idées, là je comprendrais les critiques. Mais comme il n'en est rien, l'on n'a rien à me dire... Mon envoi au Salon est tout commercial. En tout cas, c'est comme de certaines médecines: si ça ne fait pas de bien, ça ne fait pas de mal (23). »

Renoir, qui se désignait dans le catalogue comme élève de Gleyre, fut reçu avec son tableau, *La Tasse de*

234. RENOIR. *La Tasse de Chocolat* (Margot), 1877. Exposé au Salon de 1878. Collection privée, Détroit. Ph. Durand-Ruel.

chocolat, alors que les deux toiles soumises par Manet furent refusées une fois de plus. Manet songea à organiser une exposition personnelle mais finalement n'en fit rien.

Quand les impressionnistes se réunirent à Paris vers la fin de mars 1878 pour discuter du projet d'une quatrième exposition du groupe, il leur fallut tenir compte de la défection de Renoir, mais aussi de toute une série d'autres problèmes dont le principal était le fait qu'une nouvelle Exposition Universelle allait avoir lieu la même année. Le jury de la section artistique avait de nouveau réussi à exclure de l'exposition non seulement les grands peintres vivants, mais aussi les grands disparus: Delacroix, Millet, Rousseau, etc. Durand-Ruel décida alors d'organiser une exposition consacrée à ces artistes et aux autres maîtres du groupe de Barbizon. Il ne réunit pas moins de trois cent quatre-vingts œuvres importantes (24). Sisley proposa que les impressionnistes fissent une exposition chez Durand-Ruel, mais les autres, doutant de son succès au milieu de l'agitation d'une Exposition Universelle, préférèrent n'en pas faire du tout.

« Inutile de compter sur notre exposition, écrivit Pissarro à Murer, ce serait un four chez Durand-Ruel, où il y a la réunion de nos maîtres les plus illustres. Pas un chat, l'indifférence la plus complète. On en a assez de cet art morose, de cette peinture exigeante, stupide, qui demande l'attention et la réflexion. C'est trop sérieux, tout cela. Avec le progrès, on doit voir et sentir sans effort, et surtout s'amuser. Et, du reste, qu'a-t-on besoin d'art? Cela se mange-t-il? Non. Eh bien (25)! »

Pour son exposition, Durand-Ruel avait été obligé d'emprunter des tableaux à ses clients, ne possédant plus assez de toiles importantes lui-même. Les années précédentes avaient été pleines de difficultés pour lui aussi. L'un après l'autre les maîtres de Barbizon avaient disparu: Millet en 1874, Corot en 1875, Diaz en 1876, Courbet en 1877, Daubigny en 1878; Daumier était aveugle et malade. Les différentes ventes qui avaient suivi la mort de ces artistes avaient jeté sur le marché une grande quantité de leurs œuvres; les prix avaient par suite baissé, alors que les demandes s'étaient faites plus rares. Au surplus, la dépression d'après guerre ne semblait pas près de se terminer. Et en même temps, Georges Petit, le plus sérieux concurrent de Durand-Ruel à Paris, redoublait d'activité; il n'attendait plus qu'une sorte de consécration officielle de leur art pour traiter avec les impressionnistes. Fort heureusement, des signes d'intérêt croissant se manifestaient aux États-Unis; des marchands américains commençaient à faire des acquisitions massives d'œuvres de Corot et de Troyon, mais refusaient encore de s'intéresser à la peinture plus avancée.

En 1879, Manet résolut de tenter sa chance dans le Nouveau Monde, en y exposant son *Exécution de l'empereur Maximilien*. La toile fut emportée par la cantatrice Émilie Ambre lors d'une tournée de concerts aux États-Unis. A New York la presse manifesta autant d'étonnement que d'admiration; quelques peintres furent enthousiasmés. Il y eut cinq cents affiches pour annoncer l'exposition, mais le public ne montra pas d'empressement et les frais ne furent pas couverts. A Boston, il ne vint pas plus de quinze ou vingt personnes par jour voir le tableau; de nouveau il y eut un déficit et l'exposition projetée à Chicago fut prudemment annulée. Finalement, Mlle Ambre rapporta la toile en France (26).

Entre-temps, Sisley écrivait de Paris à Duret: « Je suis fatigué de végéter comme je le fais depuis si longtemps. Le moment est venu pour moi de prendre une décision. Nos expositions ont servi, il est vrai, à nous faire connaître, et en cela elles nous ont été très utiles, mais il ne faut pas, je crois, s'isoler trop longtemps. Le moment est encore loin où l'on pourra se passer du prestige qui s'attache aux expositions officielles. Je suis donc résolu à envoyer au Salon. Si je suis reçu, il y a des chances cette année, je crois, que je pourrai faire des affaires (27)...» Renoir envoya aussi au Salon de 1879, ainsi que Cézanne, et lorsque Pissarro invita celui-ci à participer à une nouvelle exposition du groupe, il reçut la réponse suivante: « Je pense qu'au milieu des difficultés soulevées par mon envoi au Salon, il serait très convenable pour moi de ne pas prendre part à l'exposition des Impressionnistes (28). »

Malgré l'absence de Renoir, Sisley, Cézanne et de Berthe Morisot (qui n'avait pu travailler parce qu'elle attendait un enfant), les amis préparèrent leur quatrième exposition; elle devait se tenir 28, avenue de l'Opéra. Cette fois, sur l'insistance de Degas, on était tombé d'accord pour éviter le mot « impressionniste » sur les annonces. Degas avait d'abord proposé un compromis, en composant une affiche ainsi conçue (29):

4ᵉ Exposition
faite par
un groupe d'artistes indépendants
réalistes
et
impressionnistes

mais, pour ne pas compliquer les choses, on décida de parler simplement d'un « groupe d'artistes indépendants ». Et Armand Silvestre écrivit aussitôt dans *La Vie Moderne*: « Vous êtes prié d'assister aux service, convoi, enterrement de messieurs les impressionnistes. Ce billet cruel nous vient de la part de messieurs les *Indépendants*.

Ni fausses larmes, ni fausses joies. Du calme. Il n'y a qu'un mot de mort... Ces artistes ont décidé, en grand conseil, que le vocable adopté par le public pour les désigner ne signifiait absolument rien et en ont inventé un autre (30). » Mais en dépit de ce changement, les peintres continuaient à être connus sous le nom d'Impressionnistes.

Découragé par sa malchance persistante, Monet ne quitta même pas Vétheuil pour s'occuper des préparatifs de la nouvelle exposition. Caillebotte prit soin de tout, emprunta pour lui des tableaux aux collectionneurs, s'occupa des cadres, écrivit des lettres et essaya de donner du courage à son ami. « Si vous voyiez comme Pissarro est vert ! » s'exclama-t-il.

Il n'y avait, cette fois, que quinze exposants: Bracquemond et sa femme, Caillebotte, Cals, Degas, Monet, Pissarro, Piette (qui venait de mourir), Rouart, Tillot et, comme nouveaux venus, Lebourg ainsi que trois amis de Degas: Miss Cassatt, Forain et Zandomeneghi. Degas avait encore voulu introduire Raffaëlli mais se heurta apparemment à une vive opposition. A la dernière minute, un autre nouveau venu et seizième exposant se présenta avec une seule petite statuette, mais trop tard pour être mentionné sur le catalogue: Paul Gauguin (31). Ce fut sans nul doute Pissarro qui encouragea son ami à se joindre ainsi au groupe.

Pour compenser l'absence de Renoir et de Sisley, Pissarro envoya trente-huit tableaux (dont sept prêtés par Caillebotte), Monet fut représenté par vingt-neuf œuvres et Degas en fit porter vingt-cinq sur le catalogue. Le 10 avril 1879, jour de l'ouverture, Caillebotte adressa à Monet ce billet triomphal:

« Nous sommes sauvés. Ce soir à cinq heures la recette dépassait quatre cents francs. Il y a deux ans, le jour de l'ouverture, qui est le plus faible, nous étions au-dessous de trois cent cinquante... Pas besoin de vous faire remarquer quelques insanités. Ne croyez pas, par exemple, que Degas ait envoyé ses vingt-sept ou trente numéros. Ce matin, il y avait huit toiles de lui. Il est bien embêtant, mais il faut avouer qu'il a bien du talent (32). »

Sans doute la plus grande surprise pour les peintres fut un article très favorable de Duranty, sans nulle trace de ses réserves coutumières. Après avoir expliqué que les « indépendants, impressionnistes, réalistes ou autres » (employant la désignation proposée par son ami Degas) formaient un groupe de tendances diverses, unis par l'engagement de ne point exposer au Salon, il ne tarissait pas d'éloges pour les exposants impressionnistes, surtout Monet et Pissarro, avant d'en prodiguer également à Degas et son cercle, notamment à Miss Cassatt (33). (Celle-ci exposa une toile encadrée de vert, une autre de vermillon.)

235

235. DEGAS. *Edmond Duranty*, vers 1879. Crayon. Metropolitan Museum of Art, New York. Ph. du Musée. — 236. CASSATT. *A l'Opéra*, 1879. Quatrième exposition impressionniste, 1879. Museum of Fine Arts, Boston. Ph. du Musée.

Cependant, la presse, en général, se montra de nouveau hostile, mais les visiteurs vinrent cette fois-ci en plus grand nombre. «La recette marche toujours, annonça Caillebotte le 1ᵉʳ mai, nous sommes aujourd'hui à dix mille cinq cents francs environ. Quant au public, toujours gai. On s'amuse beaucoup chez nous (32)...» Quand l'exposition ferma le 11 mai, il restait, tous frais payés, six mille francs en caisse. Certains participants étaient d'avis de garder cette somme en réserve, pour garantir des expositions futures, mais étant donné le petit nombre de tableaux vendus, la majorité vota en faveur de la répartition de l'argent. Chacun des exposants reçut quatre cent trente-neuf francs. Miss Cassatt employa cette somme à l'achat de deux tableaux, l'un de Monet et l'autre de Degas.

Au même moment le Salon s'ouvrait. Cézanne avait

236

237

été refusé comme toujours, ainsi que Sisley, mais Manet
et Renoir étaient représentés. (Éva Gonzalès exposait de
nouveau, comme « élève de Manet », une toile fortement
influencée par son maître.) Renoir avait envoyé un
portrait de Jeanne Samary et un groupe représentant
Mme Charpentier et ses deux enfants, peint l'année
précédente. Alors que le portrait de l'actrice avait été
relégué au troisième rang, dans le « dépotoir », Mme Charpentier avait veillé à ce que le sien occupât une bonne
place sur la cimaise. Il est hors de doute que le succès
obtenu par cette toile est dû pour une bonne part à la
notoriété de Mme Charpentier elle-même. La spontanéité
habituelle de Renoir est absente de ce portrait; le peintre
y avait manifestement travaillé avec beaucoup de retenue

237. RENOIR. *Mme Charpentier et ses enfants*, daté 1878. Exposé au Salon de 1879.
Metropolitan Museum of Art, New York. Ph. Musées nationaux français.

et d'application, évitant de s'abandonner aux heureuses
inspirations de sa sensibilité, atténuant ses couleurs.
Rien, dans cette œuvre, ne rappelle sa gaieté naturelle;
il y règne au contraire une sorte de solennelle magni-
ficence. Renoir avait clairement cherché à produire un
effet imposant et il y avait réussi. Les critiques furent
unanimes dans leurs louanges. Pour la première fois,
Renoir pouvait se sentir presque « arrivé ». Castagnary,
toujours hostile à Manet, qu'il accusait de faire des
concessions aux bourgeois, dit le plus grand bien de la
« brosse agile et spirituelle » de Renoir, de « sa grâce vive
et souriante » et de sa couleur enchanteresse (34).
« Renoir a un grand succès au Salon, écrivit Pissarro à
Murer, je crois qu'il est lancé. Tant mieux! C'est si dur,
la misère (35). »

Mme Charpentier n'avait pas été étrangère à la
création d'un nouvel hebdomadaire, *La Vie Moderne,*
consacré à la vie artistique, littéraire et mondaine, que
son mari commença à publier au printemps de 1879.
Edmond Renoir fut chargé d'organiser dans un vaste
local, appartenant à la revue, une série d'expositions qui
devaient réunir toujours les œuvres d'un seul artiste à la
fois, ce qui, à l'époque, était encore assez nouveau. En
juin, il présenta des pastels de son frère, écrivant
en même temps dans *La Vie Moderne* un long article sur
l'œuvre de Renoir (36). Le peintre proposa qu'on fît une
exposition des toiles de son moins fortuné confrère Sisley,
mais sans résultat immédiat (Sisley ne sera exposé à *La
Vie Moderne* qu'en 1881). Renoir alla passer quelque
temps en Normandie, à Berneval, et retourna ensuite à
Chatou où il peignit la *Partie de canotage à Chatou,* fête
d'eau et de lumière, qui le montre absorbé par les mêmes
problèmes que dans *La Balançoire* et *Le Bal au Moulin de
la Galette.*

Le brusque succès de Renoir au Salon dut avoir une grande influence sur Monet, qui en vint à se demander si leur lutte pour l'indépendance n'avait pas été stérile et s'il était possible de jamais réussir hors du Salon. Devait-il à son tour ne plus tenir compte des règlements que le groupe s'était imposés? Renoir, après tout, ne s'était jamais soumis à aucune règle de conduite rigide, avouant franchement: « Je n'ai jamais pu arriver à savoir la veille ce que je ferais le lendemain (37). » Mais le cas de Monet était tout autre. Il avait été un des plus farouches défenseurs des expositions impressionnistes: en fait, c'est lui qui en avait pris l'initiative. Pour lui, l'opposition au jury avait été plus qu'une nécessité, c'était un article de foi. Abandonner à présent ses principes eût semblé l'aveu d'un échec. Et cependant, au-delà de la question de principe, il y avait le problème de l'avenir. Pendant plus de vingt ans, il avait peiné sans beaucoup avancer dans les faveurs du public; il avait même perdu une partie de la sympathie acquise au début. Pouvait-il se permettre de continuer délibérément dans une voie qui lui aliénait l'estime de la majorité? Le moment était venu de chercher le succès, sans se préoccuper d'où il pouvait venir, et puisque le Salon paraissait offrir de meilleures chances, c'est là qu'il fallait le poursuivre. Monet décida donc, en 1880, de soumettre deux toiles au jury.

La défection de Monet déchaîna le plus profond mépris de Degas. Dans une lettre à Duret, Monet se plaignit d'être traité en renégat par ses amis et expliqua qu'il avait pris cette décision uniquement dans l'espoir que Petit, le rival de Durand-Ruel, ferait l'acquisition de quelques-unes de ses toiles, une fois qu'elles auraient été acceptées au Salon (38). (Sisley justifia par le même raisonnement son départ du groupe.) Mais, complètement indifférent aux raisons de Monet, Degas ne vit que son

238

infidélité, ses odieuses concessions à l'art officiel. Il
accusa Monet de « réclame effrénée » et rompit toutes
relations avec lui. Du groupe initial ne restaient plus,
à présent, que Pissarro, Berthe Morisot, Degas, Caillebotte, Guillaumin et Rouart. A l'exception de Pissarro,
aucun d'eux ne dépendait de la vente pour vivre, et leur
dédain du jury, tout admirable qu'il fût, n'avait ainsi rien
de comparable avec l'héroïsme de Pissarro qui, en
renonçant à un succès possible au Salon, optait pour une
pauvreté sans fin.

Par suite de l'absence de Monet, Renoir, Sisley et
Cézanne, la cinquième exposition du groupe, organisée en
1880, n'était plus à dire vrai une exposition impressionniste. Elle comprenait Bracquemond et sa femme, Caille-

botte, Guillaumin, Lebourg, Berthe Morisot, Degas et ses amis: Miss Cassatt, Forain, Levert, Rouart, Zandomeneghi, Tillot ainsi que deux nouveaux qu'il avait invités, Raffaëlli (que Degas avait déjà voulu introduire en 1879) et Vidal; il y avait enfin Pissarro avec son ami et disciple Gauguin, et un troisième nouveau venu, Vignon (39).

L'exposition, qui se tint 10, rue des Pyramides pendant tout le mois d'avril, fut, sur le conseil de Degas, annoncée comme une exposition de *Peintres Indépendants*. Mais Degas ne réussit pas à faire prévaloir son avis, dans une discussion à propos des affiches, et il écrivit plein d'amertume à Bracquemond: « Ça ouvre le premier avril. Les affiches vont être posées demain ou lundi. Elles sont en lettres rouge vif sur fond vert. Il y a eu avec Caillebotte lutte pour mettre ou non les noms. J'ai dû lui céder et les laisser mettre. Quand donc cessera-t-on les *vedettes*? Mˡˡᵉ Cassatt et Mᵐᵉ Morisot ne voulaient pas absolument être sur les affiches... Toutes les bonnes raisons et le goût ne font rien sur l'inertie des autres et l'entêtement de Caillebotte... L'année prochaine, par exemple, je m'arrangerai de façon à ce que cela ne continue pas. J'en suis désolé, humilié (40). »

Raffaëlli, le nouveau protégé de Degas, n'envoya pas moins de trente-cinq tableaux, fait qui semble avoir stupéfait les anciens. Ils n'appréciaient point ses médiocres efforts pour allier un impressionnisme édulcoré à des sujets anecdotiques, à la fois réalistes et frelatés. Degas négligea encore cette fois d'envoyer les œuvres qu'il avait annoncées dans le catalogue, par exemple la statue en cire d'une jeune danseuse à laquelle il avait consacré beaucoup de temps. Toutefois il envoya, mais après le vernissage, un portrait de Duranty qui avait été promis déjà pour l'exposition précédente. (Duranty

était mort brusquement neuf jours après l'ouverture et
Degas tenait sans doute à rendre ce dernier hommage à
son ami.) Zandomeneghi exposait parmi d'autres choses
un assez étrange portrait de Paul Alexis, debout contre
un mur auquel étaient accrochées d'innombrables cages
d'oiseaux. Guillaumin, Berthe Morisot et Pissarro étaient
représentés par plus d'une douzaine d'œuvres chacun.
Pissarro, qui avait fait des essais de gravure à l'eau-forte
avec Degas et Mary Cassatt, avait plusieurs épreuves
montées sur papier jaune dans des cadres violets.
Gauguin présentait une nature morte, plusieurs paysages
(quelques-uns peints à Pontoise aux côtés de Pissarro),
et un buste de marbre soigneusement poli (41).

Le public fut moins nombreux qu'auparavant. La
première surprise causée par les impressionnistes étant
passée, l'indifférence avait succédé à l'hostilité générale.
Les critiques sympathisants commencèrent à distinguer
parmi les exposants les vrais impressionnistes de ceux qui
n'avaient pas grand-chose à voir avec le mouvement,
comme Duranty l'avait fait déjà en 1879. Armand
Silvestre insista sur le fait que Pissarro du moins était resté
fidèle à l'impressionnisme. D'autre part, le romancier
J.-K. Huysmans, ami de Zola, montra peu de compréhension pour les impressionnistes, en particulier pour
Berthe Morisot, appréciant davantage Degas et ses amis
Forain, Raffaëlli et Zandomeneghi (42). L'exposition se
partageait très nettement en deux groupes opposés dont
celui formé par Pissarro, Berthe Morisot, Guillaumin et
Gauguin représentait apparemment la minorité.

Alors que l'impressionnisme ne dominait plus dans
l'exposition du groupe, il n'avait pas non plus beaucoup
de succès au Salon. Le plus important des deux paysages
présentés par Monet, *La Débâcle,* représentant des
glaçons flottant sur la Seine, fut refusé. Les deux toiles de

Renoir furent acceptées mais une seule, une jeune fille
avec un chat dans les bras, endormie sur une chaise, était
représentative de son style impressionniste. Manet
exposait un portrait assez conventionnel de son ami
Antonin Proust, à présent député, et celui d'un couple
dînant *Chez le père Lathuile,* peint en plein air. Sisley
n'était pas représenté. Le jury avait envisagé d'accorder
une seconde médaille à Manet, mais se ravisa, à la grande
déception du peintre dont la santé commençait à
décliner.

Les œuvres de Monet et de Renoir furent très mal
accrochées et les deux peintres conçurent l'idée de protester auprès du ministre des Beaux-Arts, en demandant
d'être mieux traités l'année suivante. Ils envoyèrent une
copie de leur lettre à Cézanne, le priant de la faire
parvenir à Zola. Ils espéraient que Zola, dont le nom
avait à présent une grande portée, la publierait dans un

239

240

239. RENOIR. *Baigneuse*, 1879-80. Albright Art Gallery, Buffalo. Ph. du Musée. —
240. RENOIR. *Jeune fille au chat* (Angèle), daté 1880. Exposé au Salon de 1880.
Sterling and Francine Clark Art Institute, Williamstown, Mass. Ph. du Musée.

des journaux auxquels il collaborait, et qu'il y ajouterait quelques mots pour « démontrer l'importance des impressionnistes et le mouvement de curiosité réelle qu'ils ont provoqué (43) ». Zola publia effectivement une série de trois articles sous le titre *Le Naturalisme au Salon,* mais ils répondaient assez peu à l'espoir des peintres.

Depuis que le succès commençait à récompenser ses efforts opiniâtres, Zola était de plus en plus convaincu de la mission universelle du « naturalisme ». Il ne pouvait oublier que les peintres et lui avaient jadis débuté ensemble, inconnus mais confiants, et ne pouvait s'empêcher de comparer à présent leurs efforts au succès obtenu. Les impressionnistes avaient échoué, lui semblait-il, non parce que le public était aveugle – puisque ce même public savait apprécier ses propres œuvres – mais parce que, selon lui, ils ne s'étaient pas encore réalisés complètement. Ces considérations expliquent l'attitude condescendante de Zola envers ses anciens camarades. Dans ses articles, il commença par désapprouver les expositions particulières du groupe qui n'avaient profité, disait-il, qu'à Degas; d'accord sur ce point avec Manet, il pensait que le combat devait se livrer au Salon même. Il était heureux de voir que Renoir avait été le premier à y revenir, suivi de Monet, bien que tous deux fussent ainsi devenus des renégats. Le groupe avait cessé d'exister, proclamait Zola, mais son influence se sentait partout, même chez les peintres officiels. « Le grand malheur, concluait-il, en reprenant les arguments de Duranty, c'est que pas un artiste de ce groupe n'a réalisé puissamment et définitivement la formule nouvelle qu'ils apportent tous, éparse dans leurs œuvres. La formule est là, divisée à l'infini; mais nulle part, dans aucun d'eux, on ne la trouve appliquée par un maître. Ce sont tous des précurseurs. L'homme de génie n'est pas né. On voit ce qu'ils veulent et on leur donne raison, mais on cherche en vain le chef-d'œuvre qui doit imposer la formule... Voilà pourquoi la lutte des impressionnistes n'a pas encore abouti; ils restent inférieurs à l'œuvre qu'ils tentent, ils bégayent sans pouvoir trouver le mot (44). »

Il y avait quelque chose de tragique à ce manque de compréhension qui, peu à peu, sépara les compagnons d'autrefois. La désintégration du groupe impressionniste fut encore soulignée par Monet qui, à la suite du refus partiel du jury, organisa en juin 1880 une importante exposition de ses œuvres à *La Vie Moderne* (où Manet avait exposé en avril). A un reporter qui lui demanda s'il avait cessé d'être un impressionniste, Monet répondit: « Pas du tout; je suis toujours et je veux toujours être impressionniste... mais je ne vois plus que très rarement mes confrères hommes et femmes. La petite église est devenue aujourd'hui une école banale qui ouvre ses portes au premier barbouilleur venu (45)... » Il est difficile de dire si ces remarques se rapportent à Raffaëlli ou à Gauguin, mais il demeure certain qu'elles ne contribuèrent pas à améliorer les rapports de Monet avec les autres peintres.

Il ne restait plus désormais que deux hommes dévoués de tout leur cœur à la cause commune: Pissarro et Caillebotte. Et pourtant, quand ils se mirent en janvier 1881 à discuter de la possibilité d'une nouvelle exposition du groupe, ils ne furent plus d'accord. Caillebotte en voulait à Degas de la manière dont il avait imposé ses amis aux autres, il était outré des maigres contributions que Degas lui-même apportait à leurs manifestations et offensé par les jugements que Degas avait portés sur Monet et Renoir lors de leur retour au Salon. Il proposa donc de se débarrasser de

Degas et des siens, espérant que cela déciderait Monet
et Renoir à revenir au sein du groupe. Caillebotte
s'expliqua dans une longue lettre à Pissarro:

« Que vont devenir nos expositions? Voici, quant à
moi, mon avis bien arrêté: Nous devons continuer et continuer uniquement dans un sens artistique, le seul sens, en
définitive, qui soit intéressant pour nous tous. Je demande
donc qu'une exposition soit faite avec tous ceux qui ont
apporté un intérêt réel dans la question, c'est-à-dire
vous, Monet, Renoir, Sisley, Mlle Morisot, Mlle Cassatt,
Cézanne, Guillaumin, si vous voulez, Gauguin, peut-être
Cordey et moi. C'est tout, puisque Degas refuse une
exposition ainsi faite. — Je vous demande un peu en quoi
le public s'intéresse à nos débats particuliers. Nous
sommes bien naïfs de nous chamailler pour cela. Degas
a apporté la désorganisation parmi nous. C'est très
malheureux pour lui qu'il ait le caractère si mal fait. Il
passe son temps à pérorer à la *Nouvelle-Athènes* ou dans le
monde. Il ferait bien mieux de faire un peu plus de peinture. Qu'il ait cent fois raison dans ce qu'il dit, qu'il
parle avec infiniment d'esprit et de sens sur la peinture,
cela ne fait de doute pour personne (et n'est-ce pas le
côté le plus clair de sa réputation?). Mais il n'en reste pas
moins vrai que les véritables arguments d'un peintre sont
sa peinture et qu'eût-il encore mille fois plus raison en
parlant, il serait cependant bien plus dans le vrai en travaillant. Il allègue aujourd'hui des besoins d'existence
qu'il n'admet pas pour Renoir et Monet. Mais avant ses
pertes d'argent, était-il donc autre qu'il n'est aujourd'hui?
Demandez à tous ceux qui l'ont connu, à vous le premier.
Non, cet homme est aigri. — Il n'occupe pas la grande
place qu'il devrait occuper par son talent, et, quoiqu'il
ne l'avouera jamais, il en veut à la terre entière.

« Il prétend qu'il a voulu avoir Raffaëlli et les autres

parce que Monet et Renoir avaient lâché et qu'il fallait bien avoir quelqu'un. Mais il y a trois ans qu'il tourmente Raffaëlli pour venir avec nous, bien avant la défection de Monet, Renoir et même Sisley. — Il prétend qu'il faut nous tenir et pouvoir compter les uns sur les autres (parbleu!); et qui nous amène-t-il? Lepic, Legros, Maureau... (Mais il n'a pas fulminé contre la défection de Lepic et Legros, et cependant Lepic, par exemple, n'avait aucun talent. Il lui a bien pardonné. Sans doute, Sisley, Monet et Renoir ayant du talent, il ne leur pardonnera jamais.) En 1878 [il nous a amené] Zandomeneghi, Bracquemond, Mme Bracquemond; en 1879 Raffaëlli..., j'en passe. — Quelle phalange de lutteurs pour la grande cause du réalisme!!!

« S'il y a quelqu'un au monde qui ait le droit de ne pas pardonner à Renoir, Monet, Sisley et Cézanne, c'est vous, parce que vous, vous avez connu les mêmes besoins d'existence qu'eux et que vous n'avez pas faibli. Mais vous êtes en vérité plus simple et plus juste que Degas... Vous savez qu'il n'y a qu'une raison à cela, la raison d'existence. Quand on a besoin d'argent, on tâche de se tirer d'affaire comme on peut. Quoique Degas conteste des raisons aussi élémentaires, je les crois indiscutables. — Il a presque la manie de la persécution. Ne veut-il pas faire croire que Renoir a des idées machiavéliques? Vraiment, non seulement il n'est pas juste, mais encore il n'est pas généreux. — Quant à moi, je n'ai pas le droit de condamner personne pour ces motifs. Le seul, je le répète, auquel je reconnaisse ce droit, c'est vous. Je dis le seul; je ne reconnais pas ce droit à Degas qui a crié contre tous ceux auxquels il reconnaissait du talent, à toutes les époques de sa vie. On ferait un volume de tout ce qu'il a dit contre Manet, Monet, vous...

« Je vous le demande: notre devoir n'est-il pas de

nous soutenir tous et d'excuser nos faiblesses plutôt que de nous démolir...? Pour comble, qui a tant parlé et tant voulu faire a toujours été celui qui a le moins donné personnellement... Tout cela me navre profondément. S'il n'y avait jamais eu qu'une question agitée entre nous, la question d'art, nous aurions toujours été d'accord. Celui qui a mis la question sur un autre terrain, c'est Degas, et nous serions bien sots de subir la peine de ses folies. — Il a un immense talent, c'est vrai. Je suis le premier à me proclamer son grand admirateur. Mais restons-en là. Comme homme il a été jusqu'à me dire, en parlant de Renoir et de Monet: «Vous recevez ces gens-là chez vous?» — Vous voyez que s'il a un grand talent, il n'a pas un grand caractère.

« Je me résume: voulez-vous faire une exposition uniquement artistique? Je ne sais pas ce que nous ferons dans un an. Voyons auparavant ce que nous ferons dans deux mois. — Si Degas veut en être, qu'il vienne, mais sans tous les gens qu'il traîne après lui. Les seuls de ses amis qui aient des droits sont Rouart et Tillot (46)... »

Mais Pissarro, ne pouvant prendre sur lui de «lâcher des confrères», prit la défense de Degas. «C'est un homme terrible, mais franc et loyal», avait-il coutume de dire, et il n'oublia jamais que Degas l'avait plusieurs fois aidé dans des circonstances difficiles (47). Au surplus, la proposition de Caillebotte était toute personnelle; nul ne savait si Monet et Renoir allaient revenir au groupe, quelles que fussent les conditions. — Il ne paraissait donc guère sage de rompre avec Degas.

« J'ignore ce que je ferai, répliqua alors Caillebotte. Je ne crois pas une exposition possible cette année. Mais certainement je ne recommencerai pas celle de l'année dernière (48). »

Les chances d'une sixième exposition paraissaient

faibles; celle-ci fut organisée néanmoins, malgré l'absence de Renoir, Monet, Sisley, Cézanne et, cette fois aussi, de Caillebotte. Elle fut ouverte, en avril 1881, de nouveau 35, boulevard des Capucines, dans une annexe de l'immeuble où se trouvaient les ateliers de Nadar, mais elle ne ressemblait guère à la première exposition du groupe. Degas n'envoya qu'une demi-douzaine d'œuvres (surtout des études) et sa statuette d'une petite danseuse. La contribution de Berthe Morisot fut également fort restreinte. Mary Cassatt exposait des études d'enfants, d'intérieurs et de jardins. Pissarro était représenté par vingt-sept tableaux et pastels, dont deux prêtés par Miss Cassatt, un par Rouart et un par Gauguin. Gauguin lui-même exposa huit toiles, l'une d'elles appartenant à Degas; il montrait aussi deux sculptures (49). (Cette même année Gauguin décora une boîte en bois avec un relief de danseuses d'après des études de Degas, et en

241

243

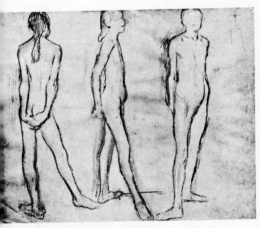

242

241. DEGAS. *Petite Danseuse de quatorze ans*, 1880-81. Bronze. Moulage d'après l'original en cire colorée exposé à la sixième exposition impressionniste, 1881 (actuellement collection Mr. et Mrs. Paul Mellon, Upperville). — 242. DEGAS. *Études pour une statuette*. Pastel. Propriétaire actuel inconnu. — 243. GAUGUIN. *Nu*, daté 1880. Sixième exposition impressionniste, 1881. Ny Carlsberg Glyptotek, Copenhague. Ph. du Musée.

1882 il dédia et offrit à Pissarro une statuette de jeune fille en train de se peigner (50).)

Deux groupes nettement distincts figurèrent à l'exposition de 1881 : d'un côté Pissarro, Berthe Morisot, Guillaumin, Gauguin et Vignon, de l'autre Degas avec Mary Cassatt, Forain, Raffaëlli, Rouart, Tillot, Vidal et Zandomeneghi (51). Un troisième groupe était constitué par ceux qui exposaient ou essayaient d'exposer au Salon : Renoir, Monet, Sisley et Cézanne. Tout portait à penser que Zola n'avait pas tort de dire que le groupe impressionniste avait cessé d'exister.

NOTES.

1. Sur Cabaner voir G. Rivière : *Renoir et ses amis,* Paris, 1921, ch. vii; G. Moore : *Confessions of a young Man,* Londres, 1888, ch. vi et P. Gachet : *Cabaner,* Paris, 1954.

2. Elle avait commencé à peindre et exposa un portrait d'elle-même au Salon de 1876. Sur Victorine Meurent voir A. Tabarant : « Celle qui fut « l'Olympia », *Bulletin de la vie artistique,* 15 mai 1921.

3. Sur Moore voir D. Cooper : « George Moore and Modern Art », *Horizon,* février 1945.

4. Le passage ci-dessus est cité librement d'après deux écrits de Moore : *Reminiscences of the Impressionist Painters,* Dublin, 1906, pp. 12-14 et 24, et : *Modern Painting,* New York, 1898, pp. 30-31.

5. Lettre inédite d'Alexis à Zola, 9 août 1879; Bibliothèque Nationale, Paris.

6. J. de Nittis : *Notes et souvenirs,* Paris, 1895, pp. 187-188. Sur les rapports de Degas et Manet voir aussi F. F. [Fénéon] : « Souvenirs sur Manet » (interview d'Henri Gervex), *Bulletin de la vie artistique,* 15 octobre 1920.

7. Le passage ci-dessus est cité librement d'après deux écrits de Moore : *Reminiscences of the Impressionist Painters, op. cit.,* pp. 24 et 39, et : *Impressions and Opinions,* New York, 1891, ch. « Degas ».

8. Voir A. Segard : *Mary Cassatt,* Paris, 1913, p. 45.

9. Voir H. Detouche : *Propos d'un peintre,* Paris, 1895, p. 86.

10. Renoir exprima plus tard ses opinions sur le métier dans son introduction à l'ouvrage de Cennino Cennini : *Livre d'art,* Paris, 1911.

11. Duranty à Zola [1878], voir AURIANT: « Duranty et Zola », *La Nef,* juillet 1946.

12. Sur les ventes Faure et Hoschedé voir: *Mémoires* de Paul Durand-Ruel dans L. VENTURI: *Les Archives de l'impressionnisme,* Paris-New York, 1939, v. II, pp. 204-205 et 206-207. Sur Hoschedé voir aussi la notice de Tabarant citée par AURIANT, *op. cit.*

13. Pissarro à Murer, été 1878; voir A. TABARANT: *Pissarro,* Paris, 1924, p. 38.

14. Voir lettre de Manet à Duret, été 1878; *Kunst und Künstler,* mars 1914, pp. 325-326.

15. Voir RIVIÈRE, *op. cit.,* pp. 79-80. Sur Murer voir G. GEFFROY: *Claude Monet, sa vie, son œuvre,* Paris, 1924, v. II, ch. IX; C. PISSARRO: *Lettres à son fils Lucien,* Paris, 1950; DURET: *Les peintres impressionnistes,* ch. sur Sisley; COQUIOT: *Vincent van Gogh,* Paris, 1923, pp. 239-241; mais surtout TABARANT: *Pissarro,* dont l'ouvrage est en partie fondé sur les documents personnels de Murer. Voir aussi la lettre de Murer à Duret, 18 juillet 1905, dans: « L'impressionnisme et quelques précurseurs », *Bulletin des expositions,* III, 22 janvier-13 février 1932, Galerie d'art Braun & Cie, Paris. Paul Alexis publia un article sur la collection de Murer dans *Le Cri du Peuple,* 21 octobre 1887, d'après lequel Murer possédait alors 8 tableaux de Cézanne, 25 de Pissarro,16 de Renoir, 10 de Monet, 28 de Sisley, 22 de Guillaumin, etc. Cet article est reproduit dans P. GACHET: *Deux amis des Impressionnistes, le Docteur Gachet et Murer,* Paris, 1956, pp. 170-173.

16. Pissarro à Murer, 1878; voir TABARANT, *op. cit.,* pp. 40, 41.

17. Pissarro à Duret, novembre 1878, *ibid.,* p. 43.

18. Monet à Chocquet, automne 1877; voir J. JOETS: « Les impressionnistes et Chocquet », *L'Amour de l'Art,* avril 1935.

19. Manet à Duret, hiver 1877; voir T. DURET: *Manet and the French Impressionists,* Philadelphie-Londres, 1910, pp. 73-74. Duret date cette lettre de 1875, mais TABARANT: « Autour de Manet », *L'Art Vivant,* 4 mai 1928, a prouvé qu'elle avait dû être écrite à la fin de 1877.

20. Voir TABARANT, *ibid.* Il semble douteux, néanmoins, que Manet ait réellement pris des toiles de Monet en échange, car, au moment de sa mort, Monet lui devait encore de l'argent et, d'autre part, dans la succession de Manet ne figurait pas un grand nombre d'œuvres de Monet.

21. Sisley à Duret, 18 août 1878; voir DURET: « Quelques lettres de Manet et de Sisley », *Revue Blanche,* 15 mars 1899.

22. Voir lettre de Cézanne à Zola, 23 mars 1878; voir CÉZANNE: *Correspondance,* Paris, 1937, p. 133.

23. Renoir à Durand-Ruel, mars 1881; voir VENTURI: *Archives*, v. I, p. 115.

24. Voir *Mémoires* de Durand-Ruel, *ibid.*, v. II, p. 209.

25. Pissarro à Murer, été 1878; voir TABARANT: *Pissarro*, pp. 41-42.

26. Voir E. MOREAU-NÉLATON: *Manet raconté par lui-même*, Paris, 1926, v. II, pp. 75-76.

27. Sisley à Duret, 14 mars 1879; voir DURET: « Quelques lettres de Manet et de Sisley », *op. cit.*

28. Cézanne à Pissarro, 1ᵉʳ avril 1879; voir: CÉZANNE: *Correspondance*, p. 160.

29. Projet inédit se trouvant dans un carnet de Degas, Bibliothèque Nationale, Paris [Dc 327t]. Selon une liste transcrite dans ce même carnet, Degas proposa apparemment encore l'inclusion non seulement de Raffaëlli, mais aussi de Cazin et Lhermitte. Également portés sur cette liste, mais non représentés dans l'exposition, sont Morisot, Cézanne, Béliard, Levert et Guillaumin.

30. A. SILVESTRE: « Le monde des arts », *La Vie Moderne*, 24 avril 1879.

31. Pour un catalogue condensé voir VENTURI: *Archives*, v. II, pp. 262-264. La seule mention de la participation de Gauguin se trouve dans un compte rendu de Duranty (voir note 33).

32. Pour les lettres de Caillebotte se rapportant à cette exposition, voir GEFFROY, *op. cit.*, v. II, ch. VII.

33. Voir DURANTY: « La quatrième exposition faite par un groupe d'artistes indépendants », *Chronique des Arts et de la Curiosité*, supplément de la *Gazette des Beaux-Arts*, 19 avril 1879; reproduit en partie dans l'édition de *La Nouvelle Peinture*, Paris, 1946, appendice. Pour des articles d'A. Wolff et d'A. Silvestre, voir P.-A. LEMOISNE: *Degas et son œuvre*, Paris, 1946, v. I, pp. 245-246, notes 130-131.

34. Voir L. BÉNÉDITE: « *Madame Charpentier and her Children* by Auguste Renoir », *Burlington Magazine*, décembre 1907.

35. Pissarro à Murer, 27 mai 1879; voir TABARANT: *Pissarro*, p. 45.

36. Sur *La Vie Moderne* voir J. REWALD: « Renoir and his Brother », *Gazette des Beaux-Arts*, mars 1945; l'article d'Edmond Renoir sur son frère est reproduit en partie dans VENTURI: *Archives*, v. II, pp. 334-338.

37. Renoir à Monet, 23 août 1900; voir GEFFROY, *op. cit.*, v. II, ch. V.

38. Voir la lettre de Monet à Duret, printemps 1880, citée dans H. GRABER: *Pissarro, Sisley, Monet, nach eigenen und fremden Zeugnissen*, Bâle, 1943, pp. 225-226. Sisley de son côté écrivit le 28 mars 1879 à Charpentier: « Depuis que j'ai décidé d'exposer au Salon, je me trouve plus isolé que jamais. » Voir R. HUYGHE: « Lettres inédites de Sisley », *Formes*, mars 1931.

39. Pour un catalogue condensé voir VENTURI: *Archives,* v. II, pp. 264-265.

40. Degas à Bracquemond, mars 1880; voir *Lettres de Degas,* Paris, p. 51.

41. Ce buste était probablement celui de la femme de Gauguin, exécuté en 1879. Il est reproduit avec plusieurs autres œuvres peu connues de l'époque de ses débuts dans Pola GAUGUIN: *Paul Gauguin, mon père,* Paris, 1938.

42. Voir J.-K. HUYSMANS: *L'art moderne,* Paris, 1883, chapitre sur l'Exposition des Indépendants. De son côté, Jules CLARETIE insista dans *La Vie à Paris, 1880,* Paris, 1881, p. 60 que « Raffaëlli n'a rien d'un Impressionniste ». Pour d'autres articles voir LEMOISNE, *op. cit.,* v. I, pp. 246-248, notes 133-134.

43. Cézanne à Zola, 10 mai 1880; voir CÉZANNE: *Correspondance,* pp. 169-170.

44. ZOLA: « Le naturalisme au Salon », *Le Voltaire,* 18-22 juin 1880, reproduit en partie dans VENTURI: *Archives,* v. II, pp. 276-280. Voir aussi J. REWALD: *Cézanne, sa vie, son œuvre, son amitié pour Zola,* Paris, 1939, pp. 251-258.

45. Voir E. TABOUREUX: « Claude Monet », *La Vie Moderne,* 12 juin 1880.

46. Caillebotte à Pissarro, 24 janvier 1881; document inédit trouvé dans les papiers de Pissarro.

47. Voir la lettre inédite de Pissarro à Mirbeau, 10 octobre 1891; Louvre, Cabinet des dessins.

48. Caillebotte à Pissarro, janvier 1881; document inédit trouvé dans les papiers de Pissarro.

49. Pour un catalogue condensé voir VENTURI: *Archives,* v. II, pp. 266-267; l'exposition comprenait également – hors catalogue – des œuvres de Cals qui venait de mourir.

50. Cette boîte est reproduite dans P. GAUGUIN, *op. cit.* La statuette figure dans le catalogue d'une vente: *Tableaux Modernes,* Paris, 14 juin 1930, n° 14, où elle est à tort désignée comme *Tahitienne se coiffant.* Selon le fils de Pissarro, Ludovic Rodo, son père possédait aussi à Osny (1883) un buste de M⁼ Gauguin.

51. Pour des comptes rendus de presse, relatifs surtout à Degas, voir LEMOISNE, *op. cit.,* v. I, pp. 249-250, notes 140-141.

1881-1885

NOUVELLES EXPOSITIONS
ET DIVERGENCES D'OPINIONS.
MORT DE MANET.
SEURAT, SIGNAC ET LE SALON
DES INDÉPENDANTS.

A la longue les affaires de Durand-Ruel commencèrent à reprendre. Les effets de la crise de 1873 étaient
finalement surmontés, le commerce prospérait de
nouveau. La construction de voies ferrées se développa
prodigieusement et il y eut un mouvement fiévreux
de spéculation à la Bourse (Gauguin gagna probablement beaucoup d'argent à ce moment-là). De nouvelles compagnies se créèrent, le crédit augmenta considérablement. En 1880, un ami nouveau, Feder, avait mis
à la disposition de Durand-Ruel de grandes sommes qui
rendirent possibles d'importantes transactions et lui
permirent de venir en aide aux impressionnistes. Il acheta
aussitôt des œuvres de Sisley, le plus pauvre de tous et
celui qui réussissait le moins. A partir de 1881, il se remit
à acheter régulièrement les œuvres de Monet, de Pissarro
et de Renoir. Il prenait aussi celles de Degas toutes les

fois que celui-ci désirait vendre. Durand-Ruel offrait des prix convenables et même, au lieu d'acquérir occasion-nellement des toiles, versait aux peintres des paiements mensuels selon leurs besoins. Ceux-ci, en échange, lui envoyaient à peu près toute leur production, les comptes étant réglés périodiquement. De cette façon, ils furent en mesure de travailler sans trop de soucis. « Je ne roule pas sur l'or, écrivit Pissarro à Duret, je jouis du fruit d'une vente modérée, mais continue. Je ne redoute que le retour au passé (1). » Dans ces conditions, la situation prenait une tournure plus encourageante et le travail se poursuivait dans un état d'esprit plus heureux.

Renoir se mit à voyager. Au début de 1881, il se rendit à Alger, attiré par cet Orient pittoresque qui avait joué un rôle si important dans l'art de Delacroix; là-bas il peignit une *Fantasia* qui le montre suivant les traces de son aîné. A Alger, Renoir rencontra Lhote, Lestringuez et Cordey. Avant de partir, Renoir avait chargé son ami Ephrussi, banquier et historien d'art, d'envoyer deux de ses portraits au Salon: ils furent acceptés.

En 1881 un changement important eut lieu dans l'organisation de l'exposition officielle, qui ne fut plus contrôlée par l'État: une association d'artistes se forma et fut chargée de s'occuper des Salons annuels. Tout artiste dont le travail avait été accepté une fois avait le droit de participer à l'élection du jury. Bien qu'il en résultât un jury plus libéral (parmi ses membres figurait Guillemet), Manet obtint à peine le nombre de voix nécessaires pour avoir une médaille de seconde classe (2).

Peu de temps avant l'ouverture du Salon, Renoir quitta Alger. A Pâques il était de retour dans la capitale, ou plus exactement à Chatou et à Bougival, où il se mit à travailler avec un enthousiasme renouvelé. Duret l'avait invité à venir en Angleterre, mais après un

244

déjeuner à Chatou avec Whistler, où il s'enquit apparemment des jeunes filles anglaises et de leurs charmes,
Renoir décida de rester. « Je suis en lutte avec des arbres
en fleurs, avec femmes et enfants, et je ne veux rien voir
au-delà, expliqua-t-il à Duret. Il me vient cependant des
regrets à tout moment. Je pense à la peine que je vous
ai donnée pour rien et je me demande si vous avalerez
facilement mes caprices de jolie femme, et cependant
à travers tout ça j'entrevois toujours ces jolies Anglaises.
Quel malheur d'être toujours hésitant, mais c'est le fond
de mon caractère et avec l'âge j'ai peur de ne pouvoir
changer. Il fait bien beau et j'ai des modèles. Voilà ma
seule excuse (3). »

Il semble toutefois que Renoir ait eu une meilleure

244. RENOIR. *Le déjeuner des canotiers*, daté 1881. Phillips Collection Washington.
Ph. du Musée.

excuse encore. Dans la grande toile qu'il peignit alors au restaurant Fournaise sur la petite île de Chatou, apparaît pour la première fois une jeune fille, Aline Charigot, qui devait bientôt devenir sa femme. Cette œuvre, *Le déjeuner des canotiers,* appartient à la même série que *Le bal au Moulin de la Galette* et *La partie de canotage à Chatou,* exécutée deux ans auparavant. De nouveau il cherche à retenir l'animation d'un groupe en plein air dans une atmosphère tout étincelante de soleil et de joie de vivre. Une fois de plus les amis de Renoir posèrent pour lui. En face de la future Mme Renoir qui tient un petit chien, apparaît Caillebotte, assis à califourchon sur sa chaise (il semble plus jeune qu'il n'était alors). A côté de Caillebotte se trouve Angèle qui avait jadis posé pour Renoir avec un chat sur les genoux. Derrière, en chapeau haut de forme, se tient Ephrussi, à droite sont Lestringuez et Lhote, coiffé d'un canotier.

Si Renoir avait renoncé à un voyage en Angleterre, Sisley traversa la Manche pour passer l'été dans l'île de Wight. Et à Pontoise Pissarro groupait à nouveau ses amis autour de lui. Cézanne s'y trouvait, ainsi que Gauguin, qui suivait attentivement les efforts de Cézanne; celui-ci cherchait un moyen d'expression adapté à la richesse de ses sensations. Dans ses propres œuvres, Gauguin se rapprochait de plus en plus de la technique et de la palette de Pissarro. Mais il le faisait délibérément, car Pissarro ne songeait nullement à imposer ses conceptions aux autres. Les conseils qu'il donna à Gauguin ne devaient pas différer beaucoup de ceux qu'il prodigua à ses propres fils, qui commençaient à dessiner et à peindre (Lucien, l'aîné, avait alors dix-neuf ans): « Méfiez-vous de mes jugements. Je désire tellement vous voir grands que je ne vous cèle pas mes opinions. Ne prenez que ce qui s'accorde avec vos sentiments et

votre manière de comprendre. Quoique nous ayons les
mêmes idées, il y a chez vous une modification, tenant
de votre jeunesse et du milieu qui m'est étranger. C'est
ce dont je vous félicite, car ce que je crains le plus, c'est
que vous me ressembliez de trop. Hardi donc, et
bûchez (4)!... »

Un jeune peintre de sa connaissance notera plus
tard des conseils plus précis, donnés par Pissarro,
conseils qui semblent résumer les conceptions et les
méthodes de tous les paysagistes parmi les impressionnistes. Voici en substance ce que Camille Pissarro
lui dit: « Il faut chercher la nature qui convient à son
tempérament, regarder le motif plus pour la forme et la
couleur que pour le dessin. Il est inutile de serrer la
forme, qui peut y être sans cela. Le dessin précis est
sec et nuit à l'impression d'ensemble, il détruit toutes les
sensations. Ne pas arrêter le contour des choses; c'est
la tache juste de valeur et de couleur qui doit donner
le dessin. Dans une masse, ce qu'il y a de plus difficile,
ce n'est pas de détailler le contour, mais de faire ce qu'il
y a dedans. Peindre le caractère essentiel des choses,
chercher à le rendre par n'importe quel moyen, sans se
préoccuper du métier. — En peignant il faut choisir un

245

245. Photographie du sujet peint par Cézanne, ci-contre (d'après une vieille carte
postale). — 246. GAUGUIN. *Maisons à Vaugirard* (Paris), daté 1880. Collection
Sam Spiegel, New York. Ph. Sam Salz. — 247. CÉZANNE. *Moulin sur la Couleuvre,
près de Pontoise*, vers 1881. Autrefois chez le père Tanguy. Staatliches Museum,
Berlin-Est. Ph. du Musée.

246

247

sujet, voir ce qui est à droite et à gauche, travailler à tout simultanément. Ne pas faire morceau par morceau; faire tout ensemble, en posant des tons partout, par touches dans leur coloration et leur valeur, en observant ce qu'il y a à côté. Il faut travailler par petites touches et essayer de fixer ses perceptions immédiatement. L'œil ne doit pas se concentrer sur un point particulier, mais tout voir et en même temps observer les reflets des couleurs sur ce qui les entoure. Il faut travailler en même temps au ciel, à l'eau, aux branches, au terrain, mener tout de front et revenir sans cesse dessus, jusqu'à ce que cela y soit; couvrir la toile dans la première séance, puis la pousser jusqu'à ce qu'on ne voie plus rien à y mettre. Bien observer la perspective aérienne, du premier plan à l'horizon, les reflets du ciel, des feuillages. Ne pas craindre de mettre de la couleur, affiner le travail petit à petit. — Ne pas procéder d'après des règles et des principes, mais peindre ce qu'on observe et ce qu'on sent. Il faut peindre généreusement et sans hésitation, car il est préférable de ne pas manquer l'impression première ressentie. Pas de timidité devant la nature: il faut oser, au risque de se tromper et de commettre des fautes. Il ne faut avoir qu'un maître, la nature: c'est elle qu'on doit toujours consulter (5). »

Mais Gauguin n'avait pas encore assez de confiance en ses propres dons pour avoir de l'audace; il préférait donc suivre son maître. Quand, après ses vacances, il retourna à Paris et à sa banque, Pissarro lui manqua tellement qu'il s'en plaignit dans une lettre: « Il y a une théorie que je vous ai entendu discuter: il fallait absolument vivre à Paris pour faire de la peinture, afin de s'entretenir les idées. On ne le dirait guère, en ce moment, où nous autres pauvres malheureux allons à la *Nouvelle-Athènes* nous faire rôtir, sans qu'un seul moment vous

soyez préoccupé d'autre chose que de vivre en ermite...
J'espère vous voir arriver un de ces jours ici. » Gauguin
demandait encore : « M. Cézanne a-t-il trouvé la *formule*
exacte d'une œuvre admise par tout le monde? S'il
trouvait la recette pour comprimer l'expression outrée
de toutes ses sensations dans un seul et unique procédé,
je vous en prie, tâchez de le faire causer pendant son
sommeil, en lui administrant une de ces drogues mystérieuses et homéopathiques, et venez au plus tôt à Paris
nous en faire part (6). » Cézanne, craintif et irritable,
ne prit pas bien cette plaisanterie et commença sérieusement à craindre que Gauguin ne cherchât à lui voler
« sa petite sensation ».

Le mauvais état de santé de Manet l'obligea à suivre
les conseils de son médecin, et à se reposer à la campagne. En 1880 il était allé à Bellevue et en 1881 il loua
une maison avec un jardin à Versailles. « La campagne

248

n'a de charmes que pour ceux qui ne sont pas forcés d'y rester (7)», se plaignit-il à Astruc, mais il essaya d'en prendre son parti. Ne pouvant peindre de grandes toiles, il se mit à travailler dans son jardin et à observer ces jeux de la lumière qui exerçaient tant d'attrait sur les impressionnistes. Il adopta complètement leur technique de petites touches vives, en même temps que leurs couleurs claires. Les différents coins de son jardin à Versailles, qu'il représenta en notant tous les changements de lumière, sont peints dans un style de pur impressionnisme. Ils manifestent sa virtuosité alliée à une observation pénétrante de la nature. Ces heureux résultats n'empêchèrent pas cependant Fantin d'accuser Manet de s'être gâté «à vouloir chercher à se modifier au contact de ces quelques rapins qui font plus de bruit que d'art (8)».

A son retour à Paris, Manet eut l'agréable surprise

249

de voir son vieil ami Antonin Proust nommé ministre des Beaux-Arts dans le cabinet formé par Gambetta. Un des premiers actes de Proust fut d'acquérir pour l'État une série de tableaux de Courbet, dont on vendait l'atelier aux enchères, pour couvrir les frais de reconstruction de la colonne Vendôme. Il porta aussi Faure et Manet sur la liste de la Légion d'honneur. Renoir, qui reçut ces nouvelles à Capri, fut enchanté. « Il y a longtemps que je voulais vous écrire à propos de la nomination de Proust, dit-il en décembre à Manet, et je ne l'ai pas fait. Cependant, il vient de me tomber sous la main un vieux *Petit Journal* qui parle avec transports des achats de tableaux du maître Courbet, ce qui m'a fait un plaisir extrême; non pas pour Courbet, ce pauvre vieux, qui ne peut pas jouir de son triomphe, mais pour l'art français. Il y a donc enfin un ministre qui se doute que l'on fait de la peinture en France. Et j'attendais, dans les numéros suivants du *Petit Journal,* votre nomination de chevalier de la Légion d'honneur, ce qui m'eût fait applaudir de mon île lointaine. Mais j'espère que ce n'est que retardé, et qu'à mon entrée dans la capitale j'aurai à saluer en vous le peintre aimé de tout le monde, reconnu officiellement... Vous ne supposez pas, je crois, qu'il entre dans ma correspondance un seul mot de compliment. Vous êtes le lutteur joyeux, sans haine pour personne, comme un vieux Gaulois; et je vous aime à cause de cette gaieté, même dans l'injustice (9). »

De Capri, Renoir se rendit à Palerme et là, le 15 janvier 1882, le lendemain du jour où Wagner termina *Parsifal,* il fit, au cours d'une brève séance, un portrait du compositeur qui refusa de lui accorder plus de vingt-cinq minutes de pose (10). Renoir fit ce portrait à la demande de son vieil ami, le juge Lascaux, qui, en compagnie de Bazille et de Maître, l'avait emmené aux

249. RENOIR. *La Baie de Naples*, daté 1881. Sterling and Francine Clark Art Institute, Williamstown, Mass. Ph. du Musée.

premiers concerts de Wagner à Paris. Le peintre retourna
ensuite à Naples, où il s'était déjà arrêté à l'aller, attiré
par la ville, la baie, le Vésuve, aussi bien que par le musée.
Mais la raison qui avait surtout déterminé Renoir à faire
le voyage d'Italie, était son désir d'étudier les œuvres
de Raphaël, ce qu'il fit à Rome, après avoir séjourné
quelque temps à Venise, peignant la Lagune, admirant
Véronèse et Tiépolo. Il avait l'esprit rempli de toutes
ces impressions nouvelles, et de Naples écrivit à Durand-
Ruel: «J'ai été voir les Raphaël à Rome. C'est bien beau
et j'aurais dû voir ça plus tôt. C'est plein de savoir et de
sagesse. Il ne cherchait pas comme moi les choses impos-
sibles. Mais c'est beau. J'aime mieux Ingres dans les
peintures à l'huile. Mais les fresques, c'est admirable de
simplicité et de grandeur.» Quant à ses propres efforts,
il en était peu satisfait: «Je suis encore dans la maladie
des recherches. Je ne suis pas content, et j'efface, j'efface
encore. J'espère que cette manie va finir... Je suis comme
les enfants à l'école. La page blanche doit toujours être
bien écrite et paf!... un pâté. J'en suis encore aux pâtés —
et j'ai quarante ans (11).»

En dépit de toutes ses impressions éblouissantes,
Renoir ne put s'empêcher d'écrire au collectionneur
Deudon: «Je m'ennuie un peu loin de Montmartre...
Je rêve du clocher et je trouve que la plus laide Pari-
sienne est encore mieux que la plus belle Italienne (12).»

Sur le chemin du retour, Renoir rencontra Cézanne
à Marseille et se décida à passer un moment avec lui à
l'Estaque. Il trouva là une nature qui ne varie pas avec
les saisons (c'était en janvier 1882) et qui est baignée
chaque jour de la même vive lumière. Enchanté, il retarda
son retour à Paris, où il était attendu par Mme Charpentier
pour faire un pastel de sa fille. «Je suis en train
d'apprendre beaucoup, lui expliqua-t-il, et plus je serai

250. RENOIR. *Baigneuse*, probablement peint à Naples, 1881. Sterling and Francine Clark Art Institute, Williamstown, Mass. Ph. du Musée.

251

long, plus le portrait sera bien... J'ai le soleil perpétuel et je puis effacer et recommencer tant que je veux. Il n'y a que ça qui apprend, et à Paris on est obligé de se contenter de peu. J'ai beaucoup étudié le musée de Naples; les peintures de Pompéi sont extrêmement intéressantes à tous les points de vue, aussi je reste au soleil, non pas pour faire des portraits en plein soleil, mais en me chauffant et en regardant beaucoup j'aurai, je crois, gagné cette grandeur et cette simplicité des peintres anciens. Raphaël qui ne travaillait pas dehors avait cependant étudié le soleil, car ses fresques en sont pleines. Ainsi, à force de voir le dehors, j'ai fini par ne plus me préoccuper des petits détails qui éteignent le soleil au lieu de l'enflammer (13). »

251. RENOIR. *Rochers à l'Estaque*, daté 1882. Museum of Fine Arts, Boston. Ph. du Musée. — 252. CÉZANNE. *Le ravin* (près de l'Estaque), 1877-82. Ancienne collection Victor Chocquet. Collection Joseph Mueller, Soleure, Suisse. Ph. Bernheim-Jeune.

252

Alors qu'il se trouvait à l'Estaque, Renoir tomba gravement malade d'une pneumonie. Cézanne et sa vieille mère le soignèrent avec un dévouement qui le toucha profondément; dans une lettre à Chocquet il en exprima sa reconnaissance. Durant cette maladie, Renoir avait reçu – non sans mauvaise humeur – une invitation de Caillebotte à participer à une septième exposition du groupe impressionniste.

Vers la fin de 1881, Caillebotte s'était mis en devoir d'organiser une nouvelle exposition pour ses amis. Il alla voir Rouart qui, désireux d'être conciliant, promit de décider Degas à se séparer de Raffaëlli. Mais ses efforts échouèrent et Caillebotte en informa Pissarro avec amertume: «Degas ne lâchera pas Raffaëlli pour cette raison unique qu'on lui demande de le lâcher, et il le lâchera d'autant moins qu'on le lui demandera plus (14).» Découragé, Pissarro communiqua la nouvelle à Gauguin qui lui répondit le 14 décembre :

« Hier soir, Degas m'a dit avec colère qu'il donnerait plutôt sa démission que de renvoyer Raffaëlli. Si j'examine avec sang-froid votre situation, depuis dix ans que vous avez entrepris la tâche de ces expositions, je trouve tout de suite que le nombre des impressionnistes a progressé, que leur talent a augmenté, leur influence aussi. Mais, par contre, du côté de Degas et par sa volonté unique, la tendance a été de plus en plus mauvaise : chaque année un impressionniste est parti pour faire place à des nullités et à des élèves de l'École. Encore deux ans et vous resterez seul au milieu de roublards de la pire espèce. Tous vos efforts seront détruits et Durand-Ruel par-dessus le marché. Malgré toute ma bonne volonté, je ne puis continuer à servir de bouffon à M. Raffaëlli et compagnie. Veuillez donc accepter ma démission. A partir d'aujourd'hui, je reste dans mon coin.» Et Gauguin ajouta : « Je crois que Guillaumin est dans les mêmes intentions que moi, mais je ne veux nullement peser sur sa décision (15). »

Il en coûtait à Gauguin de prendre une telle mesure, car il tenait beaucoup aux expositions du groupe. Celles-ci, en effet, lui offraient la seule possibilité de montrer sa peinture qui, petit à petit, commençait à absorber la plus grande partie de son énergie. Mis en demeure par Gauguin et par Caillebotte, Pissarro se trouvait maintenant dans une situation fort difficile. Il était indéniable que Gauguin avait raison et qu'après les défections successives de Cézanne, Sisley, Renoir, Monet, Caillebotte, puis Gauguin et probablement Guillaumin, il serait resté seul avec Berthe Morisot à

représenter l'élément impressionniste dans un groupe
envahi par les adeptes de Degas. Il fallait donc qu'il
acceptât les conditions de Caillebotte et de Gauguin
et qu'il renonçât à la participation de Degas, pour essayer
de reconstituer tant bien que mal l'ancien groupement.

« Vous allez dire que je suis toujours fougueux et
que je veux aller vite, répondit alors Gauguin à Pissarro,
mais vous serez cependant obligé d'avouer qu'en tout
cela mes calculs étaient justes... Jamais on ne me retirera
de l'esprit que pour Degas, Raffaëlli est un pur prétexte
de rupture; il y a chez cet homme un esprit de travers
qui démolit tout. – Songez à tout cela et *agissons,* je vous
en prie (16). »

Caillebotte proposa immédiatement d'organiser une
exposition groupant Pissarro, Monet, Renoir, Cézanne,
Sisley, Berthe Morisot, Gauguin, lui-même et Miss
Cassatt, si elle consentait à exposer sans Degas. Pissarro
accepta et alla lui-même inviter Berthe Morisot. Elle
se trouvait à Nice; Manet qui le reçut à sa place, écrivit
à sa belle-sœur: « Je viens d'avoir la visite du terrible
Pissarro qui m'a parlé de votre exposition prochaine;
ces messieurs n'ont pas l'air de s'entendre. Gauguin joue
les dictateurs; Sisley, que j'ai vu aussi, voudrait savoir
ce que doit faire Monet. Quant à Renoir, il n'est pas
encore rentré à Paris (17). »

Caillebotte avait entre-temps écrit à Monet qui
travaillait à Dieppe et répondit que l'exposition devait
être faite convenablement ou pas du tout, mais ne promit
pas d'y participer. Renoir fit savoir qu'il était malade et
dans l'impossibilité de venir; lui aussi, apparemment,
montra peu d'enthousiasme. Écœuré par cet insuccès,
Caillebotte était sur le point de renoncer à l'exposition.

C'est à ce moment, semble-t-il, que Durand-Ruel
prit l'affaire en main. Puisqu'il avait repris son rôle de

marchand exclusif des impressionnistes, il était non seulement ennuyé de leurs disputes, mais se trouvait directement intéressé à l'exposition projetée. Il venait justement de recevoir un coup terrible: au mouvement de prospérité commencé en 1880 avait suivi en 1882 un krach, entraînant une série de faillites. Parmi les victimes se trouvait Feder, l'ami de Durand-Ruel, ce qui mit celui-ci dans l'obligation de restituer les sommes qui lui avaient été avancées. Mais le marchand était fermement résolu à ne pas modifier ses projets pour autant. Il écrivit lui-même à Monet et à Renoir, les poussant à se joindre aux autres. La réponse de Renoir fut qu'il suivrait Durand-Ruel dans tous ses projets, mais qu'il refusait de traiter avec ses confrères. Il était dépité parce que l'exposition avait été discutée sans lui, parce qu'il n'avait pas été invité aux trois précédentes et parce qu'il croyait bien n'être convié cette fois que pour boucher un trou. Il exhala sa mauvaise humeur dans plusieurs lettres à Durand-Ruel, expliquant qu'il allait de nouveau exposer au Salon, et refusant de s'associer à aucune démonstration des soi-disant *Indépendants*. A la longue, il accepta l'idée d'un groupe formé exclusivement de Monet, Sisley, Berthe Morisot, Pissarro et Degas, mais exprima sa méfiance à l'endroit de Gauguin et de Pissarro, faisant des remarques malveillantes sur celui-ci, l'accusant même de tendances politiques et révolutionnaires avec lesquelles il ne voulait rien avoir à faire. Néanmoins, il finit par autoriser Durand-Ruel à exposer certains tableaux qu'il avait en sa possession, à la condition qu'ils fussent annoncés comme prêtés par le marchand et non par l'artiste lui-même (18).

Monet répondit plus ou moins de la même façon. Il refusait de s'associer à des artistes qui n'appartenaient pas au vrai groupe impressionniste. Mais devant l'insistance de Durand-Ruel, lui aussi se sentit gêné de décliner l'invitation de celui qui avait tant fait pour lui et ses camarades. Puisque Pissarro avait demandé qu'à côté des anciens, trois de ses amis – Guillaumin, Gauguin et Vignon – fussent admis, Monet précisa qu'il n'avait rien contre eux, mais qu'il se sentait lié à Caillebotte. Il était prêt à participer, et même à se séparer de Caillebotte, si Pissarro abandonnait ses protégés (19). Là-dessus Pissarro s'adressa directement à Monet :

« Je vous avoue que je n'y comprends plus rien. Voilà deux ou trois semaines que je fais de grands efforts pour tâcher d'arriver, d'accord avec notre ami Caillebotte, à une entente pour reconstituer notre groupe aussi homogène que possible. Une erreur s'est évidemment glissée dans la lettre que vous a écrite M. Durand-Ruel, car jamais, vous le pensez bien, nous n'avons séparé Caillebotte de notre groupe. J'attendais avec anxiété votre réponse depuis hier, pour courir chez lui et nous mettre à l'œuvre. C'est, du reste, convenu depuis longtemps avec Caillebotte qui est avec nous; il n'y mettait qu'une condition : celle de vous avoir. Nous n'avons que juste le temps; répondez-moi donc courrier par courrier si vous êtes avec nous. Voici, du reste, la liste des exposants :

1. Monet
2. Renoir
3. Sisley
4. Pissarro
5. Caillebotte
6. Mme Morisot [*si c'était possible*]
7. Guillaumin
8. Vignon
9. Gauguin
10. Cézanne [*si c'était possible*]

« Nous sommes donc huit cette année. Caillebotte était de mon avis pour cette liste qui présente un ensemble défendant les mêmes idées en Art, avec plus ou moins de talent; nous ne pouvons exiger des talents égaux, c'est déjà un grand point de ne pas faire tache.

« Pour Durand et même pour nous, l'exposition est une nécessité ; de mon côté, je serais désolé de ne pas le contenter. Nous lui devons tant que nous ne pouvons lui refuser cette satisfaction. Sisley est absolument de mon avis, nous nous entendons très bien... Renoir est très malade à l'Estaque ; il est difficile de compter l'intéresser à nos projets, cependant nous attendons un mot de lui. Cézanne m'a écrit qu'il n'avait rien ! Mme Morisot est en voyage ; doutant de votre participation, elle se réserve ! J'attends donc une réponse de vous (20)... »

Monet se contenta de répondre qu'il ne pourrait accepter que si Renoir faisait de même. Finalement, dans une nouvelle lettre à Durand-Ruel, Renoir consentit à exposer avec les autres, en expliquant une fois de plus sa position : « J'espère beaucoup que Caillebotte exposera. Ça me fera plaisir et j'espère aussi que ces messieurs renonceront à ce titre imbécile d'*Indépendants*. Je vous prie de dire à ces messieurs que je ne renonce pas au Salon. Ce n'est pas une joie, mais, je vous l'ai dit, ça me retire le côté révolutionnaire qui m'effraie... C'est une petite faiblesse que j'espère on me pardonnera. J'expose avec Guillaumin, je puis bien exposer avec Carolus-Duran... Delacroix disait avec raison qu'un peintre devait à tout prix avoir tous les honneurs (21)... »

En fin de compte, Caillebotte aussi bien que les amis de Pissarro participèrent à l'exposition. Berthe Morisot accepta, ainsi que Sisley. Monet fit de même, puis Renoir, qui s'excusa même des remarques désobligeantes qu'il avait faites lorsqu'il était malade ; il ne put cependant venir pour l'exposition, car il quitta l'Estaque en mars pour retourner à Alger. Comme il fallait s'y attendre, Degas refusa de prendre part à une exposition d'où ses protégés étaient exclus. Mary Cassatt « s'exila » loyalement avec lui. Rouart, qui cependant avait payé de sa

poche le loyer des salles (louées pour trois ans au prix
de six mille francs), se retira également avec Degas.
Quant à Manet, il opposa son refus habituel à Pissarro
lorsque celui-ci tenta une fois de plus de le décider à
exposer avec le groupe. Son frère Eugène en informa sa
femme, Berthe Morisot: « Pissarro avait proposé à
Édouard d'entrer dans l'exposition. Je crois qu'il se
mord les joues d'avoir refusé. Il me paraît avoir hésité
beaucoup (22). »

L'exposition ouvrit le 1ᵉʳ mars 1882, 251, rue Saint-
Honoré. Eugène Manet y alla et écrivit à sa femme:
« J'ai trouvé tout le brillant essaim des impressionnistes,
travaillant dans une immense salle à accrocher des
quantités de tableaux... Degas reste dans la société,
paye sa cotisation, mais n'expose pas. La société
porte toujours le nom d'*Indépendants* dont il l'a
affublée (23)... »

Jamais les impressionnistes n'avaient fait une exposition plus homogène, jamais il n'y eut moins d'éléments
étrangers à leur groupe. Après huit ans d'une lutte poursuivie en commun, ils réussissaient pour la première fois
(mais au prix de quelles difficultés!) à réunir un ensemble
fidèlement représentatif de leur art. Monet exposait
trente tableaux, principalement des paysages et des
natures mortes. Pissarro montrait vingt-cinq peintures
et onze gouaches (Durand-Ruel refusa d'accéder à sa
demande de les présenter dans des cadres blancs). Renoir
était représenté par vingt-cinq toiles, parmi lesquelles
son *Déjeuner des canotiers.* Sisley participait avec vingt-
sept œuvres, Berthe Morisot avec neuf, Gauguin avec
treize, Caillebotte avec dix-sept, Vignon avec quinze,
Guillaumin avec treize peintures et autant de pastels (24).
Sur le catalogue figuraient très peu de prêteurs; la plupart
des œuvres exposées appartenaient à Durand-Ruel, qui

eut bientôt lieu d'être satisfait. La presse se montrait moins agressive cette fois, il y eut même une série d'articles favorables, et quelques nouveaux amateurs apparurent.

« Duret, qui s'y connaît, écrivit Eugène Manet à sa femme, trouve que l'exposition de cette année est la meilleure que votre groupe ait faite. C'est aussi mon avis (25)... » Et puisque Berthe Morisot se trouvait retenue dans le Midi, son mari lui adressa un long rapport sur l'exposition :

« Sisley est le plus complet et très en progrès. Il a un étang ou canal entouré d'arbres qui est un véritable chef-d'œuvre. Pissarro est plus inégal; cependant, il y a deux ou trois figures de paysannes dans des paysages, très supérieures à Millet par la vérité du dessin et du coloris. Monet a des choses faibles à côté de choses excellentes, surtout des paysages d'hiver, fleuve charriant de la glace, tout à fait beaux. Le tableau des *Canotiers* de Renoir fait fort bien. Les vues de Venise détestables et de véritables tricots. Un paysage de palmiers très réussi. Deux figures de femmes très jolies. Gauguin et Vignon très médiocres. Vignon est retombé dans ses imitations de Corot... Caillebotte a des figures en encre bleue très ennuyeuses, de petits paysages au pastel excellents.

« Durand-Ruel est tout entier dans l'affaire et a dû travailler la presse. Wolff montrait l'exposition à des amis avec éloges; il a demandé vos tableaux (26). »

Durand-Ruel exigeait maintenant deux mille francs des tableaux de Sisley. Les prix des œuvres de Berthe Morisot variaient entre cinq cents et mille deux cents francs; Édouard Manet lui avait conseillé de demander des prix élevés, bien qu'il vendît ses propres toiles à des prix relativement bas au chanteur Faure.

Il est possible que Durand-Ruel n'ait pas tenu à

253

inviter Cézanne à cette exposition, n'ayant pas encore
manifesté beaucoup d'intérêt pour son œuvre; de plus,
Cézanne avait déjà informé Pissarro qu'il n'avait rien
de prêt. Il semble plus probable, toutefois, que Cézanne
ne tenait pas à exposer avec le groupe, puisqu'il avait
en 1882, pour la première fois, la satisfaction d'être reçu
au Salon. Après que ses œuvres eurent été refusées
comme d'habitude, Guillemet usa de la prérogative
accordée à tous les membres du jury, celle de « repêcher »
et faire admettre, sans discussion, une œuvre d'un de
leurs élèves. En conséquence, le nom de Cézanne fut
suivi sur le catalogue de l'indication: « élève de
Guillemet ».

253. SISLEY. *Champs à Veneux-Nadon*, 1881. Septième exposition impressionniste,
1882. Collection Georg Sulzer, Winterthur, Suisse. Ph. Renée A. Daulte.

254

Au Salon de 1882, Manet, *hors concours* à présent, exposait une grande toile, *Le Bar aux Folies-Bergère,* composition ambitieuse, exécutée avec une extraordinaire virtuosité. Une fois de plus, il manifestait la puissance de son pinceau, l'acuité de son observation et le courage de son originalité. Comme Degas, il n'avait cessé de s'intéresser aux sujets contemporains – il avait même conçu le projet de peindre un mécanicien sur sa locomotive – cependant il les envisageait, non avec le regard froid d'un observateur, mais avec l'ardent enthousiasme de l'explorateur sur les traces de nouveaux aspects de la vie. En fait, Degas n'aima pas sa dernière toile, la trouvant « ennuyeuse et subtile ». *Le Bar aux Folies-*

254. CÉZANNE. *Nature morte*, vers 1880. Ancienne collection Paul Gauguin (cf. planche 284). Collection René Lecomte, Paris.

Bergère avait coûté de terribles efforts à Manet qui souffrait déjà cruellement d'ataxie locomotrice. Il fut déçu lorsque le public se refusa de nouveau à comprendre son œuvre et vit dans cette toile le sujet plutôt que sa magistrale exécution. Dans une lettre à Albert Wolff, il ne put s'empêcher de dire, mi-sérieux, mi-plaisantant: « Je ne serais pas fâché de lire, enfin, de mon vivant, l'article épatant que vous me consacrerez après ma mort (27). »

Après la fermeture du Salon, Manet fut enfin officiellement nommé chevalier de la Légion d'honneur. Si grande que fût sa satisfaction, elle était teintée de quelque amertume. Lorsque le critique Chesneau le félicita et lui transmit aussi les compliments du comte Nieuwerkerke, Manet répondit sèchement: « Quand vous écrirez à Nieuwerkerke, vous lui direz que je suis sensible à son souvenir, mais que lui aurait pu me décorer. Il aurait fait ma fortune; et maintenant il est trop tard pour réparer vingt ans d'insuccès (28)... »

Manet passa l'été à Rueil, trop malade pour entreprendre un travail important. Il fit des pastels et des aquarelles, écrivit de charmantes lettres à ses élégantes amies, les priant de lui rendre visite et de venir poser pour leurs portraits. Quand il rentra à Paris à l'automne, son état de santé alarma ses amis. L'hiver n'apporta aucun mieux. Au début de 1883, ses forces l'abandonnèrent et il dut bientôt s'aliter. Par suite de la paralysie, sa jambe gauche fut menacée de gangrène et deux chirurgiens conseillèrent de l'amputer. Le Dʳ Gachet, homéopathe convaincu, était opposé à l'intervention, disant que jamais Manet ne supporterait de vivre avec des béquilles. En avril, Manet fut néanmoins opéré, mais l'amputation ne put le sauver. Sur son lit de mort, il était hanté par la pensée de Cabanel et son hostilité perpétuelle. « Lui, gémissait-il, il se porte bien.» Ces paroles furent parmi ses dernières. Manet mourut le 30 avril 1883 (29). «Il était plus grand que nous ne pensions», reconnut tristement Degas.

Monet reçut la terrible nouvelle à Giverny où il était en train de s'installer. Il quitta tout et revint en hâte à Paris. Les obsèques eurent lieu le 3 mai. Le deuil était conduit par Antonin Proust, Claude Monet, Fantin-Latour, Alfred Stevens, Émile Zola, Théodore Duret et Philippe Burty. Proust prononça quelques paroles pleines d'émotion. Parmi les amis présents se trouvaient Pissarro, Cézanne, et sans doute aussi Berthe Morisot qui perdait plus qu'un beau-frère. Éva Gonzalès ne put venir: elle venait d'accoucher et apprit la mort de Manet alors qu'elle était encore alitée. Accablée de chagrin, elle insista pour tresser elle-même la couronne funéraire de son maître. Peu de jours après, le 5 mai, elle mourut en quelques secondes d'une embolie.

L'article nécrologique d'Albert Wolff n'aurait guère satisfait Manet; il était plein de réticences. En effet, Wolff estimait que Manet avait créé en tout *deux* toiles susceptibles d'aller au Louvre, concluant ainsi: «Mourir à cinquante ans et laisser derrière soi deux excellentes pages dignes d'être recueillies parmi les manifestations de la peinture française, c'est assez de gloire pour un artiste (30).» Bientôt, cependant, on put discerner un changement notable dans l'attitude générale envers le peintre. Les prix de ses tableaux commencèrent à monter et moins d'un an après sa mort une importante exposition commémorative fut préparée (avec la collaboration infatigable de Berthe Morisot et de son mari) pour être présentée à l'École des Beaux-Arts. Les peintres officiels se montraient impatients de saisir leur part de la gloire naissante de Manet. Pissarro constata ce changement

255

avec tristesse et dégoût (31). L'exposition, avec un catalogue préfacé par Zola, fut suivie d'une vente aux
enchères du contenu de l'atelier de Manet.

« L'exposition Manet a bien marché, écrit Renoir en
janvier 1884 à Monet. Il y a eu toujours assez de monde
pour que ça ne fasse pas le vide horrible de deux personnes qui se promènent dans une grande salle. Ça a
donné à Wolff l'occasion de se poser en défenseur des
faibles et des révolutionnaires (32). » Quant à la vente,
qui eut lieu les 4 et 5 février 1884, elle donna, selon
Renoir, des résultats « au-delà de toutes espérances ».
Le total s'élevait à 116.637 francs; la veuve du peintre
racheta un certain nombre d'œuvres et Eugène Manet en

255. MANET. *Le Bar aux Folies-Bergère*, daté 1882 (mais peint en 1881). Exposé au
Salon de 1882. National Gallery, Londres. Ph. Musées nationaux français.

acquit huit (33). Albert Wolff profita de l'événement pour consacrer un nouvel article à Manet, déclarant que sa vente avait été « l'une des plus charmantes folies de ce temps », estimant que des prix « relativement insensés » avaient été payés pour les « choses les plus insignifiantes ». Avec sa perfidie coutumière il s'exclama: « Dieu sait si j'aimais Édouard Manet, et si cette vente peut assurer l'avenir de sa veuve, vous m'en voyez profondément heureux. Mais à présent que le coup est fait, il m'est bien permis de remettre toutes choses à leur place... » Et Wolff d'expliquer qu'il s'agissait d'une manœuvre de Durand-Ruel, expert de la vente: « J'ai cru remarquer qu'il souriait avec une satisfaction d'autant plus visible que l'objet par lui mis aux enchères était d'un genre plus désordonné (34). » Il y avait ainsi quelque chose d'atrocement cynique dans le destin posthume de Manet, d'autant plus intolérable que les impressionnistes eurent de nouveau à se débattre contre la misère.

Le krach de 1882 eut des répercussions sur les affaires de Durand-Ruel: il ne fut plus en mesure de payer régulièrement ses peintres, ni d'acheter toute leur production. Il fit néanmoins son possible pour résister à la mauvaise fortune. Sa situation fut rendue plus difficile encore par l'activité croissante de son seul grand concurrent, Georges Petit, qui avait fondé, en 1882, avec de Nittis, l'*Exposition Internationale,* et attira aussitôt une foule élégante dans ses luxueuses galeries. Monet et Pissarro, impressionnés par la fastueuse installation de Petit, demandèrent même à Durand-Ruel s'il ne lui serait pas possible d'arranger une exposition du groupe dans les salles de son rival. Mais Durand-Ruel, venant justement d'aménager un nouveau local, boulevard de la Madeleine, s'opposa naturellement à ce projet. Peu soucieux, sans doute, d'assumer la charge d'une nouvelle exposition du groupe, Durand-Ruel préféra organiser à la place une série d'expositions particulières, bien que Sisley et Monet fussent hostiles à cette idée. Il commença par une exposition de Monet, en mars (Monet se plaignit qu'elle n'eût pas été convenablement préparée), suivie de Renoir en avril, de Pissarro en mai, et de Sisley en juin 1883 (35). En même temps, il montra un grand nombre de leurs œuvres à Londres et projeta d'autres expositions à l'étranger. Mais elles n'éveillèrent que peu d'intérêt, et comme Durand-Ruel demandait à présent des prix plus élevés – plus de mille francs pour certaines toiles – il n'y eut pas d'acheteurs. Monet se sentait particulièrement déprimé, parce que jamais auparavant ses tableaux n'avaient rencontré une pareille indifférence. Une lettre qu'il reçut de Pissarro n'était pas de nature à le réconforter:

« Quant à vous donner des nouvelles de la situation de nos affaires avec Durand-Ruel, disait Pissarro en juin 1883, je ne puis que faire des conjectures. Du reste, la difficulté que nous avons à recevoir de l'argent suffit pour nous indiquer que la position est difficile; nous en souffrons tous... Je sais que la vente ne marche pas du tout, ni à Londres, ni à Paris. Mon exposition n'a rien fait comme entrées... Quant à l'exposition Sisley, c'est encore plus mauvais, rien, rien. – Une expédition a été faite de quelques-uns de nos tableaux à Boston (36)... Il était aussi question d'une exposition en Hollande. Vous devez penser que Durand-Ruel se remue beaucoup, se hâte de nous mettre en avant, coûte que coûte... J'entends bien les autres marchands, brocanteurs et amateurs spéculateurs qui disent: « Il en a pour huit jours », mais voilà plusieurs mois que cela dure. Espérons que ça ne sera qu'un mauvais passage (37)... »

Alors que les multiples efforts de Durand-Ruel

n'aboutissaient pas, les peintres connaissaient de nouvelles incertitudes angoissantes, devaient emprunter de
l'argent quand ils en trouvaient, perdre des jours et des
semaines à courir après des acquéreurs éventuels et
supplier leurs amis d'acheter dans des conditions humi-
liantes. Il leur fallut dépendre de la générosité de Caillebotte et de quelques autres, mais surtout travailler sans
aucune tranquillité d'esprit. Au surplus, la plupart d'entre
eux étaient mécontents de leur travail.

Pissarro, qui avait quitté Pontoise pour Osny, où
vint le retrouver Gauguin, était indécis. Les compliments
qu'on lui avait prodigués, lors de son exposition de mai
1883, ne calmaient pas ses doutes. «Les plus précieux
pour moi, écrivit-il à son fils Lucien, sont de Degas qui
m'a dit qu'il était heureux de me voir m'épurant de plus
en plus. L'aquafortiste Bracquemond, élève d'Ingres,
m'a dit que c'est de plus en plus fort, etc., sincère ou
non. Je marcherai tranquillement dans la voie que me suis
tracée, et tâcherai de faire de mon mieux. Au fond, je ne
vois que vaguement si c'est bien ou non. Je suis fort
troublé de mon exécution rude et rugueuse: je voudrais
bien avoir un faire plus aplani, réunissant cependant les
mêmes qualités sauvages (38)...» Il se trouvait triste et
plat en comparaison de l'éclat de Renoir.

Au même moment, Renoir, de son côté, était aussi
assailli de doutes. L'étude de Raphaël et des fresques
de Pompéi lui avait laissé une impression profonde et
il se demandait s'il n'avait pas trop négligé le dessin.
«Vers 1883, avoua-t-il plus tard, il s'est fait comme une
cassure dans mon œuvre. J'étais allé jusqu'au bout de
l'impressionnisme et j'arrivais à cette constatation que je
ne savais ni peindre ni dessiner. En un mot j'étais dans
une impasse (39).» Renoir détruisit un certain nombre
de ses toiles et se mit résolument à vouloir acquérir le

métier qu'il croyait ne pas posséder. Choisissant le dessin comme moyen de discipline, il s'appliqua à simplifier les formes aux dépens de la couleur. Cherchant tantôt une ligne simple, tantôt une ligne élégante, il s'efforça d'emprisonner les formes vivantes dans un contour rigoureux et n'échappa pas toujours à l'écueil de la rigidité et de la sécheresse.

Pour se guider, Renoir se tourna de nouveau vers les œuvres des maîtres du passé, vers le musée. Il se souvint aussi que Corot lui avait dit jadis qu'on ne peut jamais être sûr de ce que l'on fait dehors, qu'il faut toujours revoir son ouvrage à l'atelier. Il commença à se rendre compte que, travaillant en plein air, il avait été trop préoccupé des phénomènes de lumière pour prêter une attention suffisante à d'autres problèmes. « En peignant directement devant la nature, disait Renoir, on en arrive à ne plus chercher que l'effet, à ne plus composer, et on tombe vite dans la monotonie (39). » Si grand était son mépris pour ce qu'il avait réalisé jusqu'alors qu'il se prit d'une véritable haine pour l'impressionnisme. Par réaction, il peignit plusieurs toiles où chaque détail — y compris le feuillage des arbres — était d'abord soigneusement tracé à l'encre, avant d'être coloré. Mais en même temps, Renoir se plaignait d'avoir perdu beaucoup de temps à travailler à l'atelier et regrettait de n'avoir pas suivi l'exemple de Monet. Afin de concilier ces deux conceptions opposées, il s'acharna pendant trois ans sur une grande toile de baigneuses, désireux de s'évader de l'impressionnisme et de rétablir les liens avec le XVIIIᵉ siècle; sa composition est même inspirée directement d'un bas-relief de Girardon (40). Renoir compléta encore une série de nus et trois grands panneaux de couples dansants dans lesquels on reconnaît souvent un jeune modèle, Suzanne

256

Valadon, qui posait habituellement pour Puvis de Chavannes.

Comme Renoir, Monet était mécontent de son travail et creva plusieurs toiles dans un accès de découragement, mais le regretta par la suite. Il reprit plusieurs toiles récentes, en vue de les perfectionner, et se plaignit dans une lettre à Durand-Ruel: «J'ai de plus en plus de mal à me satisfaire et j'en arrive à me demander si je deviens fou ou bien si ce que je fais n'est ni mieux ni plus mal qu'auparavant, mais simplement que j'ai plus de difficulté aujourd'hui à faire ce que je faisais jadis facilement (41).»

En décembre 1883, Monet et Renoir partirent ensemble faire un petit voyage sur la Côte d'Azur, à la recherche de nouveaux motifs. (Ils virent brièvement Cézanne, sans doute à Marseille.) Monet fut conquis sur-le-champ par la beauté du paysage méditerranéen, par la violence des tons bleus et roses. Il décida d'y retourner au début de l'année suivante, mais eut soin de prier Durand-Ruel de ne révéler ses projets à personne. Il s'en expliqua franchement: «Autant il m'a été agréable de faire le voyage en touriste avec Renoir, autant il me serait gênant de le faire à deux pour y travailler. J'ai toujours mieux travaillé dans la solitude et d'après mes seules impressions (42).» L'ancienne solidarité dans le travail avait cessé d'exister. Ce n'était plus seulement une opposition de personnalités qui séparait les peintres: ils commençaient à abandonner le terrain commun, chacun poursuivant ses recherches dans une direction différente.

On pourrait considérer comme symbolique le fait que bon nombre des impressionnistes étaient à présent éloignés de Paris, ce qui rendait leurs contacts plus rares encore. En 1883, Monet s'était installé à Giverny

256. RENOIR. *La danse à Bougival*, daté 1883. (Suzanne Valadon avec le frère de Renoir). Museum of Fine Arts, Boston. Ph. du Musée.

avec Mme Hoschedé qui allait devenir sa seconde femme. Giverny offrait une grande variété de sujets à peindre : la Seine, la campagne et surtout le jardin de la propriété de Monet. L'année précédente, Sisley s'était fixé de l'autre côté de Paris, à Saint-Mammès, non loin de Moret, près du canal du Loing, de la Seine et de la forêt de Fontainebleau. En 1884, Pissarro loua une maison à Éragny, trois fois plus loin de Paris que ne l'était Pontoise. Cézanne, de son côté, restait de plus en plus longtemps dans le Midi, travaillant à Aix, surtout dans la propriété de son père, le Jas de Bouffan, ou dans les villes et villages avoisinants. Afin de garder néanmoins un certain contact, les peintres et leurs amis, comme Duret, Mallarmé, Huysmans, etc., décidèrent de se retrouver au moins une fois par mois à Paris, à des « dîners impressionnistes », mais ces réunions étaient rarement complètes. Cézanne ne pouvait y venir et Pissarro se trouvait souvent dans l'impossibilité de payer le prix du couvert.

A ces dîners, Degas semble s'être montré moins spirituel et plus morose qu'autrefois. Lui aussi traversait une crise de découragement et se considérait presque comme un vieillard, à présent qu'il avait atteint la cinquantaine. Expliquant cet état d'esprit, il écrivait à un ami : « ... On se ferme comme une porte, et non pas seulement sur ses amis. On supprime tout autour de soi, et une fois tout seul, on s'annihile, on se tue enfin, par dégoût. J'ai trop fait de projets ; me voici bloqué, impuissant. Et puis j'ai perdu le fil. Je pensais toujours avoir le temps ; ce que je ne faisais, ce qu'on m'empêchait de faire, au milieu de tous mes ennuis et malgré mon infirmité de vue, je ne désespérais jamais de m'y mettre un beau jour. — J'entassais tous mes plans dans une armoire dont je portais toujours la clé sur moi, et j'ai perdu cette clé. Enfin, je sens que l'état cômateux où je suis, je ne pourrai le soulever. Je m'occuperai, comme disent les gens qui ne font rien, et voilà tout (43). »

Degas passa l'été de 1884 chez ses amis Valpinçon à Ménil-Hubert, et y modela un grand buste de leur fille Hortense qui fut cassé au moment du moulage.

Renoir continuait à mener une vie instable, voyageant beaucoup et rendant souvent visite à de nouveaux amis, les Bérard, à Wargemont. C'est de La Roche-Guyon, où il passa l'été de 1885 (et où Cézanne le rejoignit avant de se rendre chez Zola à Médan), que Renoir annonça à Durand-Ruel qu'il avait trouvé enfin un nouveau style qui le satisfaisait: « J'ai repris, pour ne plus la quitter, l'ancienne peinture douce et légère... Ce n'est rien de nouveau, mais c'est une suite aux tableaux du XVIIIᵉ siècle (44). » Monet, se déplaçant lui aussi fréquemment, à la recherche de sujets nouveaux, progressait entre-temps dans une direction opposée, accentuant ses couleurs et modelant plus vigoureusement les formes; Sisley cherchait une évolution analogue. Pissarro était toujours indécis quant à la route à prendre.

Pissarro avait passé l'automne de 1883 à Rouen où Murer venait d'ouvrir un hôtel. Gauguin leur fit part de son intention de venir les rejoindre et expliqua à Pissarro que, puisque cette ville regorgeait de gens riches, on devrait pouvoir arriver à y placer des tableaux. Ayant finalement décidé d'abandonner la banque pour « peindre tous les jours» (le krach récent lui facilita sans doute cette décision), Gauguin vint s'installer à Rouen avec sa femme qui était danoise et leurs cinq enfants. « Gauguin m'inquiète, écrit Pissarro à son fils aîné, il est un terrible marchand, du moins en préoccupations. Je n'ose lui dire combien c'est faux et ne l'avance guère. Il a des besoins très grands, sa famille est habituée au luxe, c'est vrai, mais cela lui fera un grand tort. Non pas que je pense que l'on ne doit pas chercher à vendre, mais je crois que c'est du temps perdu que de penser uniquement à cela; vous perdez de vue votre art, vous exagérez votre valeur (45)... » Par surcroît, Pissarro se vit incomber la tâche désagréable d'avoir à expliquer à Gauguin que Monet, Renoir et lui-même avaient décidé de ne pas faire une nouvelle exposition en 1884. Il savait quelle déception ce serait pour Gauguin qui avait encore sa réputation à établir.

Gauguin ne tarda pas à être déçu par Rouen. Ne vendant rien, vivant sur ses économies, il vit ses fonds diminuer rapidement. De son côté, sa femme, malheureuse et désemparée, ne pouvait se faire à l'idée d'avoir pour mari un peintre raté au lieu d'un homme d'affaires prospère. Pissarro tint à avertir son ami. « Dites à Gauguin, écrivit-il à Murer au mois d'août 1884, qu'après trente ans de peinture... je bats la dèche. Que les jeunes se le rappellent. C'est le lot, pas le gros (46)! » Vers la fin de l'année, M⁽ᵐᵉ⁾ Gauguin, lasse de cette existence, tenta de convaincre son mari de l'accompagner avec leurs enfants au Danemark où ils pourraient s'installer auprès de sa famille. Elle avait, sans doute, le secret espoir que ses parents réussiraient à persuader Gauguin de renoncer à l'art et de rentrer dans les affaires. A contrecœur, Gauguin consentit à partir avec les siens pour Copenhague.

Il paraît que Gauguin avait espéré que Durand-Ruel allait s'intéresser à sa production, mais d'après ce que Pissarro lui raconta, il fallut bien abandonner cet espoir. En fait, Durand-Ruel était constamment à la veille d'une faillite. Il avoua plus tard qu'en 1884 il devait plus d'un million de francs (47). « Je voudrais être libre de m'en aller dans un désert », s'écriait-il, et plus d'une fois il fut obligé de dire à ses peintres: « Je suis bien contrarié

de vous laisser ainsi sans le sou, mais je n'ai plus rien du
tout en ce moment et il me faut faire contre mauvaise
fortune bon cœur et avoir l'air presque riche (48).»
Les autres marchands firent tout ce qu'ils purent pour
hâter la ruine de Durand-Ruel. Ils menacèrent, par
exemple, d'acheter tous les tableaux impressionnistes
qu'ils pouvaient et de les vendre, sans cadres, à l'Hôtel
Drouot. Cette opération, dont le résultat ne pouvait faire
de doute à personne, était destinée à déprécier l'énorme
stock de Durand-Ruel. Mais reculant finalement devant

257

l'emploi de telles méthodes, les adversaires de Durand-
Ruel essayèrent de le discréditer dans une affaire de faux
tableaux. Il réussit cependant à se disculper et à prouver
qu'il était la victime d'intrigues (49). Dans ces conditions,
il n'est pas étonnant que Durand-Ruel n'eût souvent que
des promesses à offrir lorsque les peintres réclamaient
d'urgence son aide. A un moment donné, Renoir autorisa

257. CAILLEBOTTE. *Rue à Argenteuil*, daté 1883. Collection privée, Paris.

spontanément Durand-Ruel à sacrifier tous ses tableaux si cela pouvait être de quelque secours, offrant de lui en donner de nouveaux et de meilleurs. Mais le marchand repoussa cette suggestion, décidé, dans son propre intérêt et dans celui des artistes, à maintenir leurs prix.

Mary Cassatt fit tout son possible pour alléger cette situation; il semble même qu'elle ait avancé de l'argent à Durand-Ruel. D'autre part, elle acheta non seulement des tableaux pour elle-même et pour sa famille (son frère était un des administrateurs des chemins de fer de

258

Pennsylvanie), elle s'efforça aussi d'intéresser ses amis et
ses connaissances américaines aux œuvres des impressionnistes: d'abord les Havemeyer de New York, plus
tard les Stillman et les Whittemore. Pissarro lui confia
souvent des toiles qu'elle essayait de montrer et de
vendre aux thés qu'elle donnait, ou bien elle envoyait les
amateurs éventuels directement chez les peintres. Mais
une fois, ayant conseillé à un ami de rendre visite à
Degas, celui-ci fit sur son art à elle une remarque qui
embarrassa profondément Mary Cassatt, et pendant
plusieurs années elle cessa de le voir (50).

En raison de la gravité de la situation et de
l'absence totale de tout espoir d'une rapide amélioration,
Monet résolut, en 1885, de participer à l'*Exposition
Internationale* chez Petit. Durand-Ruel naturellement
désapprouva sa décision, mais Monet ne cachait pas
sa pensée que ce serait une bonne chose pour les
artistes de se détacher de leur marchand. Tout en
admirant le courage et le dévouement de Durand-
Ruel, il sentait que le public manquait de confiance,
justement parce que Durand-Ruel était le seul à
s'occuper des œuvres des impressionnistes. Par des
contacts avec d'autres marchands, Monet espérait
convaincre les collectionneurs que l'impressionnisme
était autre chose qu'un engouement personnel de
Durand-Ruel. Renoir suivit bientôt l'exemple de Monet;
Sisley et Pissarro les approuvèrent.

Pissarro, qui ne pouvait vivre uniquement de ce que
lui donnait Durand-Ruel, était souvent obligé de passer
des semaines entières à Paris, courant d'un petit
marchand à l'autre, dans un effort désespéré pour vendre
quelque chose. Il n'y avait pour ainsi dire pas d'offres.
De temps en temps Portier, qui avait autrefois travaillé
avec Durand-Ruel, lui achetait une petite toile ou une

---

258. MORISOT. *Dans la salle à manger* (rue de Villejuste à Paris, la bonne de l'artiste),
1884. National Gallery of Art, Washington (Collection Chester Dale). Ph. du Musée.

gouache; Beugniet, un autre marchand, discutait les prix déjà bien modestes de Pissarro. Un jeune employé à l'importante galerie Boussod & Valadon, le Hollandais Théo van Gogh, faisait tout son possible, sans grand succès, pour intéresser ses patrons à la peinture impressionniste.

Lorsque, à l'automne de l'année 1885, Durand-Ruel reçut une invitation de l'*American Art Association* pour organiser une vaste exposition à New York, il saisit cette occasion avec l'énergie du désespoir. Mais les peintres se montrèrent peu confiants. Pourquoi les Américains feraient-ils preuve de plus de compréhension et de sympathie que leurs propres compatriotes? Et alors que leur marchand se préparait à choisir trois cents de leurs meilleures toiles, ils se mirent à débattre la possibilité d'une nouvelle exposition du groupe. Il n'y en avait pas eu depuis 1882. En décembre 1885, Pissarro toucha Monet à ce sujet: «On parle beaucoup d'exposition depuis quelque temps; de tous côtés il en est question. Je suis allé faire une visite à Mlle Cassatt... Les premières paroles échangées ont été pour parler de l'exposition. Ne pourrions-nous nous entendre à cet effet? Nous, Degas, Caillebotte, Guillaumin, Mme Berthe Morisot, Mlle Cassatt et deux ou trois autres formerions un excellent élément d'exposition. Le difficile serait de s'entendre. Je crois qu'en principe il ne faut pas la faire à nous tout seuls (c'est-à-dire l'élément Durand-Ruel). Il faut que l'exposition ait l'initiative des artistes eux-mêmes et surtout le prouver clairement par la composition. Qu'en dites-vous (51)?»

Pissarro avait des raisons particulières d'insister pour que la nouvelle exposition ne fût pas uniquement formée par ce qu'il appelait «l'élément Durand-Ruel». Il désirait introduire parmi ses amis deux jeunes artistes

dont il venait de faire la connaissance. A l'atelier de
Guillaumin il avait rencontré Paul Signac qui l'avait
aussitôt présenté à son camarade Georges Seurat. A
discuter avec ces jeunes gens, qui appartenaient à la
génération de son fils Lucien, Pissarro était arrivé à une
nouvelle conception artistique et avait découvert l'élément constructif qu'il recherchait. Il avait trouvé dans
leurs théories une méthode scientifique pour guider ses
sensations et remplacer sa vision instinctive de la nature
par l'observation stricte des lois de la couleur et des
contrastes.

Seurat et Signac s'étaient connus seulement un an
plus tôt, en 1884, lorsque le jury du Salon avait encore
une fois essayé d'étouffer tout effort non orthodoxe et
que des centaines d'artistes refusés s'étaient rassemblés et
avaient fondé la *Société des Artistes Indépendants*. Cette
association qui, sciemment ou non, avait usurpé le titre
choisi depuis plusieurs années par les impressionnistes,
prit la résolution d'organiser des expositions régulières
sans l'intervention d'aucun jury. Ainsi, plus de vingt ans
après le Salon des Refusés, une institution permanente
allait enfin être créée, ouvrant ses portes à tous les
artistes sans discrimination, et se dressant ainsi contre
les abus de pouvoir commis par le jury. C'est au cours
des réunions présidées par Odilon Redon, où furent
établis les statuts de l'association, que Seurat et Signac
s'étaient pour la première fois adressé la parole (52).

Paul Signac avait commencé très jeune à se pas-
sionner pour l'art. Il avait copié des œuvres de Manet et
en 1879, à l'âge de quinze ans, avait fait, à la quatrième
exposition des impressionnistes, des croquis d'après
Degas. Mais il fut alors mis à la porte par Gauguin avec
ces mots: « On ne copie pas ici, Monsieur (53)! »

Agé maintenant de vingt et un ans, Signac était

devenu un fervent admirateur de Monet à qui il avait écrit pour demander des conseils, à la suite de l'exposition de Monet à *La Vie Moderne,* en 1880. Au premier Salon des Indépendants en 1884, Signac avait exposé des paysages qui indiquaient nettement l'influence du maître qu'il s'était choisi. Il fut frappé de découvrir dans une grande composition exposée par Seurat, *Une Baignade,* la séparation méthodique des éléments – lumière, ombre, ton local et réactions – en même temps que leur équilibre et leur harmonie. Cependant, cette toile avait été exécutée dans une palette ressemblant à celle de Delacroix, des couleurs pures mêlées à des tons terreux. Bien qu'un critique eût fait un rapprochement entre Pissarro et Seurat, il n'est pas certain que celui-ci eût même entendu parler de Pissarro à l'époque. Ce fut Signac qui dirigea l'attention de Seurat sur les impressionnistes et lui fit abandonner ses couleurs terreuses.

Seurat, de quatre années plus âgé que Signac, avait été pendant plusieurs années, à l'École des Beaux-Arts, l'élève d'un disciple d'Ingres, Henri Lehmann, qui lui avait communiqué sa vénération pour le maître. Mais, tout en copiant les dessins d'Ingres et s'imprégnant du culte de la ligne classique, Seurat avait en même temps analysé avec soin les peintures de Delacroix, lu avec passion les écrits des Goncourt et étudié les traités scientifiques de Chevreul, dont les théories sur l'harmonie des couleurs avaient déjà intéressé Delacroix. C'est ainsi que Seurat avait été amené à l'idée de réconcilier l'art avec la science, conception bien en accord avec les courants idéologiques de l'époque qui cherchaient à substituer la connaissance à l'intuition. Mettant à profit les découvertes de Chevreul et d'autres savants, Seurat réduisit sa palette aux quatre couleurs fondamentales du cercle de Chevreul avec leurs tons

259

intermédiaires: *bleu,* bleu-violet, violet, violet-rouge,
rouge, rouge-orangé, orangé, orangé-jaune, *jaune,* jaune-
vert, *vert,* vert-bleu et bleu de nouveau. Il mélangeait
ces tons avec du blanc, mais pour s'assurer tous les béné-
fices de la luminosité, de la couleur et de l'harmonie,
il ne mélangeait jamais ces teintes entre elles. Pour
remplacer le mélange des pigments, il employait des
petites taches de couleur pure, juxtaposées ou entre-
mêlées de telle manière que le mélange se faisait opti-
quement, c'est-à-dire dans l'œil du spectateur. Il donna
à ce procédé le nom de *divisionnisme* (54). Il remplaça
le « désordre » des coups de pinceau impressionnistes par
une exécution méticuleuse, faite de taches soigneusement posées, qui donnait à ses œuvres une certaine

259. SIGNAC. *Le Pont Louis-Philippe*, Paris, daté 1884. Dédicacé à Paul Alexis.
Collection Mr. et Mrs. Ludwig Neugass, New York.

260

austérité, une atmosphère de calme et de stabilité. Abandonnant l'expression spontanée des sensations, prônée par les impressionnistes, et ne laissant rien au hasard, il trouva dans l'observation stricte des lois de l'optique une discipline et le moyen de réalisations nouvelles.

Tandis que les petites esquisses à l'huile de Seurat étaient peintes en plein air avec une technique souvent impressionniste, ses compositions définitives étaient exécutées à l'atelier. Ici, contrairement aux impressionnistes, il ne faisait aucun effort pour retenir des effets fugitifs, mais cherchait à transposer ce qu'il avait observé sur place en une harmonie de lignes et de couleurs rigoureusement établie. Écartant tout ce qui

260. SEURAT. *Une baignade*, *Asnières*, 1883-84. Refusé par le jury du Salon ; exposé à la première exposition des Indépendants, 1884, et à New York, 1886. Tate Gallery, Londres. Ph. National Gallery. — 261. SEURAT. *Étude pour « Une baignade, Asnières »*, 1883-84. Crayon Conté. Collection S.A. Morrison, Londres.

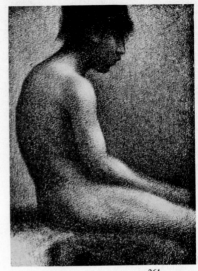

261

paraissait superflu, insistant sur les contours et la structure, il se refusait aux charmes sensuels qui avaient
captivé les impressionnistes et sacrifiait les sensations
spontanées à une stylisation presque rigide (55). Ne
voulant pas retenir l'aspect d'un paysage à un instant
spécifique, il s'efforçait de fixer sa «silhouette du jour
entier (56)». Lorsqu'il rencontra Pissarro en 1885, Seurat
travaillait depuis une année entière à une nouvelle composition, *Un dimanche après-midi sur l'île de la Grande
Jatte* (57), où se trouvent résumées toutes ces conceptions.

Pissarro fut immédiatement séduit par les théories
et la technique de Seurat; sans hésiter il embrassa ses
vues. Dans une lettre à Durand-Ruel, il expliqua que ce
qu'il voulait dorénavant, c'était «rechercher la synthèse

262. SEURAT. *Jeune femme au parasol*, étude pour *La Grande Jatte*, 1884-85. Crayon Conté. Museum of Modern Art, New York (Legs Mrs. John D. Rockefeller, Jr.). Ph. Musées nationaux français. — 263. SEURAT. *Étude finale pour « La Grande Jatte »*, 1884-85. Metropolitan Museum of Art, New York (Legs Sam A. Lewisohn). Ph. du Musée.

263

moderne par des moyens basés sur la science, lesquels
seront basés sur la théorie des couleurs découverte par
M. Chevreul, et d'après les expériences de Maxwell et
les mensurations de O. N. Rood (58): substituer le
mélange optique au mélange des pigments, autrement dit,
la décomposition des tons en leurs éléments constitutifs,
parce que ce mélange optique suscite des luminosités
beaucoup plus intenses que le mélange des pigments». Et
avec sa modestie caractéristique, Pissarro insistait sur le
fait que c'était « M. Seurat, artiste de grande valeur, qui a
été le premier à avoir l'idée et à appliquer la théorie
scientifiquement après l'avoir étudiée à fond. Je n'ai fait
que suivre (59)...»

Dès que Pissarro se fut joint à Seurat et à Signac,
il commença à considérer ses anciens camarades comme

des impressionnistes *romantiques,* soulignant ainsi les différences de principes qui les séparaient du nouveau groupe d'impressionnistes *scientifiques.*

NOTES

1. Pissarro à Duret, 24 février 1882; voir A. TABARANT: *Pissarro,* Paris, 1924, p. 46.

2. Voir TABARANT: *Manet et ses œuvres,* Paris, 1947, pp. 406-408.

3. Renoir à Duret, Pâques 1881; voir M. FLORISOONE: « Renoir et la famille Charpentier », *L'Amour de l'Art,* février 1938.

4. Pissarro à son fils, 18 septembre 1893; voir: Camille PISSARRO, *Lettres à son fils Lucien,* Paris, 1950, pp. 311-312.

5. D'après les notes inédites du peintre Louis Le Bail, qui reçut des conseils de Pissarro pendant les années 1896-1897. Vers la même époque, Le Bail rencontra aussi Monet qui lui dit : « Il faut oser devant la nature, ne pas craindre de faire mauvais, de recommencer ce dont on n'est pas satisfait, et d'abîmer ce qu'on a fait. Si vous n'osez pas quand vous êtes jeune, que ferez-vous plus tard? »

6. Gauguin à Pissarro, été 1881; document partiellement inédit, trouvé dans les papiers de Pissarro.

7. Manet à Astruc, été 1880; voir E. MOREAU-NÉLATON: *Manet raconté par lui-même,* Paris, 1926, v. II, p. 68.

8. Voir lettre de Pissarro à son fils, 28 décembre 1883; *op. cit.,* p. 73.

9. Renoir à Manet, 28 décembre 1881; voir MOREAU-NÉLATON, *op. cit.,* v. II, p. 88.

10. Voir A. VOLLARD: *Renoir,* ch. XI, et la lettre de Renoir publiée dans *L'Amateur d'Autographes,* 1913, pp. 231-233.

11. Renoir à Durand-Ruel, 21 novembre 1881; voir L. VENTURI: *Les Archives de l'Impressionnisme,* Paris-New York, 1939, v. I, pp. 116-117.

12. Voir M. SCHNEIDER: « Lettres de Renoir sur l'Italie », *L'Age d'or,* premier numéro, 1945.

13. Renoir à M⁻ Charpentier [début 1882]; voir FLORISOONE, *op. cit.*

14. Caillebotte à Pissarro [hiver 1881-82]; document inédit, trouvé dans les papiers de Pissarro.

15. Gauguin à Pissarro, 14 décembre 1881; document inédit, trouvé dans les papiers de Pissarro.

16. Gauguin à Pissarro, 18 janvier 1882; document inédit, trouvé dans les papiers de Pissarro.

17. Manet à Berthe Morisot [début 1882]; voir M. ANGOULVENT: *Berthe Morisot,* Paris, 1933, p. 62.

18. Pour les lettres de Renoir à Durand-Ruel, concernant cette exposition, voir VENTURI, *op. cit.*, v. I, pp. 119-122.

19. Pour les lettres de Monet à Durand-Ruel, concernant cette exposition, voir *ibid.*, pp. 227-230.

20. Pissarro à Monet [fin février 1882]; voir J. JOETS: « Lettres inédites de Pissarro à Claude Monet », *L'Amour de l'Art*, III, 1946.

21. Renoir à Durand-Ruel [fin février 1882]. Cette lettre ne figure pas dans les *Archives* de Venturi; voir *Catalogue d'Autographes*, nº 61, Marc Loliée, Paris, 1936, p. 35.

22. Eugène Manet à Berthe Morisot [printemps 1882]; voir D. ROUART: *Correspondance de Berthe Morisot*, Paris, 1950, p. 106.

23. Eugène Manet à Berthe Morisot, 1ᵉʳ mars 1882; *ibid.*, p. 103.

24. Pour un catalogue condensé voir VENTURI, *op. cit.*, v. II, pp. 267-269.

25. Eugène Manet à Berthe Morisot [mars 1882]; voir ROUART, *op. cit.*, p. 110.

26. Eugène Manet à Berthe Morisot [mars 1882]; *ibid.*, p. 104.

27. Manet à A. Wolff, mai 1882; voir l'article de WOLFF dans *Le Figaro*, 1ᵉʳ mai 1883.

28. Manet à Chesneau [été 1882]; voir MOREAU-NÉLATON, *op. cit.*, v. II, p. 90.

29. Sur les circonstances de la mort de Manet voir A. TABARANT: « Manet se sut-il amputé? » *Bulletin de la vie artistique*, 1ᵉʳ mars 1921, ainsi que l'ouvrage du même auteur, *op. cit.*, pp. 472-475.

30. A. WOLFF: article dans *Le Figaro*, cité par TABARANT: *Manet et ses œuvres*, p. 476.

31. Voir Pissarro à son fils Lucien, 28 décembre 1883; *op. cit.*, p. 73.

32. Voir lettres de Renoir à Monet, fin janvier et début février 1884; J. BAUDOT: *Renoir, ses amis, ses modèles*, Paris, 1949, pp. 58-59; sur l'exposition Manet voir TABARANT: *Manet et ses œuvres*, pp. 490-497.

33. Sur la vente Manet voir TABARANT, *ibid.*, pp. 498-502.

34. A. Wolff dans *Le Figaro*, 7 février 1884, cité par J. BAUDOT, *op. cit.*, pp. 60-64.

35. Sur ces expositions voir: *Mémoires* de Paul Durand-Ruel dans VENTURI, *op. cit.*, v. II, pp. 212-213; *ibid.*, lettres de Monet, Renoir, Sisley à Durand-Ruel; aussi PISSARRO: *Lettres à son fils Lucien* et G. GEFFROY: *Claude Monet, sa vie, son œuvre*, Paris, 1924, v. I, ch. XXIV.

36. A la *Foreign Exhibition* de Boston, Manet était représenté par deux toiles, Monet, Renoir et Sisley par trois chacun, Pissarro par six. Voir H. HUTH: « Impressionism comes to America », *Gazette des Beaux-Arts*, avril 1946. Sur l'exposition de Londres voir D. COOPER: *The Courtauld Collection*, Londres, 1954, pp. 23-27.

37. Pissarro à Monet, 12 juin 1883; voir G. Geffroy, *op. cit.*, v. II, ch. III.

38. Pissarro à son fils Lucien, 4 mai 1883; *op. cit.*, p. 30.

39. Voir A. Vollard: *Renoir*, ch. XIII.

40. Voir A. Fontainas: « La rencontre d'Ingres et de Renoir », *Formes*, mars 1931; voir aussi T. de Wyzewa: « Pierre-Auguste Renoir », *L'Art dans les deux Mondes*, 6 décembre 1890.

41. Monet à Durand-Ruel, 1er décembre 1883; voir Venturi, *op. cit.*, v. I, p. 264.

42. Monet à Durand-Ruel, 12 janvier 1884; *ibid.*, pp. 267-268.

43. Degas à Lerolle, 21 août 1884; voir *Lettres de Degas*, Paris, 1945, p. 80.

44. Renoir à Durand-Ruel, automne 1885; voir Venturi, *op. cit.*, v. I, p. 131.

45. Pissarro à son fils Lucien, 31 octobre 1883; *op. cit.*, p. 44.

46. Pissarro à Murer, 8 août 1884; voir Tabarant, *Pissarro*, p. 48.

47. Voir F. F. [Fénéon]: « Les grands collectionneurs; M. Paul Durand-Ruel », *Bulletin de la vie artistique*, 15 avril 1920.

48. Durand-Ruel à Pissarro, novembre 1883; voir Pissarro, *op. cit.*, p. 60.

49. Voir Venturi, *op. cit.*, v. II, pp. 249-252.

50. Voir G. Biddle: « Some Memories of Mary Cassatt », *The Arts*, août 1926.

51. Pissarro à Monet, 7 décembre 1885; voir G. Geffroy, *op. cit.*, v. II, ch. III.

52. Voir J. Rewald: *Georges Seurat*, Paris, 1948, pp. 45-52. Sur l'histoire générale de la *Société des Artistes Indépendants*, voir G. Coquiot: *Les Indépendants*, Paris, 1921.

53. Voir G. Besson: *Paul Signac*, Paris, 1950, p. 1.

54. Voir l'explication du divisionnisme par Signac dans son ouvrage: *D'Eugène Delacroix au Néo-impressionnisme*, Paris, 1899.

55. Voir J. J. Sweeney: *Plastic Redirections in 20th Century Painting*, Chicago, 1934, pp. 7-10.

56. Voir G. Kahn: « La vie artistique », *La Vie Moderne*, 9 avril 1887.

57. Sur la *Grande Jatte* voir D. Catton Rich: *Seurat and the Evolution of « La Grande Jatte »*, Chicago, 1935.

58. Sur l'attitude personnelle de Rood envers l'impressionnisme et le néo-impressionnisme voir R. Rood: « Professor Rood's Theories on Colour and Impressionism », *The Script*, avril 1906.

59. Pissarro à Durand-Ruel, 6 novembre 1886; voir Venturi, *op. cit.*, v. II, p. 24.

1886

HUITIÈME ET DERNIÈRE EXPOSITION
IMPRESSIONNISTE.
PREMIER SUCCÈS DE DURAND-RUEL
EN AMÉRIQUE.
GAUGUIN ET VAN GOGH.

Berthe Morisot et son mari, Eugène Manet, prirent
l'initiative au début de 1886, d'aller voir leurs amis pour
discuter d'une nouvelle exposition du groupe, au sujet de
laquelle Pissarro avait déjà consulté Mary Cassatt et
Monet. La tâche était particulièrement ardue, car non
seulement se posait l'éternelle question de la participation
de Degas et de son groupe, mais cette fois s'y ajoutait la
demande de Pissarro de faire admettre Seurat et Signac,
demande qui était accueillie avec peu de sympathie. Au
surplus, Degas insistait pour que l'exposition eût lieu du
15 mai au 15 juin, époque du Salon officiel, et cela semblait
absurde aux autres. En février, les pourparlers étaient au
point mort; Berthe Morisot et Monet paraissaient abandonner tout espoir. Guillaumin essaya alors de jouer le
rôle d'intermédiaire entre les différents clans. La difficulté
pour lui, comme pour Pissarro, résultait du fait que si

Degas, Mary Cassatt et Berthe Morisot s'abstenaient,
il ne resterait pour ainsi dire personne en mesure
d'avancer les fonds nécessaires et de courir les risques
d'une perte d'argent possible. Quand les discussions
reprirent, elles portèrent avant tout sur la réception de
l'immense toile de Seurat, *La Grande Jatte.*

Au début de mars, Pissarro écrivait à son fils Lucien
au sujet de ses difficultés avec le frère de Manet: « Hier,
j'ai eu un rude attrapage avec M. Eugène Manet à propos
de Seurat et de Signac; ce dernier était du reste là, ainsi
que Guillaumin. Je te prie de croire que je l'ai malmené,
et carrément. — Cela n'a pas le don de plaire à Renoir.
Du reste, pour couper court, j'ai expliqué à M. Eugène
Manet, qui n'a dû rien comprendre, que Seurat apportait
un élément nouveau que ces Messieurs ne pouvaient
apprécier, malgré tout leur talent, que moi, personnellement, je suis persuadé du progrès qu'il y a dans cet art
qui donnera à un moment donné des résultats extraordinaires. Du reste, je me fiche de l'appréciation de tous
les artistes, n'importe lesquels; je n'admets pas le
jugement en l'air des [impressionnistes] romantiques qui
ont intérêt à combattre les tendances nouvelles. J'accepte
la lutte, voilà tout. Mais avant de commencer, on tâche
de brouiller les cartes en dessous, afin de faire rater
l'exposition. — M. Manet était hors de lui. — Je ne déco-
lérais pas. Ah! les dessous, on les travaille. Mais je tiens
bon. Degas est cent fois plus loyal. J'ai dit à Degas que
le tableau de Seurat était fort intéressant. « Oh! Je m'en
apercevrais bien, Pissarro, seulement que c'est grand! »
A la bonne heure, si Degas n'y voit rien, tant pis pour
lui. C'est qu'il y a un côté rare qui lui échappe. Nous
verrons. M. Eugène Manet aurait voulu empêcher Signac
de mettre son tableau de figures — j'ai protesté. J'ai dit
à M. Manet que nous ne voulons faire aucune concession

dans ces conditions, que nous voulons, s'il manque de la place, *restreindre de nous-mêmes* nos tableaux, mais que nous défendons à qui que ce soit de nous donner des ordres de choix. — Cela marchera tout de même, parbleu (1). »

Il fut décidé finalement que Pissarro et ses amis exposeraient dans une pièce à part où figureraient également, à côté des œuvres de Pissarro, de Seurat et de Signac, les premières toiles de Lucien Pissarro qui suivait de près les traces de son père et de Seurat.

Parmi les autres participants se trouvait Gauguin, revenu à Paris en 1885, après une année malheureuse au Danemark où ses efforts de faire de la représentation de commerce avaient échoué. Il avait organisé une exposition à Copenhague qui avait été fermée au bout de cinq jours, sur l'ordre de l'Académie; des articles élogieux dans la presse avaient été supprimés; l'opposition s'était montrée d'une telle violence qu'aucun encadreur n'avait osé lui fabriquer des cadres, dans la crainte de perdre sa clientèle. Laissant sa femme et quatre de leurs enfants au Danemark, Gauguin revint en France avec son fils Clovis, qui tomba bientôt gravement malade. Le peintre accepta alors un emploi de colleur d'affiches. Un peu plus tard il fut lui-même obligé de passer plusieurs semaines à l'hôpital. Laissant l'enfant dans une pension de famille, il avait réussi à aller en Normandie, peut-être en vendant quelques tableaux de sa collection. Sur la côte, il avait rencontré Degas avec lequel il s'était disputé. Il est possible que Degas, comme Pissarro, n'ait pas apprécié le désir de Gauguin de réussir rapidement. Gauguin a, en effet, dit plus tard: « Quant à Degas, je ne m'en occupe guère et je ne vais pas passer ma vie à poncer un pouce pendant cinq séances d'après un modèle; au prix qu'est le beurre, c'est trop cher (2). » En dépit de toutes ses difficultés, Gauguin avait continué à travailler avec acharnement et la nouvelle exposition le trouva prêt avec un grand nombre d'œuvres récentes.

Gauguin présenta aux impressionnistes son ami et ancien collaborateur à la banque, Schuffenecker; Berthe Morisot et son mari consentirent à admettre ses toiles. On ne sait si c'est la présence de Gauguin et de Schuffenecker qui décida Monet à se retirer, mais il est plus vraisemblable que ce fut celle de Seurat et de Signac qui provoqua cette décision. Caillebotte suivit l'exemple de Monet. Après quelque hésitation, Renoir fit aussi savoir qu'il ne participerait pas à cette exposition et Sisley refusa également de se joindre au groupe. Par contre Renoir et Monet décidèrent tous deux de prendre part à l'Exposition Internationale chez Petit, de même que Raffaëlli.

Raffaëlli s'était sans doute rendu compte qu'on ne tenait pas à sa présence chez les impressionnistes et de son côté il jugea probablement leur compagnie plutôt compromettante, puisqu'il préféra exposer chez Petit. Degas se décida donc à laisser tomber Raffaëlli, et cela d'autant plus volontiers que personne ne semble le lui avoir demandé cette fois. «On ouvrira le 15, annonça Degas au début mai à Bracquemond. Tout se précipite avec fureur. Vous savez que la condition de n'avoir pas envoyé au Salon reste imposée. Vous, vous ne remplissez pas cette condition, mais votre femme est-elle dans le cas? Monet, Renoir, Caillebotte et Sisley n'ont pas répondu à l'appel. Les frais sont faits par une combinaison que je n'ai pas le temps de vous expliquer. Si les entrées ne remboursent pas tous ces frais, on fera le tour des exposants avec un plateau. Le local est moins grand qu'il ne faut, mais situé admirablement. C'est tout bonnement le premier étage de la Maison Dorée, au coin de la rue Laffitte. La compagnie Jablochkof nous propose de nous éclairer à la lumière électrique (3). »

Comme amis de Degas il n'y eut à cette exposition que Mme Bracquemond, Mary Cassatt, Forain, Rouart, Tillot et Zandomeneghi. Odilon Redon se joignit à eux pour la première fois. Comme nouvelle recrue il y eut encore une comtesse de Rambure « dont le catalogue n'osa pas mentionner les envois », selon un mot du critique Félix Fénéon.

Tandis que les peintres préparaient activement leur huitième exposition, Durand-Ruel réunissait les trois cents toiles qu'il voulait emporter en Amérique. Pissarro réussit à le persuader d'y ajouter quelques œuvres de Signac et de Seurat; ce dernier lui confia sa *Baignade,* qui avait été montrée au premier Salon des Indépendants. Au mois de mars 1886, Durand-Ruel partit pour New York avec un ensemble imposant (4). Du succès de cette entreprise dépendaient non seulement son propre avenir, mais aussi dans une certaine mesure celui de ses peintres.

Alors que l'exposition de Durand-Ruel à New York était annoncée sous le titre de : « Œuvres à l'huile et au pastel des Impressionnistes de Paris », les peintres eux-mêmes renonçaient une fois de plus au terme « impressionniste » sur leurs affiches et annonçaient simplement une « Huitième exposition de peinture ». Elle devait se tenir à l'époque choisie par Degas, du 15 mai au 15 juin, au-dessus du Restaurant de la Maison Dorée, dans un immeuble formant l'angle de la rue Laffitte et du boulevard des Italiens (5).

Degas exposait deux pastels représentant des femmes chez leur modiste (Mary Cassatt lui avait permis quelquefois de l'accompagner lorsqu'elle allait essayer des chapeaux) et une série de sept pastels intitulée : « Suite de nus de femmes se baignant, se lavant, se

264

séchant, s'essuyant, se peignant ou se faisant peigner.»
Degas cherchait à représenter les nus d'un point de vue
tout à fait nouveau. « Jusqu'à ce jour, expliquait-il, on a
toujours montré le nu dans des poses que présupposent
des spectateurs. » Au lieu de représenter le modèle dans
une pose choisie par l'artiste et conscient de sa nudité,
il préférait l'observer dans des attitudes naturelles
« comme si l'on regardait par le trou de la serrure (6)».
Il installa des tubs et des cuvettes dans son atelier et
étudiait ses modèles en train de faire leur toilette.

Pissarro, Guillaumin et Gauguin montraient chacun
une vingtaine de tableaux et de pastels. Les toiles de
Pissarro étaient représentatives de sa nouvelle manière;

264. DEGAS. *Chez la modiste*, daté 1882. (Mary Cassatt a posé pour ce pastel).
Huitième exposition impressionniste, 1886. Metrepolitan Museum of Art, New York
(Collection H. O. Havameyer). Ph. du Musée.

65

266

parmi les œuvres de Gauguin plusieurs avaient été faites
à Rouen, en Normandie, en Bretagne et aussi au Danemark. Berthe Morisot exposait douze peintures et une
suite d'aquarelles et de dessins. Seurat envoya aussi
quelques dessins, plusieurs paysages peints à Grandcamp,
où il avait passé une partie de l'été 1885, et sa *Grande
Jatte,* montrant dans une composition hiératique et sim-
plifiée un groupe de promeneurs du dimanche sur les
pelouses ensoleillées et sous les arbres de l'île de la
Grande Jatte à Asnières. Parmi les personnages se pro-
menant à l'ombre on remarquait principalement une
dame en robe bleue, tenant un petit singe en laisse.

En raison des bruits qui circulaient au sujet de la

265. CASSATT. *Toilette matinale*, 1886. Huitième exposition impressionniste, 1886.
Ancienne Collection Degas. National Gallery of Art, Washington (Collection Chester
Dale). Ph. du Musée. — 266. DEGAS. *Après le bain*, vers 1885. Pastel. Huitième
exposition impressionniste, 1886. Metropolitan Museum of Art, New York (Collection
H. O. Havemeyer). Ph. du Musée.

toile de Seurat, la nouvelle exposition excita d'avance une très vive curiosité. George Moore entendit dire par un ami qu'il y avait un grand tableau en trois couleurs: jaune clair pour la lumière, brun pour l'ombre et tout le reste bleu ciel. On disait en outre qu'il s'y trouvait une dame avec un singe dont la queue en spirale avait un mètre de long. Moore se hâta d'aller au vernissage, et bien que la toile ne correspondît pas exactement à la description, il y avait effectivement un singe et d'autres détails suffisamment étranges pour déchaîner le rire de la foule, « un rire bruyant, poussé à l'excès dans le désir de faire le plus de peine possible (7) ».

Signac a plus tard rapporté que le jour de l'ouverture, Stevens, l'ami de Manet, « ne cessa de faire la navette entre la Maison Dorée et le café voisin Tortoni, recrutant ceux de sa bande qui sirotaient autour du célèbre perron et les conduisant devant la toile de Seurat, pour leur montrer à quel degré d'abjection était tombé son ami Degas, en hospitalisant de telles horreurs. Il jetait de l'or sur le tourniquet, n'attendant pas sa monnaie, dans sa hâte d'amener de nouvelles fournées (8) ».

Cette exposition, où l'élément impressionniste n'était plus représenté que par Berthe Morisot, Guillaumin et Gauguin, provoqua de nombreuses discussions. Certains visiteurs étaient choqués par les nus de Degas qu'ils trouvaient obscènes (9), mais la plupart étaient surtout intrigués et divertis par les œuvres de Seurat et de ses amis. Il est vrai que leurs toiles, accrochées dans une pièce trop étroite, ne pouvaient être vues convenablement. Peu surent reconnaître l'originalité profonde de cet art et lorsque Verhaeren en parla avec admiration à quelques artistes, on se moqua de lui (10).

Ce qui ajoutait à la confusion générale, est le fait que ni le public ni les critiques ne savaient distinguer les œuvres de Seurat de celles de Signac et des deux Pissarro. La nouveauté de ces œuvres produites par plusieurs artistes, travaillant avec une palette identique et se réclamant d'une théorie commune, était trop frappante pour permettre aux visiteurs de remarquer les différences subtiles de leurs qualités individuelles. *La Grande Jatte* de Seurat dominant la salle, le lyrisme de Signac et la raideur naïve de Camille Pissarro passèrent inaperçus; les critiques purent proclamer à bon escient que la nouvelle méthode avait complètement détruit la personnalité des artistes qui l'employaient. George Moore crut même d'abord à quelque mystification et dut se mettre à genoux – car les tableaux étaient accrochés très bas – pour examiner les toiles de près, avant de pouvoir distinguer les œuvres de Seurat de celles de Pissarro (11).

Les critiques, toujours peu enclins aux examens minutieux, eurent vite fait d'accueillir cet art nouveau par leurs sarcasmes habituels. Pourtant, même des écrivains sérieux, et d'esprit ouvert, ne purent dissimuler leurs objections, ne voyant dans ces œuvres que des «exercices de précieux virtuoses (12)». Octave Mirbeau, avec lequel Pissarro venait de se lier, alla jusqu'à douter de la sincérité de Seurat. Son attitude paraît refléter celle des quelques admirateurs que Pissarro s'était acquis après trente années d'efforts. Personne n'était disposé à le suivre dans la nouvelle voie qu'il avait choisie; tout semblait indiquer qu'il aurait à livrer une nouvelle bataille, sinon isolé, du moins entouré d'hommes assez jeunes pour être ses fils.

Telle était la situation lorsque Durand-Ruel revint à Paris, quelques jours après la fermeture de l'expo-

267

268

269

sition de la Maison Dorée. Différents bruits se répandirent aussitôt dans les milieux artistiques; les uns disaient qu'il avait fait fortune en Amérique par un coup de chance miraculeux, d'autres prétendaient qu'il s'était mêlé d'affaires louches et avait été obligé de décamper. Ce que Durand-Ruel avait à raconter lui-même était beaucoup moins spectaculaire mais plus rassurant: il revenait de son voyage avec la conviction qu'on pouvait s'attendre à de grandes choses de l'Amérique. Si les résultats immédiats de son exposition étaient assez limités, l'avenir paraissait plein de promesses encourageantes.

L'accueil fait à Durand-Ruel à New York s'était

267. PISSARRO. *Printemps à Eragny*, daté 1886. Collection Mr. et Mrs. Hugo Dixon Memphis, Tenn. — 268. SIGNAC. *Gazomètres à Clichy*, daté 1886. Huitième exposition impressionniste, 1886. National Gallery of Victoria, Melbourne. Ph. A. C. Cooper. — 269. SEURAT. *Un dimanche après-midi à l'Ile de la Grande Jatte*, 1884-86. Huitième exposition impressionniste, 1886. Art Institute of Chicago (Helen Birch Bartlett Memorial Collection). Ph. du Musée.

révélé beaucoup plus cordial qu'il n'avait osé l'espérer,
et cela malgré une certaine hostilité, qu'il fallait prévoir.
« La venue des impressionnistes français, avait annoncé
le *New York Daily Tribune,* s'est vu précéder de beaucoup de propos violents concernant leur peinture. Ceux
qui s'intéressent surtout aux placements prudents que
représentent les œuvres de Bouguereau, Cabanel,
Meissonier et Gérôme, ont répandu la nouvelle que la
peinture des impressionnistes participe du bariolage et se
distingue surtout par des excentricités telles que l'herbe
bleue, les ciels d'un vert violent et l'eau aux couleurs
de l'arc-en-ciel. Bref, on a dit que la peinture de cette
école était complètement et absolument sans valeur (13). »
Mais le grand public avait refusé de suivre les arguments
de ces « connaisseurs », en partie grâce aux efforts inlas-
sables de Mary Cassatt qui ne cessait d'attirer l'attention
de ses compatriotes sur l'art impressionniste. De son
côté, le peintre américain Sargent s'employait à gagner
des admirateurs surtout à Monet et à Manet..

Le nom de Paul Durand-Ruel était déjà connu en
Amérique comme celui du défenseur et du marchand
de l'Ecole de Barbizon. Cette réputation avait amené
le public américain à une conclusion logique — conclusion que les Français n'avaient pas su tirer — qu'étant
donné qu'il soutenait si obstinément ses nouveaux amis,
leurs œuvres devaient avoir quelque mérite. Ainsi, critiques et visiteurs vinrent à l'exposition sans préjugés.

Soucieux d'amortir le choc que risquaient de produire les toiles de Manet, Degas, Renoir, Monet, Sisley,
Pissarro, Berthe Morisot, Guillaumin, Signac, Seurat et
Caillebotte, Durand-Ruel n'avait pas seulement inclus
dans son ensemble des tableaux de Boudin, Lépine et
d'autres, il leur avait ajouté des œuvres de tendance plus
académique. Cette précaution fut inutile cependant

269 *bis*. SEURAT. Détail de 269.

et le *New York Daily Tribune* alla jusqu'à écrire à l'égard des défenseurs de Bouguereau et de Cabanel: «Nous nous permettons de blâmer ces messieurs, chargés de fournir en tableaux le marché de New York, d'avoir laissé le public dans l'ignorance des artistes qui sont représentés à l'exposition des *American Art Galleries* (13).»

Il y eut naturellement aussi des commentaires assez semblables à ceux des journaux français. Ainsi le *Sun* parla des «lourdes et odieuses créations de Renoir, cet élève dégénéré et avili de l'homme si sain, honnête et bien inspiré qu'était Gleyre». Le même critique constatait que Degas «dessinait mal» et écrivait à propos des paysages de Pissarro qu'ils étaient «inénarrables et amusants; ce peintre est quelquefois sérieux mais sans le vouloir apparemment». «Il y a beaucoup de mauvaise peinture chez Sisley», disait-il encore, «et ce monstrueux tableau de Seurat, *La Baignade*... est conçu dans un esprit vulgaire et grossier; c'est l'œuvre de quelqu'un qui cherche à se distinguer par l'expédient du grand format (14)». Mais en général les critiques américains montrèrent une compréhension assez rare et, au lieu de rire bêtement, firent un effort honnête pour comprendre. Ils reconnurent dès le début: «On sent clairement que ces peintres ont travaillé avec une intention bien définie; s'ils ont négligé les règles établies, c'est parce qu'ils les ont dépassées, et s'ils ont ignoré des vérités secondaires, c'est afin d'insister davantage sur des vérités plus grandes (15).»

En général les commentaires de presse, reflétant la réaction du public, admettaient que les peintres américains pouvaient puiser beaucoup de renseignements techniques dans ces tableaux et que l'exposition présentait, depuis les premières œuvres de Manet jusqu'à la grande toile de Seurat, une occasion unique d'étudier

« la puissance intransigeante de l'école impressionniste ». Tout en définissant cette école comme « le communisme incarné, affichant hardiment le drapeau rouge et le bonnet phrygien de la violence sans frein », le critique de *Art Age,* par exemple, reconnut volontiers qu'il y avait chez Degas une grande connaissance de l'art et une connaissance plus grande encore de la vie, que Renoir savait faire entendre une note vigoureuse et virile, que les paysages de Monet, Sisley et Pissarro étaient remplis d'un calme céleste et d'une incomparable beauté (16). *The Critic* proclama même : « New York n'a jamais vu une exposition plus intéressante que celle-ci (15). »

Quinze jours après l'ouverture, qui eut lieu le 10 avril, la *Tribune* annonça que sept ou huit tableaux avaient été vendus. L'intérêt manifesté pour l'exposition fut si vif qu'on décida de la prolonger d'un mois. En raison d'autres engagements pris par les *American Art Galleries,* elle fut alors transférée, fin mai, à l'Académie Nationale de Dessin, ce qui lui donnait une consécration quasi officielle. Avant le retour de Durand-Ruel en France, la *American Art Association* avait elle-même acheté plusieurs toiles et pris des dispositions pour qu'il revienne à l'automne avec une nouvelle exposition. Durand-Ruel avait donc tout lieu d'être confiant pour l'avenir et de considérer son entreprise américaine comme le signe d'un revirement du sort (17).

En dehors de ces bonnes raisons d'espérer, Durand-Ruel ne rapportait pas grand-chose. Ses dépenses avaient été lourdes et il n'était pas encore en mesure de satisfaire aux demandes d'argent des peintres. Au surplus, son succès avait déchaîné à nouveau la jalousie de ses adversaires. Il fut question entre ceux-ci d'acheter directement aux impressionnistes et de les forcer à rompre avec Durand-Ruel, afin de s'emparer du marché américain qu'il venait d'ouvrir. De leur côté, les marchands de New York qui avaient escompté son échec et étaient irrités des résultats inattendus de l'exposition, intervenaient activement à Washington pour obtenir de nouvelles formalités douanières et réussirent ainsi à retarder sa seconde exposition. Bien des difficultés restaient encore à surmonter, mais Durand-Ruel gardait sa confiance et recommandait aux peintres de ne pas se décourager. Cependant, Pissarro, Monet et Renoir se demandaient s'ils pourraient vraiment tenir jusqu'au moment d'un réel succès financier. Tout ce qu'ils avaient gagné n'était que cette conviction rassurante : « Si nous ne sommes pas sauvés par Durand-Ruel, ce sera un autre qui prendra l'affaire, dès le moment que l'affaire est bonne (18). » En attendant, ils se trouvaient de nouveau plus ou moins abandonnés à leurs propres moyens.

Pendant l'absence de Durand-Ruel, Monet, ne recevant pas de subsides de son marchand, avait vendu plusieurs toiles par l'intermédiaire de Georges Petit, à des prix très satisfaisants (il demandait jusqu'à 1.200 francs de ses tableaux). Il avait aussi participé avec Renoir à une exposition organisée par un nouveau groupe bruxellois, les *Vingt,* destiné à unir les très actifs éléments d'avant-garde belges à ceux des autres pays (19). Le succès avait modifié le comportement de Monet qui se montrait beaucoup plus exigeant avec Durand-Ruel, et parfois même d'une franchise brutale. Il reprochait surtout au marchand d'avoir envoyé ses œuvres en Amérique ou de les avoir laissées en gage à ses créanciers, de sorte qu'il ne lui restait rien à montrer au public français. Pissarro exprima également son mécontentement et aurait aimé conclure un contrat avec un autre marchand, s'il avait pu en trouver un qui s'intéressât suffisamment à lui pour le faire vivre.

Guillaumin et Gauguin entre-temps décidèrent d'exposer à l'automne de 1886 avec Seurat et Signac au Salon des Indépendants, mais Gauguin eut bientôt une violente discussion avec ceux qu'il nommait « ces petits jeunes chimistes qui accumulent des petits points (20) », et s'abstint. Renoir se joignit une fois de plus à Monet à l'Exposition Internationale chez Petit. Durand-Ruel qui alla y voir les toiles récentes de Renoir ne les aima pas, et il n'aima pas davantage les nouvelles peintures divisionnistes que lui montra Pissarro. Il devait se sentir particulièrement troublé, en constatant que les œuvres de ses peintres annonçaient ouvertement la fin de l'impressionnisme et que l'amitié de Monet lui faisait défaut au moment même où la victoire si longtemps attendue semblait proche.

Comme pour souligner la dislocation du groupe, l'ami de Seurat, Félix Fénéon, publia une brochure sur *Les Impressionnistes en 1886,* dans laquelle il établissait des catégories, insistant sur les différences qui séparaient les peintres. Toute son admiration étant réservée à l'auteur de *La Grande Jatte,* Fénéon ne cacha pas sa conviction que l'impressionnisme était dépassé par les conceptions nouvelles de Seurat. Il démontrait clairement que ce qui pouvait rattacher Seurat et Signac à leurs prédécesseurs était un lien trop vague pour qu'on puisse considérer ces jeunes peintres comme des impressionnistes, bien qu'ils aient participé à la huitième exposition du groupe. C'est alors que le terme « néo-impressionnisme » fit son apparition. Comme Signac l'a expliqué plus tard, cette désignation ne fut pas adoptée par les peintres en vue de gagner les bonnes grâces du public (puisque les impressionnistes eux-mêmes n'avaient pas encore remporté une victoire décisive), mais pour rendre hommage aux efforts de leurs aînés et insister sur le fait que si les procédés variaient, les buts étaient les mêmes: la lumière et la couleur (21).

Au moment où Pissarro, Signac et Seurat rompaient avec l'ancien groupe, Zola faisait de même, quoique pour d'autres motifs et d'une façon différente. En 1886, il fit paraître un nouveau volume de la série des *Rougon-Macquart, L'Œuvre,* dont le héros était un peintre. Tous ses lecteurs savaient qu'il s'agissait plus ou moins d'un roman à clef, et les notes de Zola prouvent en effet que le portrait de son personnage principal est fondé en partie sur Manet, en partie sur Cézanne, les deux peintres qu'il avait connus le plus intimement. *L'Œuvre* abonde en détails historiques et auto-biographiques, décrivant les luttes initiales du groupe, le Salon des Refusés, les premiers essais de peinture en plein air, mais le héros, conçu comme le prototype du peintre impressionniste, est caractérisé par un pénible mélange de génie et de folie. Le conflit continuel entre ses rêves ambitieux et l'insuffisance de sa force créatrice se termine par un échec complet, par le suicide. Tandis que le public ne vit dans ce roman qu'une désapprobation déguisée de l'impressionnisme, tandis que les peintres eux-mêmes y trouvèrent surtout le témoignage concluant de l'incompréhension de Zola, Cézanne, lui, en fut profondément blessé. Bien que les lecteurs aient généralement identifié le héros de Zola avec Manet plutôt qu'avec Cézanne, qu'ils ne connaissaient pas, Cézanne lui-même, lisant entre les lignes, y trouva l'évocation émouvante de sa propre jeunesse, inséparable de celle de Zola, mais aussi la trahison de ses espérances (22). Ce qu'il avait déjà pu pressentir dans ses conversations avec Zola lors de ses visites presque annuelles à Médan, il le voyait maintenant irrévocablement exprimé dans ce roman : la pitié de Zola pour ceux qui n'avaient pas réussi, pitié plus insupportable que le mépris. Non seulement Zola n'avait pas compris la vraie signification des efforts auxquels Cézanne et ses amis s'étaient consacrés, mais encore il avait perdu tout sentiment de solidarité avec eux. Maintenant, installé dans sa maison cossue de Médan, il jugeait ses amis en faisant siens tous les préjugés bourgeois qu'ils avaient jadis combattus ensemble. La lettre que Cézanne envoya à Zola pour le remercier de l'envoi de *L'Œuvre* est pleine de mélancolie ; ce fut en fait une lettre d'adieu, et les deux amis ne devaient plus jamais se revoir (23).

Monet, seul parmi les peintres, eut la franchise de dire à Zola sa réaction. « Vous avez eu l'obligeance de m'envoyer *L'Œuvre,* écrivit Monet, je vous en suis très reconnaissant. J'ai toujours un grand plaisir à lire vos livres et celui-ci m'intéressait doublement puisqu'il soulève des questions d'art pour lesquelles nous combattons depuis si longtemps. Je viens de le lire et je reste troublé, inquiet, je vous l'avoue. Vous avez pris soin, avec intention, que pas un seul de vos personnages ne ressemble à l'un de nous, mais malgré cela, j'ai peur que dans la presse et le public, nos ennemis ne prononcent les noms de Manet ou tout au moins les nôtres pour en faire des ratés, ce qui n'est pas dans votre esprit, je ne veux pas le croire. — Excusez-moi de vous dire cela. Ce n'est pas une critique ; j'ai lu *L'Œuvre* avec un très grand plaisir, retrouvant des souvenirs à chaque page. Vous savez du reste mon admiration fanatique pour votre talent. Non ; mais je lutte depuis un assez long temps et j'ai les craintes qu'au moment d'arriver, les ennemis ne se servent de votre livre pour nous assommer (24). » Comme Cézanne, Monet, Pissarro et Renoir éviteront désormais Zola.

La rupture de son amitié pour Zola, vieille de trente ans, survint l'année même où Cézanne commençait enfin à jouir d'une certaine tranquillité. En avril 1886, il avait épousé Hortense Fiquet, à Aix, avec le consentement de ses parents. Six mois plus tard, le père de Cézanne mourut à l'âge de quatre-vingt-huit ans, laissant à son fils une fortune qui le délivrait de tout souci. Mais Cézanne ne changea rien à sa manière de vivre et continua à mener à Aix la même existence modeste. Son univers semblait s'être rétréci: il avait pour centre la maison paternelle du Jas de Bouffan où le peintre vécut avec sa vieille mère, tandis que sa femme et son fils résidaient surtout à Paris. De ses vieux amis ne restaient plus que Pissarro, Renoir, Chocquet et le père Tanguy, mais il n'entendait pas souvent parler d'eux. Par surcroît, il n'approuvait pas les nouvelles conceptions de Pissarro et disait avec regret: « S'il avait continué à peindre comme il le faisait en 1870, il aurait été le plus fort de nous (25). » Dans la solitude qu'il s'était imposée, rien ne venait distraire Cézanne du but unique de sa vie: le travail qui absorbait toutes ses pensées et qui était, comme il l'avait jadis dit à Zola, « malgré toutes les alternatives, le seul refuge où l'on trouve le contentement réel de soi (26) ».

Gauguin aussi était finalement arrivé à la conclusion qu'il avait besoin d'isolement. Il allait, comme Cézanne, développer ses dons et progresser dans la solitude. Il passa l'année 1886 loin de Paris, en Basse-Bretagne, mais s'installa à Pont-Aven, un coin très fréquenté par les artistes. Il se fixa à l'Auberge Gloanec où se retrouvaient les élèves de Cormon et de Julian, deux ateliers parisiens alors célèbres. Trop absorbé par lui-même pour être vraiment sociable, il se tenait à l'écart des bandes joyeuses, ne cherchant aucune compagnie. Le jeune

270

peintre Émile Bernard, qui lui rendit visite sur le conseil
de Schuffenecker, ne fut pas trop bien reçu mais put voir
quelques-unes de ses toiles et nota : « Une petite facture
tisse la couleur et rappelle Pissarro ; peu de style (27). »

Âgé alors de près de quarante ans, Gauguin formait
un singulier contraste avec les autres pensionnaires de
Mme Gloanec, aussi bien par son allure que par l'acharnement qu'il apportait à son travail, sans parler de ce
travail lui-même, fort révolutionnaire et audacieux aux
yeux des élèves des différentes académies. Un jeune
peintre anglais qui le vit à Pont-Aven, bien qu'il ne lui
eût presque jamais parlé, a décrit Gauguin comme grand,
brun, la peau basanée, les paupières lourdes, avec de

270. CÉZANNE. *L'allée des marronniers au Jas de Bouffan*, 1885-87. Minneapolis
Institute of Arts. Ph. Durand-Ruel.

271

beaux traits, la silhouette puissante. Il s'habillait comme
un pêcheur breton, d'un tricot bleu et portait un béret
crânement posé sur l'oreille. Son allure était plutôt celle
d'un patron de goélette du golfe de Gascogne. Dans ses
manières il était réservé, silencieux et presque froid,
quoiqu'il sût se laisser aller et être tout à fait charmant
quand cela lui plaisait (28).

Le comportement étrange de Gauguin ne pouvait
manquer d'intriguer les autres. Il finit par admettre deux
peintres dans son intimité, Charles Laval et un jeune
homme fortuné qui payait discrètement ses notes à
l'auberge Gloanec (29). C'est par leur intermédiaire
que ceux qui ne pouvaient l'approcher directement,

271. GAUGUIN. *Jeunes bretonnes*, 1886. Bayerische Staatsgemäldesammlungen,
Munich. Ph. du Musée.

étaient mis au courant des idées de Gauguin, de son
admiration pour Degas et Pissarro, des questions techniques qui le préoccupaient et de sa recherche d'un
moyen pour conserver aux couleurs toute leur intensité.
Gauguin ne travaillait plus exclusivement en plein air
comme Pissarro le lui avait enseigné, mais cherchait
maintenant à concilier ses perceptions directes avec ses
inspirations de visionnaire. Il lui arrivait de dire d'un
tableau commencé à l'atelier : « Je vais le finir dehors. »
Un panneau qu'il avait peint pour la salle à manger de
l'auberge — un paysage d'automne — parut aux autres
très outré dans ses exagérations brutales. Mais cette
hardiesse d'interprétation, qui les avait d'abord stu-
péfiés, leur laissa une impression profonde; Gauguin
eut bientôt des admirateurs et l'on commença à
s'adresser à lui pour demander des conseils.

   A leur retour à Paris, vers la fin de l'été, les élèves
de Cormon communiquèrent leurs nouvelles expériences
à leurs camarades d'atelier qui avaient déjà choqué leur
maître, membre de l'Institut, par le vif intérêt qu'ils manifestaient pour les théories de Seurat. Cormon avait même
interrompu provisoirement ses cours, en protestation
contre ces essais non orthodoxes dans lesquels Émile
Bernard avait joué un rôle prépondérant (30). Un de ses
élèves, Vincent van Gogh, décida alors de ne plus
retourner chez Cormon, mais de travailler seul.

   Vincent — comme il se nommait lui-même et comme
il signait ses toiles — était venu à Paris au printemps de
1886 pour s'installer chez son frère Théo et s'initier à
tous les nouveaux mouvements artistiques. Il était alors
dans sa trente-quatrième année et n'avait que depuis peu
découvert sa véritable vocation. Auparavant, il avait
mené une existence agitée, pleine de déceptions et
d'échecs, en dépit, ou en raison, de l'extrême ardeur avec

laquelle il s'était voué successivement aux métiers de marchand de tableaux, de professeur, de prédicateur et de missionnaire dans le Borinage. Quand il se décida finalement à devenir peintre, il se mit à travailler avec un tel acharnement qu'il effraya beaucoup de ceux qui l'approchaient. Tout en travaillant chez ses parents en Hollande, et plus tard à l'Académie d'Anvers, il s'était senti un grand désir de voir la peinture des impressionnistes dont Théo lui parlait si souvent dans ses lettres. Il commençait aussi à se préoccuper des problèmes du contraste simultané et des complémentaires qui étaient à la base des théories de Seurat et qu'il avait déjà étudiés lui-même dans les œuvres de Delacroix. Bientôt il lui apparut clairement qu'aucun maître, mais Paris seulement, pouvait offrir une solution à toutes les questions théoriques et pratiques qui assaillaient son esprit. C'est ainsi qu'un beau jour il arriva à Paris et que Théo entreprit de présenter son frère à tous les peintres avec lesquels il était en relation.

La petite galerie de Théo van Gogh, succursale de la maison principale de Boussod & Valadon, était située sur le boulevard Montmartre. Là on le laissait libre et il put tenter de monter une affaire avec des tableaux impressionnistes, tandis que ses patrons préféraient représenter les maîtres du Salon, d'un placement plus sûr. Théo van Gogh était un homme timide et réservé, un des rares qui eut l'intelligence de comprendre les nouvelles tendances, de discerner des talents inconnus ou mal appréciés et de communiquer ses connaissances et son enthousiasme à ceux qu'il rencontrait. Il s'occupait alors des œuvres de Monet, de Pissarro et de Degas et devait bientôt s'intéresser à celles de Seurat, Signac, Gauguin et aussi de Toulouse-Lautrec que Vincent avait connu à l'atelier de Cormon. Théo

272. VAN GOGH. *Moulin à vent à Montmartre*, 1887. Collection Mr. et Mrs. Charles W. Engelhard, Newark, N. J. Ph. Wildenstein Galleries.

273

présenta son frère à Pissarro qui dira plus tard avoir très
vite senti que Vincent «deviendrait fou ou laisserait les
impressionnistes loin derrière lui (31)».

Les œuvres de van Gogh avaient été jusqu'alors
très sombres, presque sans couleurs. Il fut tout d'abord
déconcerté par les riches tonalités et la lumière qu'il
découvrait dans les tableaux impressionnistes. Mais
lorsque Pissarro lui exposa la théorie et la technique
de sa propre peinture, van Gogh se mit à faire des essais
et adopta les idées nouvelles avec le plus grand enthousiasme. Il transforma complètement sa palette et sa
manière, employant même pendant un certain temps
l'exécution en petits points des néo-impressionnistes,

273. VAN GOGH. *Intérieur d'un restaurant*, Paris, 1887. Rijksmuseum Kröller-Müller,
Otterlo. Ph. du Musée.

sans cependant « diviser » systématiquement. Il alla
travailler à Asnières avec Signac ou Émile Bernard;
il rendit souvent visite à Guillaumin qui demeurait dans
l'île Saint-Louis dans l'ancien atelier de Daubigny; il
étudia les chefs-d'œuvre du Louvre et en particulier ceux
de Delacroix. Il voyait de temps à autre Toulouse-
Lautrec qui avait lui aussi subi passagèrement l'influence
des impressionnistes. Vincent s'élançait presque immédiatement dans d'ardentes discussions avec tous ses
nouveaux amis, s'efforçant fiévreusement d'assimiler
tout ce qu'il pouvait et d'adapter à son propre tempérament le flot ininterrompu d'impressions nouvelles. Il est
certain qu'il étudia avec soin les tableaux de la huitième
exposition impressionniste, qu'il visita le Salon et plus
tard le Salon des Indépendants, où Seurat montrait
de nouveau sa *Grande Jatte*. Il fut conduit soit par Théo,
soit par ses amis peintres chez Durand-Ruel, chez
Portier, chez le père Martin et surtout à la petite
boutique du père Tanguy.

    Van Gogh et le père Tanguy se lièrent vite d'une
étroite amitié, au grand mécontentement de Mᵐᵉ Tanguy
qui voyait son mari fournir au jeune homme des toiles
et des couleurs (il faisait une grande consommation des
unes comme des autres) en échange de tableaux
invendables. Il paraît que Cézanne avait une fois rencontré van Gogh chez Tanguy et n'avait vu dans sa
peinture que l'œuvre d'un fou (32). Mais le vieux Tanguy
était plein d'enthousiasme et n'hésita pas désormais à
témoigner pour Vincent la même admiration qu'il professait pour Cézanne. Van Gogh fit de lui deux portraits,
le représentant contre un fond décoré d'estampes japonaises, car — avec l'impressionnisme et le néo-impressionnisme — l'étude des estampes japonaises était
devenue un facteur essentiel de son évolution.

Lorsque Gauguin revint à Paris en hiver 1886, il fit la connaissance de van Gogh et une singulière amitié allait bientôt unir les deux hommes, malgré la froide ténacité de l'un et l'enthousiasme bouillant de l'autre. Ils n'avaient en commun que le caractère belliqueux de leurs convictions. Gauguin commençait alors à manifester la supériorité et la certitude de celui qui a enfin trouvé sa voie et est habitué à être écouté; van Gogh avait l'ardeur et l'humilité du fidèle qui voit des miracles et sent naître en lui l'orgueil farouche de ses nouvelles croyances. A toutes les influences contradictoires auxquelles fut exposé van Gogh, à la bonté et à la patience de Pissarro, à la rigide systématisation et à la réserve de Seurat, au prosélytisme de Signac, Gauguin ajouta un élément nouveau: une franchise brutale, un dédain occasionnel pour l'observation de la nature, une vague tendance à l'exagération comme moyen de dépasser l'impressionnisme.

Pour suivre cette nouvelle direction, Gauguin évita Pissarro et se tourna brusquement vers Degas. Il parla de quitter la France et de chercher aux tropiques de nouveaux motifs et des sensations colorées; il projeta un voyage qui devait le conduire à Panama avec son ami Laval et de là à la Martinique. Il se répandait en invectives contre Seurat et Signac. Pissarro, qui avait vu déjà tant de disputes stériles parmi les vieux impressionnistes, voyait maintenant la jeune génération continuer dans le même esprit d'intolérance. Il ne cacha pas la peine qu'il en ressentait, lorsqu'il écrivit à son fils aîné en novembre: « Les hostilités continuent de plus en plus parmi les impressionnistes romantiques. Ils se réunissent très régulièrement. Degas lui-même vient au Café. Gauguin est redevenu très intime de Degas et va le voir souvent. Curieux, n'est-ce pas, cette bascule des intérêts!

— Oubliées, les avanies de l'année passée au bord de la mer, oubliés les sarcasmes du Maître contre le sectaire [Gauguin]... Moi, naïf, je le défendais à cor et à cri contre les uns et les autres. C'est bien humain et bien triste (33). »

Monet, au même moment, se disputait avec Durand-Ruel et lui restituait une avance d'argent, disant que dorénavant il ne voulait traiter avec lui qu'au comptant. Il annonça également qu'il ne lui vendrait plus que la moitié de ses toiles récentes, expliquant qu'il préférait garder les autres, puisque Durand-Ruel envoyait toutes ses œuvres en Amérique (34).

Les antagonismes n'étaient plus cachés désormais et prenaient la forme d'âpres querelles. Ainsi se termina cette année 1886 qui avait vu l'exposition du « manifeste pictural » de Seurat, *La Grande Jatte,* l'arrivée de van Gogh à Paris, la publication de *L'Œuvre* de Zola, les premiers rêves d'un voyage aux tropiques de Gauguin, le premier succès de Durand-Ruel en Amérique et la huitième exposition des impressionnistes qui devait être aussi la dernière. Il n'y aura même pas de tentative pour en organiser une autre. Le mouvement constitué par l'effort commun de ces peintres avait cessé d'exister. Dorénavant, chacun allait continuer pour son propre compte. Pissarro, le seul qui avait été représenté à chacune des expositions du groupe et qui avait toujours adopté une attitude conciliante, avait maintenant perdu tout contact avec ceux qui pendant vingt-cinq ans avaient été ses compagnons. Mais s'il souffrait de son isolement, il trouvait du réconfort dans la certitude que lui, du moins, marchait avec les tendances nouvelles. Il savait aussi — quoi que réservât l'avenir — qu'il avait contribué à la formation d'hommes comme Cézanne, Gauguin et van Gogh.

C'est van Gogh qui résuma le mieux la situation,

en parlant sans ambages des «désastreuses guerres civiles» du groupe impressionniste, dans lesquelles «de part et d'autre on cherche à se manger le nez avec un zèle digne d'une meilleure destination» (35). Cependant, malgré cet état de choses plutôt décourageant, ni van Gogh, ni aucun de ceux de sa génération ne purent refuser leur admiration à ce groupe de peintres qui, tous ensemble et chacun autant que tous les autres, avaient exprimé une nouvelle conception de l'art et de la nature, de la couleur et de la lumière. Ingres et Delacroix avaient incarné leurs tendances respectives dans un isolement relatif, dépassant de loin leurs disciples; le mouvement naturaliste s'était exprimé à travers un seul homme, Gustave Courbet, mais l'impressionnisme avait pu se développer grâce aux efforts simultanés d'un groupe d'artistes qui, s'influençant réciproquement, avaient élaboré un style personnel qui permît à chacun d'exprimer sa vision du monde. C'est en pensant à leur œuvre que Vincent écrira en 1888: «Il me semble toujours, de plus en plus, que les tableaux qu'il faudrait faire pour que la peinture actuelle soit entièrement elle... dépassent la puissance d'un individu isolé; ils seront donc créés probablement par des groupes d'hommes se combinant pour exécuter une idée commune (36).» Mais lorsque van Gogh exprimait cette conviction, le premier groupe de ce genre qui ait apparu dans l'histoire de l'art moderne avait perdu son unité et appartenait déjà au passé.

NOTES

1. Pissarro à son fils [mars 1886]; voir: Camille Pissarro: *Lettres à son fils Lucien,* Paris, 1950, pp. 100-101.
2. Gauguin à Schuffenecker [16 novembre 1889]; voir *Lettres* de Gauguin, Paris, 1946, p. 177.

3. Degas à Bracquemond [début mai 1886]; lettre inédite, Musée du Louvre [Legs A. S. Henraux].

4. Le catalogue indique 310 œuvres par les artistes suivants (avec le nombre de leurs œuvres entre parenthèses): Benassit, Besnard, J.-L. Brown, Boudin (23), Cassatt (3), Caillebotte (10), Degas (23), Desboutin, Duez, Dumaresq, Fantin, Flameng, Fleury-Chenu, Forain, Guillaumin (7), Huguet, Laugée, J.-P. Laurens, Lépine, Lerolle, Manet (17), Mélin, Monet (50), Montenard, Morisot (9), Pissarro (42), Renoir (38), Roll, Serret, Seurat (2 toiles et 12 « études », probablement des dessins), Signac (6), Sisley (14). Mr. E. Davis et Mr. A. J. Cassatt avaient chacun prêté une toile de Manet et une de Degas; Mr. Cassatt prêta également trois tableaux de Monet et trois de Mary Cassatt. Mr. H. O. Havemeyer prêta une œuvre de Pissarro et une de Monet. Sur ce catalogue voir aussi la bibliographie générale.

H. Huth a tenté d'identifier quelques-uns des tableaux exposés; voir « Impressionism comes to America », *Gazette des Beaux-Arts,* avril 1946, p. 239, note 22.

5. Pour un catalogue abrégé voir L. VENTURI: *Les Archives de l'Impressionnisme,* Paris-New York, 1939, v. II, pp. 269-271.

6. Voir G. MOORE: *Impressions and Opinions,* New York, 1891, p. 318.

7. Voir G. MOORE: *Confessions of a Young Man,* Londres, 1888, pp. 28-29.

8. P. SIGNAC: « Le Néo-Impressionnisme, documents », Paris, 1934. (Introduction au catalogue d'une exposition « Seurat et ses amis », reprod. dans la *Gazette des Beaux-Arts.*)

9. Voir J.-K. HUYSMANS: *Certains,* Paris, 1889, p. 26.

10. Voir E. VERHAEREN: *Sensations,* Paris, 1927, p. 196.

11. Voir MOORE: *Modern Painting,* Londres-New York, 1898, p. 89.

12. T. DE WYZEWA, article dans *La Revue Indépendante,* novembre-décembre 1886; cité par J. REWALD: *Georges Seurat,* Paris, 1948, p. 73. Pour d'autres critiques voir *ibid.,* pp. 72-75.

13. Article non signé dans *New York Daily Tribune,* 11 avril 1886.

14. Article non signé dans *The Sun,* 11 avril 1886.

15. Article non signé dans *The Critic,* 17 avril 1886.

16. Article non signé dans *Art Age,* avril 1886.

17. Voir DURAND-RUEL: *Mémoires,* dans VENTURI, *op. cit.,* v. II, pp. 216-217. Durand-Ruel avait apporté des tableaux pour une somme estimée à 82.000 dollars. Il eut à payer 5.500 dollars de droits, qui correspondaient à un tiers du total des ventes. Il vendit donc pour à peu près 18.000 dollars, soit 20 % environ de la valeur des marchandises importées. Voir H. HUTH, *op. cit.*

18. Pissarro à son fils Lucien [juillet 1886]; voir PISSARRO, *op. cit.*, p. 105.

19. Sur le groupe des *Vingt*, voir M. O MAUS: *Trente années de lutte pour l'art*, Bruxelles, 1926.

20. Voir la lettre de Gauguin à sa femme, citée par J. DORSENNE: *La vie sentimentale de Paul Gauguin*, Paris, 1927, p. 87.

21. Voir SIGNAC, *op. cit.*

22. Sur *L'Œuvre* de Zola et les réactions de Cézanne voir REWALD: *Cézanne, sa vie, son œuvre*, etc., Paris, 1939, pp. 299-329.

23. Voir lettre de Cézanne à Zola, 4 avril 1886; CÉZANNE: *Correspondance*, Paris, 1937, p. 208.

24. Monet à Zola, 5 avril 1886; voir REWALD: *Cézanne*, etc., pp. 319-320.

25. Cézanne au peintre L. Le Bail, *ibid.*, p. 283.

26. Cézanne à Zola, 20 mai 1881; voir CÉZANNE: *Correspondance*, p. 180.

27. E. Bernard, cité par REWALD: *Gauguin*, Paris, 1938, p. 12. Il est probable, cependant, que cette note fut écrite plus tard, à l'époque où Bernard voulait prouver qu'il avait exercé une forte influence sur Gauguin en 1888, car en 1886 il écrivit de Pont-Aven à ses parents: « Il y a aussi (à l'auberge Gloanec) un impressionniste nommé Gauguin, un garçon très fort; il a 36 ans et dessine et peint très bien. » Voir *Lettres de Gauguin*. Paris, 1946, p. 94, note I.

28. Voir A. S. HARTRICK: *A Painter's Pilgrimage Through Fifty Years*, Cambridge, 1939, pp. 31-32. Sur Gauguin à Pont-Aven voir aussi C. CHASSÉ: *Gauguin et le groupe de Pont-Aven*, Paris, 1921, bien que cette étude concerne surtout les séjours ultérieurs de Gauguin en Bretagne.

29. On ne connaît que l'initiale, P., de ce Français. Voir HARTRICK, *op. cit.*, p. 30 et REWALD: *Le Post-Impressionnisme*, Paris, 1961, ch. I.

30. Sur l'atelier Cormon voir HARTRICK, *op. cit.*

31. Voir M. OSBORN: *Der bunte Spiegel, 1890-1933*, New York, 1945, p. 37. Pissarro a ajouté qu'il ne se doutait nullement à ce moment-là que les *deux* pressentiments se réaliseraient.

32. Voir E. BERNARD: « Julien Tanguy », *Mercure de France*, 16 décembre 1908.

33. Pissarro à son fils Lucien [novembre 1886]; voir PISSARRO, *op. cit.*, p. 111.

34. Voir les lettres de Monet à Durand-Ruel, du 12 janvier au 29 décembre 1886; VENTURI, *op. cit.*, v. I, pp. 305-323.

35. Vincent van Gogh à Bernard [juillet 1888]; voir *Correspondance complète de Vincent van Gogh*, Paris, 1960, vol. III, N° B. 11, p. 141.

36. Vincent van Gogh à Bernard [juin 1888]; *ibid.*, N° B. 6, p. 95.

Après 1886

Les années qui suivirent 1886 devaient encore accentuer la désintégration du mouvement impressionniste, de ce mouvement qui avait jadis pris son essor à l'atelier de Gleyre, au Salon des Refusés, dans la forêt de Fontainebleau et à l'auberge de la mère Anthony, dans les brasseries et à la terrasse du Café Guerbois. Les concepts qui s'étaient formés à ces différentes sources avaient trouvé leur première libre expression dans les œuvres peintes peu avant la guerre de soixante-dix, et s'étaient complètement réalisés au lendemain de la guerre pour apparaître dans toute leur déconcertante nouveauté à l'exposition de 1874. Quand la huitième exposition ferma ses portes en 1886, l'époque impressionniste durait depuis un peu moins de vingt ans. Cette période correspond à une phase décisive dans le développement des différents peintres rattachés au mouvement, mais aucun d'eux ne semble en avoir regretté la fin.

Après 1886, lorsque les impressionnistes cherchèrent à renouveler leur art en travaillant chacun de leur côté et commencèrent aussi à jouir des fruits d'un succès modeste et durement acquis, une nouvelle génération entreprit de poursuivre la lutte pour des idées nouvelles. Cette génération, comme celle qui la précédait, voulait à tout prix échapper à la tyrannie de l'académisme et se tourna vers les impressionnistes comme ceux-ci avaient jadis recherché les maîtres de Barbizon. Ainsi, consciemment ou non, les impressionnistes guidèrent leurs cadets qui s'inspiraient de leur exemple et de leur art. Mais, de même que certains des peintres de Barbizon n'avaient pas su reconnaître leurs vrais successeurs, les impressionnistes ne virent pas toujours dans les efforts de la génération nouvelle une continuation de leurs propres conquêtes.

L'histoire des années après 1886 se trouve ainsi être l'histoire parallèle de deux générations: l'aînée, toujours en pleine vigueur et confiante en ses forces, et la plus jeune qui devait encore acquérir l'indépendance nécessaire au développement de toutes ses possibilités. Tandis que l'audace et l'esprit d'initiative étaient souvent du côté des nouveaux, la science et l'expérience restaient l'apanage des anciens.

Pour acquérir cette expérience et cette indépendance, après avoir assimilé tout ce que l'impressionnisme pouvait lui offrir, Gauguin partit pour la Martinique, avec Charles Laval, au printemps de 1887, attiré par l'inconnu (1). Au même moment, Pissarro et Seurat exposaient avec les *Vingt* à Bruxelles où ils furent encore une fois l'objet de moqueries, mais où leurs œuvres laissèrent une impression profonde sur beaucoup de jeunes artistes. Un peu plus tard, à Paris, Berthe Morisot, Sisley, Renoir, Monet et Pissarro parti-

274

cipèrent à l'Exposition Internationale chez Petit, en même temps que Whistler, Raffaëlli et d'autres. Chocquet, de Bellio et Murer ne cachèrent pas qu'ils désapprouvaient les nouvelles toiles de Pissarro, alors que celui-ci manifesta peu de goût pour le travail de ses anciens camarades qu'il trouvait incohérent. « Seurat, Signac, Fénéon, tout le ban et arrière-ban de la jeunesse ne voient que mes toiles et un peu celles de Mme Morisot », écrivit-il à son fils Lucien, en ajoutant: « Naturellement, il faut faire la part de la lutte; mais Seurat qui est plus froid, plus logique, plus modéré, n'hésite pas une minute à déclarer que nous sommes dans le vrai, que les anciens impressionnistes sont plus en arrière que dans le temps (2). »

274. RENOIR. *Les Grandes Baigneuses*, 1884-87 (Suzanne Valadon a posé pour ce tableau). Exposé chez Petit en 1887.·Philadelphia Museum of Art (Legs Carroll S. Tyson). Ph. Musées nationaux français.

Renoir exposait chez Petit sa grande composition de *Baigneuses,* fruit de plusieurs années de recherches. Huysmans n'aimait pas cette œuvre, Astruc non plus et Pissarro expliqua à son fils: « Je comprends bien tout l'effort tenté; c'est très bien de ne vouloir rester en place, mais il a voulu ne s'occuper que de la ligne. Les figures se détachent les unes sur les autres sans tenir compte des accords (3)...» Vincent van Gogh, toutefois, admira la ligne « nette et pure » de Renoir, ainsi que le fit le public en général. Renoir, cette fois, remporta un succès

275

275. GAUGUIN. *Au bord de la rivière,* Martinique, daté 1887. Collection Mr. et Mrs. Robert Eisner, New York. Ph. Wildenstein Galleries.

éclatant. « Je crois, écrivit-il à Durand-Ruel, avoir fait un pas dans l'estime publique, petit pas. Mais c'est toujours ça... Bref, le public a l'air d'y venir. Je me trompe peut-être, mais on le dit de tous côtés. Pourquoi cette fois-ci et pas les autres (4)? »

Monet informa Durand-Ruel que le succès obtenu chez Petit avait eu des répercussions, que Boussod & Valadon avaient acheté ses œuvres ainsi que celles de Renoir, Degas et Sisley, pour les vendre ensuite sans difficulté. On commençait décidément à demander des impressionnistes à Paris et plusieurs marchands se disputaient le patronage des collectionneurs. Durand-Ruel apprit cela à New York où sa deuxième exposition ne produisit pas les résultats attendus. Monet insista sur le fait qu'il aurait mieux fait de rester à Paris et de profiter de la nouvelle situation. Mais Durand-Ruel ne voulait pas abandonner le marché américain et décida en 1888 d'ouvrir une succursale à New York. A Paris, il connut de nouvelles difficultés lorsque Monet refusa de participer à une exposition qui groupait Renoir, Sisley et Pissarro. Monet finit par abandonner complètement Durand-Ruel et signa un contrat avec Théo van Gogh pour la maison Boussod & Valadon. Dorénavant, si Durand-Ruel voulait des œuvres récentes de Monet, il devait les acheter à ses confrères. Boussod & Valadon pensèrent même envoyer Théo van Gogh à New York avec une collection de tableaux, mais le projet ne fut pas mis à exécution.

Au début de 1888, Gauguin revint brusquement en France, la maladie l'ayant chassé avec Laval de la Martinique où il pensait avoir trouvé le cadre idéal pour son travail. Il arriva à Paris sans un sou. Théo van Gogh organisa une petite exposition des nouvelles œuvres de Gauguin qui n'eut pas le moindre succès. Finalement, Gauguin retourna à Pont-Aven où il eut

le tout sur un fond chrôme pur
parsemé de bouquets ...III
Chambre de jeune fille pure.
L'impressionité est un pur nigre
souillé encore par le baiser putride
des beaux arts (école) — Je vous envoie
une lettre de Vincent
pour vous faire voir

où j'en suis
avec lui et
tout ce qui le
puzète en ce
moment. Montrez
la à Mad° Poujin
pour lui faire voir
que vous n'êtes pas
le seul à m'estimer. 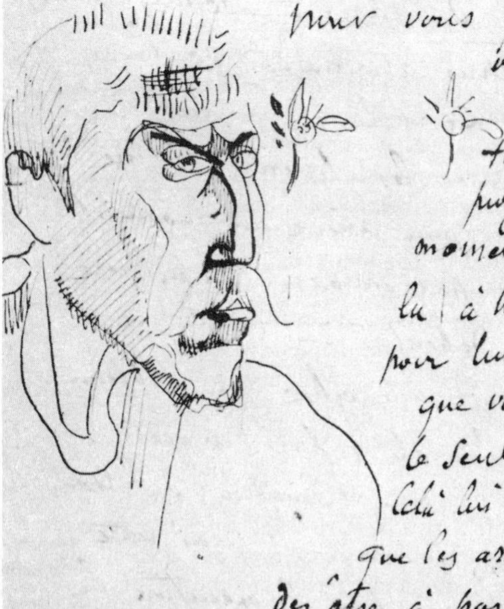
Cela lui fera voir aussi
que les artistes sont
des êtres à part qui ne
peuvent avoir les idées pratiques de
commerce entrevues par elle —

beaucoup de mal à vivre; il souffrait toujours de dysen-
terie et se trouvait parfois dans une telle misère qu'il
ne pouvait peindre, faute de toiles et de couleurs. Une
idée nouvelle occupait son esprit et il travaillait sans
relâche à la formuler. «Ne copiez pas trop d'après
nature, conseillait-il à Schuffenecker, l'art est une
abstraction; tirez-la de la nature en rêvant devant elle
et pensez plus à la création qu'au résultat (5).» De plus
en plus il parlait de *synthèse,* sa préoccupation dominante.
Il essayait de la réaliser en insistant sur l'essentiel, en
sacrifiant la couleur et l'exécution au style.

277

Van Gogh avait quitté Paris pour le midi de la
France en février 1888. Attiré par la Provence où il
espérait retrouver les couleurs de Delacroix, les contours
nets des estampes japonaises et les paysages qu'il avait
admirés dans les toiles de Cézanne chez Tanguy, van
Gogh trouva effectivement à Arles et ses environs le
stimulant qu'il cherchait. Il se mit fiévreusement au
travail. Peu de temps après son arrivée, il écrivit à son

276. GAUGUIN. Croquis illustrant une lettre à Schuffenecker, d'après un autoportrait peint pour Vincent van Gogh. Collection C. Roger-Marx, Paris. Ph. Dubout.—
277. Photographie de Paul GAUGUIN probablement prise en Bretagne, vers 1888.

frère: « Je trouve que ce que j'ai appris à Paris *s'en va* et que je reviens à mes idées qui m'étaient venues... avant de connaître les impressionnistes. Et je serais peu étonné si sous peu les impressionnistes trouvaient à redire sur ma façon de faire qui a plutôt été fécondée par les idées de Delacroix que par les leurs. Car au lieu de chercher à rendre exactement ce que j'ai devant les yeux, je me sers de la couleur plus arbitrairement pour m'exprimer fortement (6). » Et van Gogh insistait sur le fait qu'il cherchait maintenant « à exagérer l'essentiel, à laisser dans le vague exprès le banal (7)... »

En Bretagne, le travail de Gauguin était déterminé par des conceptions semblables. Lorsqu'il fit un portrait de lui-même pour le donner à van Gogh, il expliqua que c'était « absolument incompréhensif tellement il est abstrait. Tête de bandit au premier abord... personnifiant ainsi un peintre impressionniste déconsidéré... Le dessin en est tout à fait spécial; les yeux, la bouche, le nez sont comme des fleurs de tapis persans, personnifiant ainsi le côté symbolique. La couleur est une couleur assez loin de la nature (8)... » Ce portrait symbolique révéla à van Gogh toute la détresse de son ami. Il le persuada de venir le rejoindre dans le Midi où il serait possible de créer pour eux et pour d'autres un atelier dans la tradition de ceux du Moyen Age, idée qu'il avait déjà discutée à Paris avec Guillaumin, Pissarro, Seurat et Théo. A la demande de Vincent, Théo promit d'envoyer une pension mensuelle à Gauguin en échange de tableaux, lui offrant ainsi le même genre de secours que Durand-Ruel avait offert aux impressionnistes.

A la fin d'octobre 1888, Gauguin arriva à Arles mais éprouva peu de goût pour la vie de cette petite ville provençale à laquelle van Gogh s'était profondément attaché. Des divergences de tempérament et d'opinions provoquèrent très vite de violentes querelles entre les deux amis. A la fin de décembre ils se rendirent ensemble à Montpellier pour voir les œuvres de Courbet, de Delacroix et d'autres peintres qui avaient été léguées au musée Fabre par Bruyas, celui qui avait autrefois refusé d'acheter les tableaux de Monet que Bazille lui proposait. Lorsque Vincent rapporta à son frère les discussions qu'ils eurent devant ces toiles, il écrivit: « La discussion est d'une électricité excessive, nous en sortons parfois la tête fatiguée comme une batterie électrique après la décharge (9). » Quelques jours après, van Gogh eut une grave dépression nerveuse et, dans une crise de folie, tenta apparemment de tuer Gauguin, se mutilant ensuite lui-même. Vincent fut admis à l'hôpital; Gauguin appela Théo et retourna à Paris.

L'année 1888 avait de nouveau été difficile pour Pissarro. Durand-Ruel, préoccupé par ses affaires en Amérique, n'avait pas été d'un grand secours. Heureusement, le peintre avait pu négocier quelques affaires avec Théo van Gogh; ses prix montaient lentement. Cependant, Pissarro commençait à être insatisfait de sa nouvelle technique et s'impatientait de la lenteur de son exécution. Tout en défendant avec véhémence Seurat et ses conceptions au cours d'une discussion avec Renoir, il avoua dans une lettre à Fénéon que la technique divisionniste le paralysait et nuisait au développement des sensations spontanées (10). Il ne tarda pas à reconnaître qu'il s'était trompé en suivant les jeunes innovateurs. Peu importait que leur théorie fût bonne en soi, du moment que ses œuvres ne le satisfaisaient plus d'une manière absolue. Il n'hésita donc pas à reconnaître ouvertement son erreur. Dans une lettre à Henry van de Velde (intimement lié au groupe des *Vingt*) il expliqua plus tard: « Je crois qu'il est de mon devoir de vous écrire franchement ma manière de voir, touchant la tentative que j'ai faite de la division systématique en suivant notre ami Seurat. Ayant fait l'expérience de cette théorie pendant quatre ans et l'ayant abandonnée non sans peine et travail acharné, pour retrouver ce que j'avais perdu et ne pas perdre ce que j'avais pu apprendre, je ne puis me ranger au milieu des néo-impressionnistes qui abandonnent le mouvement, la vie, pour une esthétique diamétralement opposée qui pourra, peut-être, convenir à celui qui en a le tempérament, mais pas à moi qui veux fuir toute théorie étroite et soi-disant scientifique. Après bien des efforts,

278. MONET. *Saint-Jean-Cap-Ferrat*, 1888. Museum of Fine Arts, Boston. Ph. du Musée.

ayant constaté (je parle pour mon propre compte), ayant constaté l'impossibilité de suivre ma sensation, par conséquent de donner la vie, le mouvement, l'impossibilité de suivre les effets si fugitifs et si admirables de la nature, l'impossibilité de donner un caractère particulier à mon dessin, j'ai dû renoncer. Il était temps (11). » Pissarro repeignit par la suite quelques-unes de ses toiles divisionnistes et en détruisit d'autres.

Monet passa une partie de l'année 1888 à Antibes, y peignant une série de paysages qui obtinrent tout de suite un grand succès. En 1889, il organisa avec Rodin une grande exposition rétrospective chez Petit, qui comprenait des œuvres exécutées entre 1864 et 1889. Parlant de ses recherches, Monet expliqua au peintre américain Lilla Cabot Perry qu'il aurait aimé naître aveugle, puis recevoir tout d'un coup le don de la vue, car il aurait alors pu commencer à peindre sans savoir quels étaient les objets qu'il voyait devant lui (12).

Ayant rompu ses relations avec Boussod & Valadon, Monet traita de nouveau avec Durand-Ruel. Il refusa pourtant de prendre des engagements, encourageant les offres d'autres marchands, et se réserva le droit d'élever ses prix en conséquence. Son habileté commerciale explique en partie le fait qu'il ait été le premier du groupe dont les œuvres se soient vendues cher. Cependant, pour ses amis Monet restait un camarade généreux, leur prêtant de l'argent, achetant leurs tableaux ou les aidant à les vendre. Il refusa néanmoins de participer à une exposition des impressionnistes que Durand-Ruel désirait faire. Monet considérait l'idée de reconstituer l'ancien groupe comme inutile et mauvaise; son opposition fit définitivement échouer les efforts de Durand-Ruel pour reprendre les expositions du groupe.

Devenu célèbre, Monet conçut la noble idée

d'ouvrir une souscription afin d'offrir à l'État l'*Olympia*
de Manet. Une partie de l'année 1889 fut employée à ces
efforts que Zola désapprouvait, parce que selon lui
Manet devait entrer au Louvre de plein droit et non sous
forme de don. La plupart des amis de Manet soutinrent
toutefois le projet; Monet put réunir la somme de
20.000 francs environ pour acheter la toile à la veuve de
Manet. Parmi les souscripteurs se trouvaient le D^r de
Bellio, Bracquemond, Burty, Caillebotte, Carolus-Duran,
Degas, Durand-Ruel, Duret, Fantin, Guillemet, Lautrec,
Mallarmé, Murer, Pissarro, Antonin Proust, Puvis de
Chavannes, Raffaëlli, Renoir, Rodin et Rouart (13). Ni
Chocquet, ni Cézanne ne semblent avoir participé.

Renoir se trouvait dans le Midi au début de 1888 où
il rendit visite à Cézanne au Jas de Bouffan, travaillant
parfois à ses côtés. Il voyagea alors beaucoup mais
commença brusquement, vers la fin de l'année, à souffrir
de terribles névralgies: il eut une partie de la tête para-
lysée et dut subir un traitement à l'électricité. En outre,
comme Pissarro, il était mécontent de son travail récent.
Lorsque le critique d'avant-garde Roger Marx prépara
la section des Beaux-Arts de l'Exposition Universelle qui
devait se tenir à Paris, Renoir lui fit savoir: «Si vous
voyez M. Chocquet, je vous serais bien reconnaissant de
ne pas l'écouter quand il vous parlera de moi. Quand
j'aurai le plaisir de vous voir, je vous expliquerai, ce qui
est bien simple, que je trouve tout ce que j'ai fait mauvais
et que ce me serait on ne peut plus pénible de le voir
exposé (14).» Bientôt, cependant, la sécheresse linéaire
devait disparaître de l'œuvre de Renoir et il retrouva sa
palette somptueuse avec la vivacité de son coup de
pinceau. En 1890, il exposa de nouveau au Salon après
une absence de sept ans; c'était pour la dernière fois.
Une vaste exposition de ses œuvres, organisée par

Durand-Ruel en 1892, consacra définitivement le triomphe de son art.

Tandis que Chocquet n'avait pu plaider la cause de Renoir en 1889, le peintre lui-même le lui ayant interdit, il réussit à faire accepter une toile de Cézanne à l'Exposition Universelle, en refusant de prêter un meuble qui lui avait été demandé, à moins qu'une toile de son ami ne fût exposée. Monet était représenté par trois tableaux à cette même exposition; Théo van Gogh réussit à vendre une de ses toiles à un Américain pour la somme énorme de 9.000 francs.

Gauguin, de retour à l'auberge Gloanec de Pont-Aven, ne fut pas invité à participer à l'Exposition Universelle et organisa alors, en compagnie du groupe d'amis de plus en plus nombreux qui l'entourait en Bretagne, une exposition particulière (15). Celle-ci eut lieu au café Volpini, au Champ-de-Mars, où se tenait la Foire Universelle, et fut annoncée comme « Exposition de peinture du groupe impressionniste et synthétiste ». L'emploi du mot « impressionniste » était plutôt trompeur, l'exposition étant très nettement dominée par l'œuvre synthétique et symbolique de la nouvelle manière de Gauguin. Bien que cette exposition eût peu de succès, la peinture de Gauguin excita beaucoup de colère en même temps que beaucoup d'intérêt à Bruxelles, où il exposa la même année avec les *Vingt*.

Le groupe des *Vingt* devenait de plus en plus actif; en 1888 Toulouse-Lautrec avait participé à son exposition des *Vingt*, alors que Degas avait refusé une invitation — ce qu'il fit encore en 1889. La même année, Cézanne accepta, tout en expliquant son attitude réservée à l'égard des expositions par le fait qu'il était résolu à travailler en silence jusqu'au moment où il se jugerait capable de défendre en théorie le résultat de ses efforts.

Apprenant que Sisley et van Gogh allaient aussi exposer, il écrivit: « Devant le plaisir de me trouver en si bonne compagnie, je n'hésite pas à modifier ma résolution (16). » Parmi d'autres toiles, Cézanne envoya à Bruxelles la *Maison du Pendu* qu'il demanda à Chocquet de prêter.

Cézanne n'avait pas exposé à Paris depuis 1877. On ne pouvait voir ses toiles que chez Tanguy, que connaissaient seuls quelques initiés. Néanmoins, les jeunes peintres venaient de plus en plus nombreux pour étudier sa peinture, et la petite boutique du père Tanguy commençait à devenir un centre de réunion pour artistes et critiques. Le commerce des idées y était plus actif que celui de la peinture, quoique certains, tel Signac, y achetassent des toiles de Cézanne pour quelques centaines de francs.

279

Un critique américain, que des peintres avaient
conduit chez Tanguy, raconta qu'il y vit « de violents et
passionnants van Gogh, de lourds et sombres Cézanne...
des Sisley de jeunesse pleins d'audace..., tout cela
conservé avec amour et amoureusement montré par le
vieil homme ». Le père Tanguy, selon ce visiteur, était
« un homme d'un certain âge, court et trapu, la barbe
grisonnante, avec de grands yeux rayonnants d'un bleu
sombre. Il avait une curieuse façon de baisser d'abord les
regards sur son tableau avec la tendresse d'une mère, puis
de vous regarder par-dessus ses lunettes comme pour
vous implorer d'admirer ses enfants bien-aimés... Je ne
pouvais m'empêcher de sentir, en dehors de toute opinion personnelle, qu'un mouvement d'art capable
d'inspirer une pareille ferveur devait avoir une signi-

280

279. CÉZANNE. *Les joueurs de cartes*, 1890-92. Metropolitan Museum of Art,
New York (Collection Stephen G. Clark). — 280. GAUGUIN. *La côte bretonne*,
daté 1889. Collection Mr. et Mrs. Henry Ford II, Grosse Pointe, Mich. Ph. Wildenstein
Galleries.

fication dépassant largement les enthousiasmes d'une coterie (22). »

Parmi les fidèles de la boutique de Tanguy se trouvaient beaucoup d'anciens élèves de l'Académie Julian et d'autres qui avaient travaillé avec Gauguin en Bretagne ou étaient attirés par ses théories, comme Émile Bernard, Maurice Denis, Pierre Bonnard et Édouard Vuillard. Pour eux, Cézanne avait quelque chose d'un mythe; nombreux étaient ceux qui ignoraient s'il était mort ou vivant et qui ne savaient de lui que ce que pouvait en dire le brave Tanguy. Ce mystère ajoutait encore de la séduction à son art où la jeune géné- ration retrouvait les mêmes préoccupations de structure qui étaient devenues essentielles pour Seurat, van Gogh et Gauguin. Elle reconnaissait en lui le seul des anciens impressionnistes qui eût abandonné l'impressionnisme, tout en retenant sa technique, afin d'explorer les relations spatiales et de réduire les formes à leur caractère essentiel.

Maurice Denis a rapporté plus tard que ce que les jeunes admiraient le plus dans les toiles de Cézanne, c'était l'équilibre, la simplicité, l'austérité et la grandeur. Sa peinture semblait tout aussi raffinée et en même temps plus robuste que les œuvres les plus fortes des impres- sionnistes. Denis et ses amis avaient compris que l'impressionnisme était « de tendance synthétique puisque son but était de traduire une sensation, d'objectiver un état d'âme; mais ses moyens étaient analytiques puisque la couleur n'était pour lui que le résultat d'une infinité de contrastes (18)... » Cézanne, toutefois, en révélant la structure sous les surfaces richement nuancées, pénétrait volontairement au-delà des apparences dont se satisfaisait un Monet. Aux yeux des jeunes peintres, son œuvre présentait une solution au problème de « garder

281. VAN GOGH. *Le père Tanguy*, 1887. Acheté par Rodin à la fille de Tanguy. Musée Rodin, Paris. Ph. Musées nationaux français.

282

283

282. CÉZANNE. *Sainte-Victoire, vue de la carrière Bibémus*, vers 1898. Baltimore Museum of Art (Cone Collection). Ph. du Musée. — 283. Photographie de CÉZANNE peignant aux environs d'Aix, 1906.

à la sensibilité son rôle essentiel tout en substituant la réflexion à l'empirisme». Ils découvraient même un rapport avec leurs préoccupations symbolistes dans les propos de Cézanne sur le soleil qu'on ne pouvait reproduire mais qui devait être *représenté* par autre chose – par la couleur. L'alliage, chez Cézanne, du style, de la sensibilité et l'harmonie qu'il avait su réaliser entre la nature et le style, se présentaient à ces peintres comme le moyen logique, le seul, de dépasser l'impressionnisme – et même le symbolisme – pour les conduire sur de nouveaux chemins. Pour ces artistes, avides de théories et d'expérience, Cézanne apparaissait comme « l'aboutissement de la tradition classique et le résultat de la grande crise de liberté et de lumière qui a rajeuni l'art moderne. C'est le Poussin de l'impressionnisme (18) ». Cézanne lui-même ne disait-il pas que son but était de « vivifier Poussin au contact de la nature » ?

Gauguin proclamait inlassablement son admiration pour Cézanne et avait toujours refusé de se séparer d'une nature morte de ce peintre, dernier reliquat de sa collection (elle figure sur le fond d'un portrait qu'il avait peint en Bretagne). Les partisans de Cézanne et de Gauguin constituaient un noyau important au Salon des Indépendants, devenu un événement annuel considérable qui attirait tous les artistes travaillant sans se préoccuper des règles officielles. Van Gogh y exposait, ainsi que Lautrec. En 1886 des œuvres du douanier Rousseau y apparurent pour la première fois et provoquèrent une grande hilarité. Lorsqu'un ami entraîna Pissarro devant les toiles de Rousseau, pensant l'amuser, Pissarro produisit une certaine surprise en admirant – en dépit de la naïveté du dessin – les qualités de cet art, la justesse des valeurs et la richesse des tons. Ensuite,

284

Pissarro loua grandement l'œuvre du Douanier auprès de
ses connaissances (19).

C'est cette attitude de sympathie à l'endroit de
toute recherche sincère qui poussa Théo van Gogh à
demander à Pissarro (il avait fait une exposition de ses
œuvres au début de 1890) s'il consentirait à venir en aide
à son frère. Après sa première crise, Vincent était resté
pendant une année à l'asile de Saint-Rémy de Provence
où il avait pu travailler pendant les périodes de calme
qui séparaient ses crises répétées, croyant toujours
vaincre son mal. Las de son entourage monotone et
confiant que les crises s'espaceraient davantage, il avait
prié Théo de lui trouver près de Paris un endroit où il

285

pourrait s'installer et travailler. A la demande de Théo,
Pissarro avait été disposé à accueillir van Gogh chez lui,
à Éragny, mais Mme Pissarro redoutait l'effet que
pouvait produire cet homme déséquilibré sur ses enfants.
Pissarro pensa alors à son vieil ami, le Dr Gachet
à Auvers, lequel consentit à prendre soin de Vincent.
Ce dernier arriva à Auvers au mois de mai 1890.
Quelques semaines plus tard, en juillet, il se suicida,
désespérant de pouvoir jamais guérir. Après la mort de
son frère, Théo tomba gravement malade; il fut emmené
en Hollande où il mourut en janvier 1891. Il fut remplacé
à la galerie par Maurice Joyant, un camarade de classe de
Lautrec. Boussod se plaignit à ce dernier que Théo van

284. GAUGUIN. *Portrait de Marie Lagadu*, daté 1890 (dans le fond, on aperçoit
la nature morte de Cézanne, cf. planche 254). Art Institute of Chicago (Collection
J. Winterbotham). Ph. du Musée. — 285. CÉZANNE. *Mme Cézanne dans la serre*,
1891-92. Metropolitan Museum of Art, New York (Collection Stephen C. Clark).
Ph. Wildenstein Galleries.

Gogh eût accumulé des atrocités de peintres modernes, ce qui avait discrédité la maison. Il est vrai que Théo van Gogh laissait un grand nombre d'œuvres de Degas, Gauguin, Pissarro, Guillaumin, Redon, Lautrec, Monet, etc., parmi lesquelles, selon M. Boussod, seules les toiles de Monet étaient vendables, surtout en Amérique (20).

En mars 1891, Seurat assistait une fois de plus à l'installation du Salon des Indépendants qui devait présenter une rétrospective de Vincent van Gogh. Il surveilla l'accrochage des tableaux, sans prendre garde à un mal de gorge. Une fièvre soudaine l'obligea à s'aliter. Il mourut le 29 mars 1891, à l'âge de trente et un ans.

Quelques jours après la mort de Seurat, Gauguin quitta de nouveau la France, s'embarquant — seul cette fois — pour Tahiti, espérant vivre là-bas «d'extase, de calme et d'art». Ce perpétuel désir de sujets exotiques déconcertait Renoir. «On peut peindre si bien aux Batignolles», disait-il. Pissarro ne se laissa pas davantage convaincre par la théorie de Gauguin que «les jeunes trouveraient le salut en allant s'abreuver aux sources lointaines et sauvages (21)». Mais Degas se montra de plus en plus intéressé par les recherches de Gauguin et acheta plusieurs toiles à la vente organisée par Gauguin pour se procurer l'argent nécessaire à son voyage. Grâce à l'intervention de Mallarmé, Mirbeau écrivit un article enthousiaste en faveur de cette vente, qui rapporta près de 10.000 francs pour trente tableaux. Inquiet de savoir ce que pensait Monet de son évolution «vers la complication de l'idée dans la simplification de la forme», Gauguin se montra fort satisfait lorsque Mirbeau lui dit que Monet avait aimé une de ses œuvres récentes, *Jacob luttant avec l'ange* (22). Mais Monet lui-même fut moins charitable et n'hésita pas, plus tard, à avouer qu'il n'avait jamais pris Gauguin au sérieux (23).

Les propres recherches de Monet avaient pris une nouvelle direction qui apparut clairement lorsqu'il exposa en 1891 chez Durand-Ruel une série de quinze tableaux représentant des meules à différentes heures du jour. Il expliqua qu'il avait d'abord cru que deux toiles, l'une faite par temps gris, l'autre avec le soleil, suffiraient à rendre le sujet sous les divers aspects de la lumière. Mais il découvrit, en peignant, que ces effets variaient sans cesse et décida d'en retenir toute une suite sur une série de toiles auxquelles il travaillait successivement, chacune étant consacrée à un effet particulier. De cette façon, il cherchait à obtenir ce qu'il appelait *l'instantanéité,* en insistant sur la nécessité d'interrompre le travail sur une toile dès que l'effet changeait, afin de le poursuivre sur une autre toile, de manière à obtenir l'impression exacte d'un certain aspect de la nature et non une image composite (24). La série des *Meules* fut suivie d'une série semblable de *Peupliers,* de vues de la façade de la *Cathédrale de Rouen,* de Londres et des *Nénuphars* dans son jardin de Giverny. Dans cette tentative pour observer méthodiquement, avec une précision presque scientifique, les changements ininterrompus de la lumière, Monet perdit la spontanéité de sa perception. Il se sentait à présent dégoûté des « choses faciles qui viennent d'un jet », mais c'était précisément dans ces « choses faciles » qu'il avait manifesté jadis son génie à saisir dans une première impression les splendeurs lumineuses de la nature. L'acharnement qu'il mettait à poursuivre sa course avec la lumière était contraire à son éducation de peintre et à ses dons. Si ses toiles présentent souvent une solution brillante au problème qu'il s'était posé, ce problème n'était guère du domaine pictural et lui imposait de sévères limitations. Dans leur effort pour saisir des transformations subtiles, ses yeux perdaient parfois la perception de l'ensemble. Poussant à l'extrême son dédain du sujet proprement dit, Monet abandonna complètement la forme et chercha à retenir dans un tissu uniforme de nuances subtiles le seul miracle de la lumière. Au moment même où il pensait avoir atteint ainsi l'apogée de l'impressionnisme, il se montrait infidèle à son esprit véritable et perdit la fraîcheur et la force de l'impression première.

Les « séries » de Monet connurent le plus grand succès. Tous ses tableaux de meules étaient vendus trois jours après l'ouverture de l'exposition, à des prix qui variaient entre 3.000 et 4.000 francs. Mais les acclamations de ses admirateurs, orchestrées par Clemenceau, l'ami de Monet, furent bientôt suivies de critiques sévères. Un historien allemand déclara que les efforts du peintre en vue de prouver la fertilité de sa méthode sur une vaste échelle et dans différentes directions, n'avaient abouti qu'à des trivialités. Il accusa Monet d'avoir réduit à l'absurde le principe impressionniste (25). Quant aux anciens camarades de Monet, ils voyaient avec une certaine tristesse sa carrière d'impressionniste se terminer en prouesses techniques. Admirant son talent et l'ayant tacitement considéré comme le chef de leur groupe, ils étaient forcés à présent de se rappeler l'opinion exprimée par Degas, qui disait que Monet « ne faisait que de belles décorations (26) ». Même Guillaumin reprocha à Monet son manque total de construction, tout en s'émerveillant de son habileté. En 1891 Guillaumin avait gagné 100.000 francs à une loterie et cette fortune inattendue lui permit enfin de quitter son emploi administratif pour se consacrer entièrement à la peinture. Mais ayant perdu contact avec ses amis d'autrefois, en particulier avec Pissarro et Monet, il ne réussit pas à dominer ses sensations et dilapida ses forces dans des recherches pour s'exprimer par

286

des couleurs intenses alors que la construction restait
faible et qu'il lui manquait cette ampleur de vision et
cette délicatesse poétique qui avaient sauvé Monet de la
banalité.

Degas, lui aussi, perdit tout contact avec ses confrères. Il ne semble pas avoir fréquenté les « dîners
impressionnistes » qui eurent lieu chaque mois entre 1890
et 1894 au café Riche. Le critique Gustave Geffroy
— un ami intime de Monet qui l'avait introduit à ces
dîners — dit y avoir rencontré Pissarro, Sisley, Renoir,
Caillebotte, le Dr de Bellio, Duret, Mirbeau, et
quelquefois Mallarmé, mais il ne fait aucune mention de
Degas. Fuyant les relations nouvelles et se contentant de
la société de quelques intimes comme les Rouart, le

286. MONET. *Les deux meules*, daté 1891. J. H. Whittemore Company Naugatuck,
Conn. Ph. Museum of Modern Art, New York.

sculpteur Bartholomé et Suzanne Valadon (que Bartholomé lui avait fait connaître), Degas menait une vie d'ermite au centre de Paris, se plaignant de plus en plus de troubles oculaires. Il n'éprouvait même plus le besoin de montrer ses œuvres et après 1886 ne parut qu'une seule fois devant le public avec une série de paysages au pastel, exposés chez Durand-Ruel en 1892. Ces études pleines de délicatesse sont supposées avoir été faites dans son atelier et ne sont guère caractéristiques de son travail de l'époque. Dans ses pastels infiniment plus importants de danseuses et de nus, Degas réduisait petit à petit l'importance accordée au dessin pour insister davantage sur l'effet pictural. Cherchant par-dessus tout à faire vibrer les couleurs, il trouva dans le pastel un moyen d'unir la ligne et la couleur. Chaque trait de pastel devenait un accent de couleur dont le rôle dans l'ensemble ne différait souvent pas du trait de pinceau

287

287. Photographie d'Edgar DEGAS, vers 1913. — 288. DEGAS. *Danseuses*, vers 1903. Pastel. Museum of Modern Art, New York (Don de William S. Paley). Ph. Soichi Sunami.

288

impressionniste. Ses pastels prirent l'aspect de feux d'artifice multicolores où disparaît toute précision de forme en faveur d'une matière étincelante de hachures.

Degas consacrait à présent autant de temps au modelage qu'au dessin et au pastel, s'efforçant comme sculpteur de donner une forme à l'instantané, cherchant la masse dans le mouvement. Lorsque l'âge eut affaibli sa vue au point qu'il dut abandonner complètement le pinceau et le crayon, il se consacra uniquement au modelage. En pétrissant l'argile ou la cire, ses doigts faisaient ce dont ses yeux étaient devenus incapables (27). A mesure que son isolement volontaire devenait plus complet, la demi-obscurité dans laquelle il vivait le rendait toujours plus irritable. Toutefois, la solitude semble aussi l'avoir rendu conscient du fait qu'il avait souvent heurté nombre de ses confrères, les offensant par la vivacité de ses répliques et par son attitude intransigeante. Après toute une vie passée à déguiser un caractère fait de timidité et de violence, de modestie et d'orgueil, de doute et de dogmatisme, il fit cet aveu dans une lettre adressée à son vieil ami Évariste de Valernes: « Je viens vous demander pardon d'une chose qui revient souvent dans votre conversation et plus souvent dans votre pensée: c'est d'avoir été au cours de nos longs rapports d'art, ou d'avoir semblé être *dur* avec vous. Je l'étais singulièrement pour moi-même, vous devez bien vous le rappeler, puisque vous avez été amené à me le reprocher et à vous étonner de ce que j'avais si peu de confiance en moi. J'étais ou je semblais dur avec tout le monde, par une sorte d'entraînement à la brutalité qui me venait de mon doute et de ma mauvaise humeur. Je me sentais si mal fait, si mal outillé, si mou, pendant qu'il me semblait que mes *calculs* d'art étaient si justes. Je boudais contre tout le monde et contre moi.

Je vous demande bien pardon si, sous le prétexte de ce damné art, j'ai blessé votre très noble et très intelligent esprit, peut-être même votre cœur (28). »

Cependant, en dépit de la conscience qu'il avait de ses défauts, Degas resta le même. Paul Valéry, qui le connut chez les Rouart, rapporte qu'il était « grand disputeur et raisonneur terrible, particulièrement excitable par la politique et par le dessin. Il ne cédait jamais, arrivait promptement aux éclats de voix, jetait les mots les plus durs, rompait net... Mais on pouvait douter quelquefois s'il n'aimait pas d'être intraitable et connu généralement comme tel (29) ». Berthe Morisot paraît avoir été stupéfaite et même blessée lorsqu'elle entendit Degas expliquer à Mallarmé : « L'art c'est le faux. Un artiste ne l'est qu'à ses heures par un effort de volonté; les objets ont le même aspect pour tous, l'étude de la nature est une convention. Manet n'en est-il pas la preuve? Car quoiqu'il se targuât de copier servilement la nature, il était le peintre le plus mauvais du monde, ne donnant jamais un coup de pinceau sans penser aux maîtres (30)... »

Degas continuait à se montrer moins sévère à l'égard de ses imitateurs, mais le véritable héritier de son esprit comme de sa technique ne se trouvait pas parmi eux. C'est Henri de Toulouse-Lautrec qui, après de premiers essais dans la veine impressionniste, avait abouti à un style tout à fait personnel. Les rapports étroits de son art avec celui de Degas ne lui enlèvent rien de son indépendance. Comme Degas avait autrefois suivi Ingres sans abdiquer sa propre personnalité, Lautrec professait une admiration immense pour Degas, pour sa composition aussi bien que sa technique. Cette admiration était entretenue par son amitié avec le musicien Dihau et sa sœur, dont Degas avait peint plusieurs portraits. A son

289. PISSARRO. *Rue de l'Épicerie*, Rouen, daté 1898. Collection Mrs. Richard J. Bernhard, New York.

tour, Lautrec fit leurs portraits, se demandant toujours
avec inquiétude s'ils soutenaient la comparaison avec
ceux de Degas. Une fois, après une soirée joyeuse,
Lautrec emmena à l'aube un groupe d'amis chez
Mⁱˡᵉ Dihau qui les reçut avec quelque hésitation dans son
modeste appartement. Lautrec mena alors ses compagnons devant les toiles de Degas et leur ordonna de
s'agenouiller devant elles, en hommage au maître
vénéré (31).

Il est douteux que Degas ait particulièrement
apprécié les œuvres de Lautrec, tout en reconnaissant
son habileté. Il se méfiait beaucoup de la nouvelle génération et — bien qu'il aimât parfois lui-même à se montrer
excentrique — les excentricités qui rendaient Lautrec
célèbre à Montmartre ne devaient guère être de son goût.
Obstiné dans ses convictions, autant qu'illogique dans ses
préférences, Degas détestait par exemple les gens qui
s'affichaient, mais était plein d'indulgence pour Gauguin
à qui il semble être maintes fois venu en aide. Le seul
des amis impressionnistes avec lequel Degas paraît être
resté en relations d'amitié c'est Pissarro dont il respectait
les efforts et la modestie.

Pissarro n'avait guère changé avec l'âge. Il occupait
sans ostentation sa place de doyen de l'ancien groupe.
Ses critiques pleines de justesse étaient tempérées par
l'indulgence, ses convictions radicales contrebalancées
par sa bonté profonde. L'infection chronique d'un œil
commençait à lui causer beaucoup de gêne et d'inquiétude. Elle lui rendait de plus en plus difficile le travail
en plein air, aussi se mit-il surtout à peindre derrière des
fenêtres fermées. Lorsque la vue depuis son atelier
d'Éragny ne lui révéla plus rien de neuf, il se mit à
voyager. Il alla plusieurs fois rendre visite à son fils
Lucien qui s'était fixé à Londres, peignit dans des

chambres d'hôtel à Rouen et ensuite à Paris. Il revint aux conceptions impressionnistes qu'il avait abandonnées pour suivre Seurat; son travail retrouva sa fraîcheur première avec une clarté et une pureté de couleur qu'il devait à ses expériences divisionnistes. Agé de plus de soixante ans, Pissarro se consacrait à son art avec un enthousiasme, un optimisme et une jeunesse d'esprit qui inspiraient un sentiment de vénération à tous ceux qui l'approchaient. Bien que sa peinture n'attirât pas un aussi vaste public que celle de Monet, il commençait à être considéré. Une importante exposition rétrospective chez Durand-Ruel, en 1892, contribua à consacrer définitivement sa réputation. Cependant, lorsque Mirbeau insista auprès du directeur des Beaux-Arts pour qu'une toile de Pissarro fût achetée par l'État, il se heurta à un refus.

Quand Caillebotte mourut en 1893, léguant sa collection de soixante-cinq tableaux à l'État, le gouvernement fut embarrassé de ce don. La perspective de voir des tableaux impressionnistes dans un musée provoqua un véritable tollé chez les politiciens, les académiciens et de nombreux critiques, rappelant et même dépassant les insultes adressées aux impressionnistes à l'occasion de la première exposition du groupe. Gérôme et certains de ses collègues menacèrent même de donner leur démission de l'École des Beaux-Arts. Gérôme résuma la position de l'Institut en ces termes: « Je ne connais pas ces messieurs et de cette donation je ne connais que le titre... Il y a là-dedans de la peinture de M. Monet, n'est-ce pas? de M. Pissarro et d'autres? Pour que l'État ait accepté de pareilles ordures, il faut une bien grande flétrissure morale (32). »

En fait l'État n'osa pas accepter la donation dans son ensemble. Malgré les dispositions prises par Caille-

botte pour que sa collection entrât *intégralement* au
Luxembourg, Renoir, en qualité d'exécuteur testamentaire, dut céder pour ne pas voir refuser la totalité
du legs. Des seize toiles de Monet, huit seulement furent
admises; il y en eut sept de Pissarro sur dix-huit; six de
Renoir sur huit; six de Sisley sur neuf; deux de Manet sur
trois; deux de Cézanne sur quatre. Degas fut le seul à
voir toutes ses œuvres acceptées: elles étaient au nombre
de sept (33).

   Berthe Morisot – qui n'était pas représentée dans la
collection Caillebotte – avait eu une exposition fort
remarquée chez Boussod & Valadon en 1892, exposition
prévue peut-être par Théo van Gogh à la veille de sa
mort. En 1892, lorsque Duret vendit sa collection, une
des toiles de Berthe Morisot fut achetée par l'État sur
l'insistance de Mallarmé. Son œuvre, plus que celle de
tous ses confrères, était restée fidèle aux conceptions
premières de l'impressionnisme. Même le sévère Seurat
avait été sensible au charme et à la fraîcheur de ses
peintures et de ses aquarelles, à sa franchise dans
l'expression d'une vision délicate. Mais Renoir est celui
qui l'aimait le plus. Il la voyait très souvent depuis
environ 1888 et peignit des portraits d'elle et de sa fille.
Il considérait Berthe Morisot comme la dernière des
artistes vraiment féminines depuis Fragonard et admirait
le caractère «virginal» de son talent. Elle mourut en
1895, au moment des discussions suscitées par la donation
Caillebotte.

   Dans les discussions et les protestations qui firent
rage autour de ce legs, le nom de Cézanne ne fut presque
jamais prononcé; sans doute le jugeait-on trop insignifiant
pour mériter même une mention. Lorsque, à la mort du
père Tanguy, une vente aux enchères des tableaux lui
appartenant eut lieu en 1894, six toiles de Cézanne pro-

290

duisirent des offres variant de 45 à 215 francs. Vers la
même époque, Pissarro parla de Cézanne à un jeune
marchand, Ambroise Vollard, qui s'était récemment installé rue Laffitte où se trouvaient alors la plupart des
galeries d'art. Vollard n'avait pas un goût très sûr et
montra au début peu de discernement. Très conscient de
son défaut de jugement, il acceptait volontiers les
conseils. Il eut la grande chance de recevoir les sugges-
tions de Pissarro ainsi que parfois de Degas, et il fut assez
intelligent pour les suivre. Se rendant aux instances de
Pissarro, Vollard partit à la recherche de Cézanne qui
finalement lui envoya environ cent cinquante toiles, plus
qu'il ne pouvait montrer dans sa petite galerie en une

290. RENOIR. *Paul Durand-Ruel*, daté 1910. Collection privée, Paris. Ph. Durand-
Ruel. — 291. CÉZANNE. *Ambroise Vollard*, 1899. Musée du Petit Palais, Paris.
Ph. Hachette.

291

seule fois (34). L'exposition chez Vollard eut lieu à l'automne de 1895. Cézanne n'avait rien exposé à Paris depuis près de vingt ans et ses œuvres produisirent un énorme effet de surprise. Tandis que le public se montrait outré et que les critiques s'exprimaient avec leur ignorance et leur brutalité habituelles, les artistes d'avantgarde et les anciens camarades de Cézanne l'accueillirent comme un maître. Commentant l'exposition, Pissarro écrivit à son fils: « Mon enthousiasme n'est que de la Saint-Jean à côté de celui de Renoir; Degas luimême, qui subit le charme de cette nature de sauvage raffiné, Monet, tous... sommes-nous dans l'erreur? Je ne le crois pas. – Les seuls qui ne subissent pas le charme, sont justement des artistes ou des amateurs qui par leurs erreurs nous montrent bien qu'un sens leur fait défaut... Comme Renoir me disait très justement : « Il y a un je-ne-sais-quoi d'analogue aux choses de Pompéi, si frustes et si admirables... » Degas et Monet ont acheté des choses épatantes. Moi, j'ai fait un échange de quelques petits admirables baigneurs et d'un portrait de Cézanne pour une mauvaise esquisse de Louveciennes (35). »

Gauguin manqua de quelques mois l'exposition de Cézanne. Il était revenu de Tahiti en 1893, avait fait une exposition chez Durand-Ruel, puis était retourné en Bretagne. Ses œuvres tahitiennes avaient éveillé beaucoup d'intérêt, surtout chez ses jeunes adeptes et leurs amis, les poètes symbolistes, qui étaient attirés par les qualités inattendues et nouvelles de son art, par son originalité extrême. Ses tableaux étranges et puissants les impressionnaient par la hardiesse de la conception, le dépouillement des formes, la simplification radicale du dessin, le caractère décoratif de la composition, l'absence voulue de relief dans les plans et l'éclat des couleurs pures et vives, employées pour exprimer des états d'âme plutôt que la réalité. Mais parmi ses anciens confrères, seul Degas aima la peinture de Gauguin; Monet et Renoir la trouvaient franchement mauvaise. Gauguin eut une vive discussion avec Pissarro qui était tout à fait opposé à ses tendances mystiques et l'accusa presque ouvertement de piller les sauvages de l'Océanie et d'adopter un style qui ne lui convenait pas en tant qu'homme civilisé (36). Cependant, Gauguin resta insensible à ces remontrances. Lorsqu'un reporter lui reprocha l'invraisemblance de ses couleurs, il rappela que Delacroix avait été accusé jadis de peindre un cheval violet et revendiqua le droit pour l'artiste d'employer les couleurs d'une façon arbitraire, si l'harmonie de son tableau l'exigeait. Gauguin expliqua

292

que son œuvre était le fruit du calcul et de la méditation
(évitant le mot observation) et insistait: « J'obtiens par
des arrangements de lignes et de couleurs, avec le prétexte d'un sujet quelconque emprunté à la vie ou à la
nature, des symphonies, des harmonies ne représentant
rien d'absolument *réel* au sens vulgaire du mot, n'expri-
mant directement aucune idée, mais qui doivent faire
penser comme la musique fait penser, sans le secours
des idées ou des images, simplement par les affinités
mystérieuses qui sont entre nos cerveaux et tels arrangements de couleurs et de lignes (37). »

C'est avec dédain que Gauguin disait maintenant
des impressionnistes: « Ils étudient la couleur exclusivement en tant qu'effet décoratif, mais sans liberté,

292. GAUGUIN. *Te rereioa* (Le repos), 1897. Collection Courtauld, Londres. Ph.
Musées nationaux français.

conservant les entraves de la vraisemblance... Ils cherchent autour de l'œil, et non au centre mystérieux de la pensée... Ce sont les officiels de demain (38). »

Malgré sa rupture avec les impressionnistes, Gauguin n'oublia cependant pas que c'est à eux, et principalement à Pissarro, qu'il devait son initiation à l'art. Après qu'il fut reparti – définitivement cette fois – pour Tahiti en 1895, il nota dans un de ses carnets: « Si l'on examine l'art de Pissarro dans son ensemble, malgré ses fluctuations, on y trouve non seulement une excessive volonté artistique, qui ne se dément jamais, mais encore un art essentiellement intuitif de belle race... Il a regardé tout le monde, dites-vous? Pourquoi pas? – Tout le monde l'a regardé aussi, mais le renie. Ce fut un de mes maîtres et je ne le renie pas (39). »

En 1896 Vollard écrivit à Gauguin à Tahiti, peut-être sur le conseil de Degas, et lui proposa un contrat pour acheter toute sa production (40). Vollard devenait ainsi le seul dépositaire à Paris des œuvres de Cézanne et de Gauguin. Dans les milieux d'art, la galerie de Vollard remplaça la boutique du père Tanguy. Mais Vollard n'avait ni la verve du bon vieux marchand de couleurs, ni la bienveillante sagesse de Théo van Gogh. Sous le masque d'une indifférence qu'il exagérait souvent, il cachait un sens avisé du commerce joint à une prudence incapable d'enthousiasme. Pendant ce temps les affaires de Durand-Ruel gagnaient sans cesse en importance. En 1894, il avait réussi à s'acquitter de toutes ses dettes et son activité s'accrut non seulement à Paris et à New York mais dans plusieurs pays d'Europe où il organisa des expositions de tableaux impressionnistes. En Allemagne ils obtenaient un succès croissant, mais en Angleterre le public continuait à se tenir sur la réserve (41).

Tandis que la renommée de Monet et de Renoir se propageait rapidement à l'étranger, Cézanne commençait à peine à être connu. Lorsque, en 1896, une année après sa première exposition chez Vollard, Zola écrivit un nouvel article sur la peinture, il traita Cézanne de « génie avorté », et exprima de façon curieuse le regret de s'être battu jadis pour les principes des impressionnistes, expliquant que c'était leur audace plutôt que leurs idées qu'il avait voulu défendre (42). Cependant, quand Zola prit courageusement la défense du capitaine Dreyfus en 1897, Monet et Pissarro oublièrent leur ressentiment et le soutinrent (43). Degas, par contre, se rangea du côté des militaristes, devint antisémite et même évita Pissarro. Quant à Cézanne, prisonnier de son entourage bigot à Aix, il ne se rallia pas non plus à Zola dans son combat pour la justice.

Sisley était resté pendant toutes ces années à l'arrière-plan, vivant et travaillant dans la solitude à Moret. Les longues années de privation et d'incertitude avaient laissé leur empreinte sur lui bien plus que sur ses camarades. Il était devenu ombrageux et farouche, voyant peu ses amis qui ne lui en gardaient pas rancune. Il souffrait moralement et physiquement, des refroidissements pris en peignant dehors en plein hiver lui ayant causé une paralysie momentanée de la face. Mais, ce qui était plus grave encore, selon un de ses amis, « il se créait lui-même bien d'autres chagrins, souvent imaginaires. Il était irritable, mécontent, agité. Il saisissait avec une avidité poignante et touchante les marques de sympathie qui lui venaient d'inconnus, de nouveaux venus, et tout aussitôt il s'éloignait encore avec défiance de ses nouvelles amitiés... Il devenait tout à fait malheureux et éprouvait d'extrêmes difficultés pour vivre... Il voyait successivement toutes les joies l'abandonner,

293

sauf la joie de peindre, qui ne le quitta jamais (44)».
Ayant rompu avec Durand-Ruel, Sisley signa un contrat
avec Georges Petit, faisant de lui son unique dépositaire.
Il exposa de nouveau au Salon. Il voulut mettre de la
passion dans son œuvre, alors que son caractère était
plutôt celui d'un poète délicat et d'un rêveur; il excellait
quand il se laissait guider uniquement par la délicatesse
de ses perceptions. Interrogé sur les peintres contemporains qu'il préférait, il cita Delacroix, Corot, Millet,
Rousseau et Courbet, sans mentionner aucun de ses
anciens camarades (45). Cependant, lorsque, souffrant
d'un cancer de la gorge, il sentit sa fin approcher, il fit
appeler Monet qui se précipita à ses côtés. Peu connu,

293. SISLEY. *L'Église de Moret*, daté 1893. Musée des Beaux-Arts, Rouen. Ph.
Giraudon.

pauvre et résigné, Sisley mourut le 29 janvier 1899. Moins
d'un an après sa mort ses toiles commencèrent à atteindre
des prix fabuleux (46).

Les prix de Cézanne commencèrent également à
monter, petit à petit, vers la même époque. On s'en
aperçut à la vente de la collection Chocquet en 1899,
après la mort de la veuve de Victor Chocquet. Poussé
par Monet, Durand-Ruel acheta plusieurs toiles de
Cézanne à cette vente (47), tandis que Vollard, au nom
de Cézanne, achetait une aquarelle de fleurs de Delacroix
que Cézanne avait toujours admirée parmi les trésors
de son ami. La même année, Monet lui-même acquit
un paysage de Cézanne à une vente et son enchère fit
sensation à l'Hôtel Drouot.

La vie solitaire de Cézanne à Aix était à présent
souvent interrompue par des visiteurs, généralement de
jeunes artistes de l'entourage de Gauguin, venus lui
demander des conseils: « Je crois les jeunes peintres
beaucoup plus intelligents que les autres, écrivait-il avec
une satisfaction peu dissimulée à son fils; les vieux ne
peuvent voir en moi qu'un rival désastreux (48). » A partir
de 1899, Cézanne consentit à exposer au Salon des Indépendants, mais son ambition restait toujours d'être reçu
au Salon officiel, et même d'être décoré. C'était sans
doute moins la soif des honneurs qui provoquait ce désir,
que le souhait d'être enfin pris au sérieux comme peintre,
surtout parmi ses compatriotes aixois qui ne voyaient
toujours en lui que le fils d'un homme riche qui s'abandonnait à une inoffensive fantaisie. Mais malgré l'intervention de Mirbeau, le rêve de Cézanne ne se réalisa
pas, tandis que Renoir fut décoré en 1900. De leur côté,
Degas, Monet et Pissarro restaient hostiles à tout ce qui
pouvait avoir un caractère officiel.

Le nombre croissant de ses partisans chez les jeunes

compensait pour Cézanne, en partie du moins, son échec
auprès des officiels. Il sentait ainsi s'annoncer une ère
nouvelle pour l'art. Il fut profondément ému lorsque
Maurice Denis, qui ne l'avait jamais vu, exposa au Salon
en 1901 une grande toile intitulée *Hommage à Cézanne*;
elle montrait plusieurs peintres, parmi lesquels Redon,
Vuillard, Bonnard et Denis lui-même (avec Vollard à

294

l'arrière-plan) réunis autour d'une nature morte de
Cézanne — celle qui avait jadis appartenu à Gauguin.
Le tableau de Denis, acheté par André Gide, était conçu
dans le même esprit que l'*Hommage à Delacroix* de
Fantin. Cézanne lui-même parlait souvent de peindre
un *Hommage à Delacroix* où il comptait se représenter
avec Pissarro, Monet et Chocquet. Il relisait avec joie
les critiques d'art de Baudelaire, admirant ses analyses
de Delacroix et la sûreté de son jugement. Il revenait
souvent aussi à Stendhal, aux frères Goncourt et à la
nouvelle de Balzac, *Le chef-d'œuvre inconnu*.

   Les jeunes artistes qui venaient rendre visite à

294. Photographie de CÉZANNE prise à Aix en 1905 par Émile Bernard. — 295.
CÉZANNE. *La montagne Sainte-Victoire vue des Lauves*, 1904-06. Philadelphia Museum
of Art. Ph. du Musée.

295

Cézanne, trouvaient un grand vieillard d'une politesse presque excessive, bien qu'il lui arrivât de passer brusquement de l'affabilité à la colère. S'intéressant exclusivement à l'art, il aimait parler peinture, mais se montrait parfois irrité quand ses visiteurs le pressaient de formuler des théories. Il les emmenait vers les collines où il peignait, insistant sur ce qu'« on parle plus en effet de peinture, et peut-être mieux, en étant sur le motif, qu'en devisant des théories purement spéculatives — et dans lesquelles on s'égare assez souvent (49) ». Et il ne cessait de répéter : « Tout est, en art surtout, théorie développée et appliquée au contact de la nature (50). » Il se plaignait souvent de la difficulté qu'il éprouvait – et qui augmentait avec l'âge – à réaliser ses sensations, tout en reconnaissant que les problèmes à résoudre lui paraissaient de plus en plus clairs.

Émile Bernard, l'ancien ami de Gauguin, qui dès 1892 avait publié une étude sur Cézanne, lui rendit visite pour la première fois en 1904, et dans des conversations, comme plus tard par des lettres, amena Cézanne à formuler ses conceptions. Cézanne lui dit de «traiter la nature par le cylindre, la sphère, le cône, le tout mis en perspective, soit que chaque côté d'un objet, d'un plan, se dirige vers un point central (51)». Mais lorsque Bernard prépara un nouvel article sur Cézanne, le vieux peintre lui conseilla de travailler plutôt que d'écrire, lui expliquant: «Le peintre doit se consacrer entièrement à l'étude de la nature et tâcher de produire des tableaux qui soient un enseignement. Les causeries sur l'art sont presque inutiles. Le travail qui fait réaliser un progrès dans son propre métier est un dédommagement suffisant de ne pas être compris des imbéciles. Le littérateur s'exprime avec des abstractions tandis que le peintre concrétise, au moyen du dessin et de la couleur, ses sensations, ses perceptions. On n'est ni trop scrupuleux, ni trop sincère, ni trop soumis à la nature, mais on est plus ou moins maître de son modèle, et surtout de ses moyens d'expression.» Et il insistait: «Pénétrer ce qu'on a devant soi, et persévérer à s'exprimer le plus logiquement possible (52).»

«Je cherche à rendre la perspective uniquement par la couleur», disait Cézanne à un collectionneur allemand qui était venu le voir à Aix. «Le principal dans un tableau est de trouver la distance. C'est là qu'on reconnaît le talent d'un peintre.» Prenant un de ses propres paysages comme exemple, il suivait du doigt les

limites des différents plans et montrait exactement
jusqu'où il avait réussi à suggérer la profondeur et où
la solution n'était pas encore trouvée; ici la couleur
était restée couleur sans devenir expression de la
distance (53).

Alors qu'il mettait ses amis en garde contre l'influence de Gauguin, de van Gogh et des néo-impressionnistes, Cézanne aimait à parler de ses camarades
d'autrefois, faisant l'éloge de Renoir et surtout de Monet,
évoquant avec une tendresse particulière « l'humble et
colossal Pissarro ». Quand il fut invité par un groupe
d'artistes aixois à exposer avec eux en 1902 et de nouveau
en 1906, Cézanne — sexagénaire et acclamé comme
maître par la nouvelle génération — ajouta pieusement
à côté de son nom cette désignation: *élève de Pissarro*.
Pissarro n'eut jamais connaissance de cet hommage, de
même qu'il ne sut jamais que Gauguin, en dépit de ses
sarcasmes et de sa soif d'indépendance, n'avait pas
oublié sa dette de reconnaissance.

Gauguin mourut solitaire et aigri dans une des îles
Marquises en mai 1903. La nouvelle de sa mort était à
peine connue à Paris lorsque Pissarro s'éteignit paisi-
blement, après une courte maladie, au mois de novembre.
Il léguait six dessins de Seurat au musée du Luxembourg.
Whistler mourut également en 1903. Un an plus tôt Zola
avait succombé des suites d'une intoxication due aux
émanations d'un poêle à gaz, et en 1901 Lautrec était
mort, sa santé brisée par l'excès de boisson. (La même
année, Vollard faisait une première exposition des œuvres
d'un jeune Espagnol, Pablo Picasso, dont la peinture
reflétait fortement l'influence de Lautrec.) Fantin mourut
en 1904.

Très affecté par la mort de Pissarro et de Zola,
Cézanne parlait souvent de sa fin prochaine et jurait qu'il

mourrait à la tâche. Cette fois le sort exauça ses désirs. Le 15 octobre 1906 un orage le surprit tandis qu'il peignait sur une colline. Il resta plusieurs heures sous la pluie et fut ramené chez lui, évanoui, dans une charrette de blanchisseur. Le lendemain, il descendit peindre dans son jardin et rentra mourant. Il s'éteignit le 22 octobre.

Il ne restait plus, à présent, que trois des anciens impressionnistes: Monet, vigoureux, ardent au travail, fier de sa réputation mondiale, entouré de nombreux admirateurs parmi lesquels beaucoup d'artistes et de collectionneurs américains (54); Degas, menacé d'une cécité totale; et Renoir de plus en plus perclus de rhumatismes, mais joyeux malgré tout et peignant en dépit de terribles difficultés physiques. Souffrant sans répit, ne dormant guère, les doigts paralysés, il finit par travailler avec des pinceaux attachés à son poignet et trouvait qu'il n'avait pas le droit de se plaindre puisque sa condition

296

296. Photographie de RENOIR peignant l'actrice allemande Tilla Durieux, 1914. — 297. RENOIR. *Portrait de Tilla Durieux*, daté 1914. Metropolitan Museum of Art New York (Collection Stephen C. Clark). Ph. du Musée.

aurait pu être pire. Il manifestait maintenant une préférence marquée pour le rouge, depuis les tons rosés de la chair jusqu'au rouge profond des roses (55) et prenait plaisir à rendre la fluidité des formes vivantes dans un grand déploiement de tons de chair, modelant les volumes par des touches subtiles, expression de sa science et en même temps de son ingénuité et de sa fraîcheur, restées toujours intactes.

Lorsque le peintre américain Walter Pach l'interrogea en 1908 sur sa méthode, Renoir lui répondit : « Je dispose mon sujet comme je le veux, puis je me mets à le peindre, comme ferait un enfant. Je veux qu'un rouge soit sonore et résonne comme une cloche; si ce n'est pas cela, j'ajoute encore des rouges et d'autres couleurs jusqu'à ce que j'y arrive. Je ne suis pas plus malin que ça. Je n'ai ni règles ni méthodes; n'importe qui peut examiner ce dont je me sers ou regarder comment je peins — il verra que je n'ai pas de secrets. Je regarde un nu, j'y vois des myriades de teintes minuscules. Il me faut trouver celles qui feront vivre et vibrer la chair sur ma toile. Aujourd'hui on veut tout expliquer. Mais si on pouvait expliquer un tableau ce ne serait plus de l'art. Voulez-vous que je vous dise quelles sont pour moi les deux qualités de l'art? il doit être indescriptible et inimitable... : L'œuvre d'art doit vous saisir, vous envelopper, vous emporter. C'est le moyen pour l'artiste d'exprimer sa passion; c'est le courant qui jaillit de lui qui vous emporte dans sa passion (56). »

Cette passion ne devait jamais quitter Renoir, elle semblait même augmenter avec l'âge. En 1912, il dut subir une grave opération qui n'améliora guère son état. En décembre de la même année, Durand-Ruel, qui avait continué à avoir les relations les plus cordiales avec Renoir, le trouva à Cagnes, où il était installé d'une façon permanente: «dans le même triste état, mais toujours étonnant de force de caractère. Il ne peut ni marcher ni même se lever de son fauteuil. Il faut qu'on le porte partout à deux. Quel supplice! Et avec cela la même bonne humeur et le même bonheur quand il peut peindre (57).»

Comme Cézanne, Renoir réalisa durant ses dernières années la synthèse de l'expérience de sa vie tout entière. L'impressionnisme était loin derrière lui; il n'en gardait que la facture étincelante. A présent les chatoiements de sa palette ne servaient plus à traduire des effets atmosphériques, mais à construire avec des couleurs brillantes et vigoureuses une image de la vie d'une intensité presque surnaturelle. L'étude de la nature n'était plus son but unique. «Comme c'est difficile, expliqua-t-il à un jeune peintre, de trouver exactement le point où doit s'arrêter dans un tableau l'imitation de la nature. Il ne faut pas que la peinture pue le modèle et il faut cependant qu'on sente la nature (58).»

Étant parvenu à un juste équilibre entre l'observation et la vision, Renoir, dans sa vieillesse, créa un style nouveau et ajouta à son œuvre une série de chefs-d'œuvre puissants et magnifiques, de couleurs flamboyantes, d'un rythme subtil, chaque toile marquant un progrès sur la précédente dans le bonheur de l'expression et la fertilité de l'imagination. D'une modestie extrême, Renoir se demandait souvent, pendant les dernières années de sa vie, si son travail était digne de la grande tradition française à laquelle il se sentait de plus en plus attaché, considérant son art comme une suite de l'art du XVIIIe siècle. Lorsqu'une de ses toiles fut placée à la National Gallery de Londres en 1917, une centaine de peintres et d'amateurs d'art anglais saisirent cette occasion pour envoyer à Renoir un témoignage de leur admiration. « Dès l'instant

où votre tableau s'est trouvé installé parmi les chefs-
d'œuvre des maîtres anciens, écrivirent-ils, nous avons eu
la joie de constater qu'un de nos contemporains avait pris
d'emblée sa place parmi les grands maîtres de la tradition européenne (59). » Rien n'aurait pu faire plus de
plaisir à Renoir, car il ne se lassait pas de proclamer que
« s'il faut se garder de demeurer figés dans les formes
dont nous avons hérité, il ne faut pas non plus, par amour
du progrès, prétendre se détacher complètement des
siècles qui nous ont précédés (60) ». Et il insistait encore :
« La nature vous mène à l'isolement. Je veux rester dans
le rang (56). »

Absorbé dans son travail, ne vivant que pendant
les heures qu'il pouvait consacrer à son œuvre, Renoir
plaignait Degas qui était entièrement coupé du monde
extérieur, dans l'incapacité de travailler ni de jouir de
la magnifique collection de tableaux et de dessins,
patiemment accumulée, où Ingres partageait la première
place avec Delacroix, Cézanne et Gauguin. Degas était
maintenant réduit à déambuler dans les rues de Paris,
alors que les batailles de la première guerre mondiale
faisaient rage non loin de la capitale. Lorsque Durand-
Ruel apprit à Renoir la mort de Degas en septembre
1917, sa réponse fut : « C'est bien heureux pour lui... Vivre
comme il était, mieux vaut toutes les morts imagi-
nables (61). » Ce destin fut épargné à Renoir, car, malgré
vingt années de souffrances, il put travailler jusqu'à la fin.
Il mourut le 3 décembre 1919.

Deux ans plus tard, au début de 1922, Paul Durand-
Ruel s'éteignit à l'âge de quatre-vingt-dix ans. Il vécut
assez longtemps pour voir ses peintres entrer dans la
gloire, une gloire telle que les artistes eux-mêmes ne
l'avaient jamais imaginée, pas plus que le marchand qui
plus d'un demi-siècle plus tôt avait, avec un instinct

infaillible, défendu leur cause en apparence sans espoir.

Le 19 juin 1926, Mary Cassatt mourut dans son château de Beaufresne près de Beauvais. Comme Degas, elle avait été frappée dans sa vieillesse d'une cécité partielle qui augmenta à partir de 1912 pour devenir presque totale à la fin de sa vie. Quelques mois plus tard, en décembre 1926, Claude Monet fut enterré dans le petit cimetière de Giverny, à la fin de sa quatre-vingt-septième année. Guillaumin mourut au même âge en juin 1927.

Avec Monet disparut le dernier maître de cette unique et étonnante pléiade qui avait constitué le groupe impressionniste. Il mourut comme Ingres, à un moment où les idées qu'il personnifiait avaient cessé depuis long-temps de faire partie de l'actualité. Le premier des impres-sionnistes à connaître le succès, le seul à voir ce succès se transformer en véritable triomphe, il vécut pour connaître l'isolement et dut ressentir quelque amertume à constater que la vision imposée au prix de tant d'années d'efforts était violemment attaquée par les nouvelles générations (62). Cependant, ce ne furent pas les nouveaux mouvements d'art qui le préoccupèrent pendant les dernières années de sa vie, mais plutôt le passé que l'histoire identifiera toujours avec son nom. Dans une lettre écrite peu avant sa mort, Monet tenta de préciser quel avait été son rôle: « J'ai toujours eu horreur des théories... Je n'ai que le mérite d'avoir peint directement, devant la nature, en cherchant à rendre mes impressions devant les effets les plus fugitifs, et je reste désolé d'avoir été la cause du nom donné à un groupe dont la plupart n'avaient rien d'impressionniste (63). »

Ce regret, exprimé par Monet au soir de sa vie, paraît étrange. Ne pouvait-il éprouver quelque fierté d'avoir donné, bien qu'involontairement, un nom au

mouvement qui avait ajouté un des plus glorieux chapitres à l'histoire de l'art? Quarante ans s'étaient écoulés
depuis que le groupe des amis de Monet s'était désagrégé
définitivement, mais l'impressionnisme n'était pas mort
du fait que ceux qui l'avaient créé avaient cessé d'être
des impressionnistes. Même si le terme n'était plus un
cri de ralliement, il demeurait une inspiration vivante
pour ceux qui vinrent ensuite. Les réalisations de l'impressionnisme étaient devenues le patrimoine commun,
point de départ pour de nouvelles conquêtes. Il est exact,
néanmoins, que les jeunes avaient fini par rejeter la
plupart des principes impressionnistes, que les fauves,
les cubistes, les expressionnistes, les futuristes, les
dadaïstes, les surréalistes avaient successivement ouvert
des horizons tout à fait nouveaux. Mais leurs efforts
avaient été alimentés par l'œuvre de Cézanne, Gauguin,
van Gogh et Seurat qui, tous, étaient passés par une
phase impressionniste. Si l'influence directe de l'impressionnisme sur l'art contemporain peut paraître parfois
négligeable, si de tous les maîtres du XXe siècle, seul
Bonnard a continué à développer son propre style dans
un esprit authentiquement impressionniste, ce fut néanmoins l'art de Monet et de ses compagnons qui abolit
d'innombrables préjugés et ouvrit la route à des har-
diesses de plus en plus grandes de technique, de couleur
et d'abstraction.

Les impressionnistes ont vu leurs idées annexées
en partie par les officiels, diluées, polies, adaptées sans
grandeur, et cette évolution se poursuit encore. Mais
la médiocrité des épigones peut seulement obscurcir
l'éclat d'une grande réalisation, elle ne peut en ternir
les sources. Les élèves d'Ingres avaient réussi à vulgariser
les principes de leur maître, mais ils n'ont pu détruire
le classicisme, et la génération actuelle est même revenue

à certaines idées propagées par l'homme qui, de son vivant, semblait personnifier l'obstacle au progrès. L'impressionnisme qui contribua si généreusement à libérer le monde de l'art du despotisme d'une tradition mal comprise, peut aujourd'hui prendre sa place parmi les grandes traditions. Comme toutes les traditions, il sera rejeté parfois, pour être découvert à nouveau un peu plus tard; il sera tantôt délaissé et tantôt deviendra un facteur vital dans de nouveaux efforts. Il sera admiré autant que combattu, mais il ne pourra jamais être ignoré.

L'impressionnisme demeurera ainsi une des phases les plus importantes de l'histoire de l'art moderne, une phase à laquelle succéda, vers 1886, un autre mouvement artistique dont les protagonistes sortirent en partie des rangs mêmes de l'impressionnisme. C'est précisément l'un d'eux, Gauguin, qui a formulé les problèmes qui préoccupaient les artistes inquiets de dépasser l'impressionnisme : « Il fallait se livrer corps et âme à la lutte, lutter contre toutes les écoles, toutes sans distinction, non point en les dénigrant, mais par autre chose, affronter non seulement l'Officiel, mais encore les impressionnistes, les néo-impressionnistes, l'ancien et le nouveau public... s'attaquer aux plus fortes abstractions, faire tout ce qui était défendu, et reconstruire plus ou moins heureusement, sans crainte d'exagération, avec exagération même. Apprendre à nouveau, puis une fois su, apprendre encore. Vaincre toutes les timidités, quel que soit le ridicule qui en rejaillît. — Devant son chevalet le peintre n'est esclave, ni du passé, ni du présent, ni de la nature, ni de son voisin. — Lui, encore lui, toujours lui (64). »

Cette lutte devait conduire à des résultats inattendus. Commencée par Cézanne, Seurat, Gauguin, van Gogh, Toulouse-Lautrec, elle allait être poursuivie par des hommes nouveaux, Picasso, Matisse et beaucoup d'autres qui partirent du point où leurs prédécesseurs s'étaient arrêtés. Une fois de plus, l'histoire apportait une preuve frappante que ses dates se gravent non pas sur des pierres tombales, mais sur les bornes d'une route; celle qui porte la date de 1886 est le symbole d'une fin et d'un commencement. En même temps que la dissolution du mouvement créé par Monet et ses amis, elle marque le début de la période tout aussi fertile du post-impressionnisme (65).

NOTES.

1. Il paraît intéressant de signaler qu'il y avait alors en France un mouvement en faveur du développement des colonies, mouvement qui a pu dans une certaine mesure influencer Gauguin. Les pays lointains dont il rêvait appartenaient tous à la France: Madagascar, la Martinique, Indochine, Tahiti. Degas avait conseillé à Gauguin d'aller à la Nouvelle-Orléans, mais il n'accepta pas cette suggestion.

2. Pissarro à son fils, 15 mai 1887; voir Camille PISSARRO: *Lettres à son fils Lucien,* Paris, 1950, p. 149.

3. Pissarro à son fils Lucien, 14 mai 1887, *ibid.,* p. 146.

4. Renoir à Durand-Ruel, 12 mai 1887; voir L. VENTURI: *Les Archives de l'Impressionnisme,* Paris-New York, 1939, v. I, p. 138.

5. Gauguin à Schuffenecker, août 1888; voir C. ROGER-MARX: « Lettres inédites de Vincent van Gogh et de Paul Gauguin », *Europe,* 15 février 1939.

6. Vincent à Théo van Gogh, première moitié d'août 1888; voir *Correspondance complète de Vincent van Gogh,* Paris, 1960, vol. III, N° 520, pp. 164-165.

7. Vincent à Théo van Gogh, mai 1888, *ibid.,* N° 490, p. 78. Pour des photographies des « motifs » de van Gogh, voir *L'Amour de l'Art,* octobre 1936; catalogue de l'exposition van Gogh, Exposition Internationale, Paris, 1937 et *Art News,* 1er-14 avril 1942.

8. Gauguin à Schuffenecker, 8 octobre 1888; voir ROGER-MARX, *op. cit.* Cette lettre est accompagnée d'un dessin.

9. Vincent à Théo van Gogh, fin décembre 1888, *op. cit.,* N° 564, p. 279.

10. Pissarro à Fénéon, 1er février 1889; voir J. REWALD: *Georges Seurat,* Paris, 1948, p. 156, note 132.

11. Pissarro à H. van de Velde, 27 mars 1896, *ibid.,* pp. 131-132.

12. Voir L. Cabot Perry : « Reminiscences of Claude Monet from 1889 to 1909 », *The American Magazine of Art*, mars 1927.

13. Voir G. Geffroy : *Claude Monet, sa vie, son œuvre,* Paris, 1922, v. I, ch. XXXIII.

14. Renoir à Roger Marx, 10 juillet 1888; voir C. Roger-Marx : *Renoir,* Paris, 1937, p. 68.

15. Sur le groupe de Gauguin voir C. Chassé : *Gauguin et le groupe de Pont-Aven,* Paris, 1921; M. Denis : *Théories, 1890-1910,* Paris, 1912; E. Bernard : « Notes sur l'école dite de « Pont-Aven », *Mercure de France,* décembre 1903, et A. Armstrong Wallis : « The Symbolist Painters of 1890 », *Marsyas,* v. I, nº 1.

16. Cézanne à Maus, 27 novembre 1889; voir Cézanne : *Correspondance,* Paris, 1937, p. 214.

17. C. Waern : « Some Notes on French Impressionism », *Atlantic Monthly,* avril 1892.

18. M. Denis : « Cézanne », *L'Occident,* septembre 1907, reprod. dans *Théories, op. cit.*

19. Renseignement communiqué par M. L. R. Pissarro; voir également A. Basler : *La Peinture... Religion nouvelle,* Paris, 1926, p. 62.

20. Voir M. Joyant : *Henri de Toulouse-Lautrec,* Paris, 1926, v. I, pp. 118-119. On ne peut évaluer les services que Théo van Gogh aurait pu rendre aux impressionnistes et aux post-impressionnistes s'il avait vécu plus longtemps. A son sujet voir T. van Gogh : *Lettres à son frère Vincent,* Amsterdam, 1932; V. van Gogh : *Verzamelde Brieven,* 4 vol., Amsterdam, 1952-54 [édition complète de la correspondance de van Gogh avec de nombreuses lettres en français; aussi édition française, *op. cit.*]; Paul Gauguin : *Lettres à A. Vollard et à A. Fontainas,* San Francisco, 1943, pp. 6-9, et C. Pissarro : *Lettres à son fils Lucien.*

21. Voir lettres de Pissarro à son fils, 23 novembre 1893 et 20 avril 1891; *op. cit.,* pp. 317-318 et 233-235.

22. Voir lettre de Mirbeau à Monet, février 1891, *Cahier d'Aujourd'hui,* nº 9, 1922; voir aussi la lettre de Pissarro à son fils, 13 mai 1891, *op. cit.,* pp. 246-248. Le tableau se trouve maintenant à la National Gallery d'Ecosse, Édimbourg.

23. Voir L. Vauxcelles : « Un après-midi chez Claude Monet », *L'Art et les Artistes,* décembre 1905.

24. Voir L. Cabot Perry, *op. cit.;* aussi duc de Trévise : « Le pèlerinage de Giverny », *Revue de l'art ancien et moderne,* janvier-février 1927, et la lettre de Monet à Geffroy, 7 octobre 1890, Geffroy, *op. cit.,* v. II, ch. x.

25. Voir W. Weisbach : *Impressionismus – Ein Problem der Malerei in der Antike und Neuzeit,* Berlin, 1910-11, v. II, p. 141.

26. Voir lettres de Pissarro à son fils, 8 et 10 juillet 1888, *op. cit.*, pp. 171-172.

27. Voir J. REWALD: *Degas, Works in Sculpture*, catalogue complet, New York, 1944.

28. Degas à de Valernes, 26 octobre 1890; voir *Lettres de Degas*, Paris, 1945, pp. 178-179.

29. Voir P. VALÉRY: *Degas, Danse, Dessin*, Paris, 1938, p. 12.

30. D'après les carnets de Berthe Morisot; voir M. ANGOULVENT: *Berthe Morisot*, Paris, 1933, p. 76.

31. Renseignement communiqué par le professeur Paul J. Sachs, à qui l'incident fut rapporté par Mlle Dihau; voir aussi G. MACK: *Toulouse-Lautrec*, New York, 1938, pp. 59-62.

32. Gérôme cité par A. LEROY: *Histoire de la peinture française, 1800-1933*, Paris, 1934, pp. 165-168. Sur le legs Caillebotte voir également H. BATAILLE: « Enquête », *Journal des Artistes*, 1894; O. MIRBEAU: « Le legs Caillebotte et l'État », *Le Journal*, 24 décembre 1894; GEFFROY, *op. cit.*, v. II, ch. VI; VOLLARD: *Renoir*, ch. XIV; G. MACK: *Paul Cézanne*, Paris, 1938, et particulièrement TABARANT: « Le peintre Caillebotte et sa collection », *Bulletin de la vie artistique*, 1er août 1921.

33. Au sujet du nombre d'œuvres acceptées, voir MACK: *Paul Cézanne* et le rapport de Renoir, cité par LEROY, *op. cit.*, p. 167.

34. Voir A. VOLLARD: *Cézanne*, ch. V, et REWALD: *Cézanne, sa vie*, etc., Paris, 1939, pp. 370-372.

35. Pissarro à son fils, 21 novembre 1895, *op. cit.*, pp. 388, 390.

36. Voir lettre de Pissarro à son fils, 23 novembre 1893, *op. cit.*, pp. 317-318.

37. Gauguin cité par E. TARDIEU: « La peinture et les peintres, M. Paul Gauguin », *Écho de Paris*, 13 mai 1895.

38. GAUGUIN: *Diverses choses (1902-1903)*, cité par J. DE ROTONCHAMP: *Paul Gauguin*, Paris, 1925, p. 243.

39. GAUGUIN: *Racontars d'un rapin*, septembre 1902, *ibid.*, p. 237.

40. Voir Paul GAUGUIN: *Lettres à A. Vollard et à A. Fontainas*, San Francisco, 1943.

41. Voir REWALD: « Depressionist Days of the Impressionists », *Art News*, 15-28 février 1945.

42. Sur l'article de Zola voir REWALD: *Cézanne*, etc., pp. 354-362.

43. *Ibid.*, pp. 363-365.

44. A. ALEXANDRE: préface au *Catalogue de la vente Sisley*, Paris, Galerie Georges Petit, 1er mai 1899.

45. Voir TAVERNIER, article sur Sisley dans *L'Art Français*, 18 mars 1893.

46. En 1900, à la vente Tavernier (un ami du peintre), Camondo paya 43.000 francs le tableau de Sisley: *Inondations à Marly,* pour lequel l'artiste avait reçu 180 francs. Camondo légua le tableau au Louvre.

47. 32 toiles rapportèrent plus de 51.000 francs, le prix moyen étant de 1.700 francs; Camondo paya le prix le plus élevé, 6.200 francs, pour la *Maison du Pendu.* Durand-Ruel acquit quinze toiles de Cézanne, d'autres furent achetées par les Bernheim-Jeune, Vollard, Auguste Pellerin, etc.

48. Cézanne à son fils, 15 octobre 1906; voir CÉZANNE: *Correspondance,* p. 298.

49. Cézanne à Camoin, 28 janvier 1902, *ibid.,* p. 244.

50. Cézanne à Camoin, 22 février 1903, *ibid.,* p. 253.

51. Cézanne à Bernard, 15 avril 1904, *ibid.,* p. 259.

52. Cézanne à Bernard, 26 mai 1904, *ibid.,* p. 262.

53. K. E. Osthaus, article dans *Das Feuer,* 1920, cité par REWALD: *Cézanne,* etc., pp. 282 et 394.

54. Sur son amitié pour Th. Robinson voir John BAUR: *Théodore Robinson,* Brooklyn, 1946, ainsi que l'article de ROBINSON lui-même: « Claude Monet », *Century Magazine,* septembre 1892.

55. D'après le marchand de couleurs de Renoir, Moisse, les commandes du peintre ne varièrent pas durant les dernières vingt-cinq années de sa vie. Sa palette se composait de: blanc de céruse, jaune d'antimoine, ocre jaune, terre de Sienne brute, carmin superfin, rouge vénitien, vermillon français, laque de garance, vert émeraude, bleu de cobalt et noir ivoire. Renoir ne se servait jamais de jaune de cadmium mais employait de grandes quantités de jaune de Naples. — La palette de Monet se composait de blanc de céruse, jaune de cadmium (clair, foncé et citron), jaune citron d'outremer, vermillon, violet de cobalt (clair), outremer superfin, vert émeraude. (Voir TABARANT: « Couleurs », *Bulletin de la vie artistique,* 15 juillet 1923.) Sur la palette de Monet, voir encore R. GIMPEL: « At Giverny with Claude Monet », *Art in America,* juin 1927. La palette de Pissarro était composée, d'après les notes privées de Louis Le Bail, des six couleurs de l'arc-en-ciel: blanc de céruse, jaune de chrome clair, vert Véronèse, bleu d'outremer ou de cobalt, laque de garance foncé et vermillon.

56. Voir W. PACH: « Renoir », *Scribner's Magazine,* 1912, reprod. dans *Queer Thing, Painting,* New York, 1938.

57. Lettre de Paul Durand-Ruel, décembre 1912; voir VENTURI: *Archives,* v. I, p. 107.

58. Voir A. ANDRÉ: *Renoir,* Paris, 1928, p. 42.

59. Voir C. BELL: *Since Cézanne,* Londres, 1922, p. 73.

60. Voir Renoir: Lettre à Mottez, publiée comme introduction au *Livre d'art* de Cennino CENNINI, Paris, s. d. [1911].

61. Renoir à Durand-Ruel, 30 septembre 1917; voir VENTURI : *Archives,* v. I, pp. 212-213.

62. « Les techniques varient, disait Monet à son ami Geffroy, l'art reste identique : c'est une transposition de la nature à la fois vigou- reuse et sensible. Mais les mouvements nouveaux, en pleine réaction contre ce qu'ils appellent « l'inconsistance de l'image impressionniste », nient tout cela afin de construire leurs théories et prêcher la solidité des volumes unifiés. » Voir GEFFROY, *op. cit.,* v. II, ch. XXXIII.

63. Monet à Charteris, 21 juin 1926; voir E. CHARTERIS : *John Sargent,* Londres, 1927, p. 131.

64. GAUGUIN : *Racontars d'un rapin,* septembre 1902, cité par DE ROTONCHAMP, *op. cit.,* p. 241.

65. Voir REWALD : *Le Post-Impressionnisme, de van Gogh à Gauguin,* Paris, 1961.

APPENDICE

Les cinq documents qui suivent ont été trouvés dans les papiers de Camille Pissarro et nous ont été communiqués par son fils, feu M. Rodo Pissarro.

I

SOCIÉTÉ DES ARTISTES PEINTRES, DESSINATEURS, GRAVEURS, ETC., DE PARIS*

[Annotation au crayon : *Monet, Porte St-Denis (Argenteuil.)*]

Article premier. — Les soussignés, tous artistes peintres, dessinateurs, graveurs, dans un sentiment de solidarité et d'indépendance, ont résolu aujourd'hui de former entre eux une société d'aide et de protection mutuelle qui aura pour titre distinctif l'art indépendant.

Art. II. — La société aura pour but d'organiser des expositions libres où chacun des membres pourra envoyer ses œuvres.

---

* Projet de statuts manuscrit, non daté. Ce projet précède sans aucun doute celui, beaucoup plus élaboré, qui suit sous nº II, ainsi que la charte adoptée de la fondation de la « Société Coopérative, etc., » qui est datée du 27 décembre 1873.

Art. II bis. [ajouté]. — L'assemblée générale des sociétaires devra se réunir au moins une fois l'an en décembre.

Art. III. — Les expositions auront lieu suivant les ressources pécuniaires de la société et suivant les dispositions prises en assemblée générale des sociétaires.

Art. IV. — L'Exposition devra avoir lieu au moins une fois l'an, à la même époque que l'exposition annuelle faite par l'État. Le droit d'entrée sera fixé à un franc tous les jours de la semaine. L'exposition sera publique le dimanche. Les sociétaires auront droit d'entrée. [annotation au crayon : *voir s'il faut renvoyer au règlement.*]

Art. IV bis [ajouté]. — Un droit sera prélevé sur chaque tableau vendu.

Art. V. — Les Tableaux devront être rangés suivant leur grandeur, les petits sur la Cimaise et les plus grands au-dessus. En aucun cas il n'y aura plus de deux rangées de tableaux.

Art. VI. — La société se réserve cependant le droit de limiter le nombre et la grandeur des tableaux suivant le local que ses ressources lui permettront de louer.

Art. VII. — Des délégués seront nommés en assemblée générale pour la direction générale de l'exposition et de l'administration.

Art. VIII. — Le nombre des délégués sera toujours égal au dixième des membres de la société.

Art. IX. — L'assemblée générale pourra, s'il devient nécessaire, prendre ses délégués en dehors de la société et les rétribuer.

Art. X. — Le nombre des sociétaires sera illimité. [annotation au crayon : *à étudier.*]

Art. XI. — Chaque membre devra verser la somme de soixante francs à partir du premier janvier de chaque année, qu'il pourra verser par 12e entre les mains du Trésorier.

Art. XII. — Le sociétaire ne pourra se retirer de la société qu'en prévenant. [Annotation au crayon : *1 ou 2 ans d'avance.*]

Art. XIII. — Tout sociétaire qui sera en retard de trois mois pour le paiement de sa cotisation perdra par le fait seul de ce retard tous ses droits, après avertissements pourra être poursuivi selon décision de l'assemblée générale. [Annotation au crayon : *à étudier.*]

Art. XIV. — Les fonds versés entre les mains du Trésorier devront être mis à la Caisse des Dépôts et Comptes Courants à partir de cent francs.

[*Art. XV* manque.]

Art. XVI. — En cas de décès les héritiers ou ayants droit du décédé seront responsables des sommes dues.

Art. XVII. — L'assemblée générale pourra prendre toutes décisions à la majorité des voix relatives aux questions d'administration et de réglementation, soit des expositions, soit à tout autre sujet, mais en tant qu'elle ne modifiera pas les principes posés dans le présent.

Art. XVIII. — La société pourra accepter des dons et legs à elle faits soit en argent, soit autrement.

II

SOCIÉTÉ DES ARTISTES PEINTRES, DESSINATEURS, SCULPTEURS, GRAVEURS*

Entre les Soussignés, 1.......2.......3.......4...... jusqu'à 20**, a été convenu ce qui suit :

Article premier. — Une Société coopérative à personnel et capital variables est formée entre les sus-nommés et tous les Artistes Peintres, Dessinateurs, Graveurs, Sculpteurs qui adhéreront aux présents Statuts.

Les adhésions des nouveaux sociétaires seront constatées par leur signature apposée sur un exemplaire des présents Statuts.

* Document manuscrit, non daté. Il s'agit peut-être du projet de règlements « hérissés de défenses et de pénalités » auquel s'opposa Renoir (voir p. 202).

** Parmi les papiers de Pissarro se trouve (datant apparemment de 1873-74) une liste manuscrite de vingt noms à laquelle plusieurs autres ont été ajoutés : (1) C. PISSARRO, 26, rue de l'Hermitage à Pontoise. (2) E. BELLIARD [*sic*], 69, rue de Douai à Paris. (3) C. MONET, à Argenteuil. (4) GUILLAUMIN, 13, quai d'Anjou à Paris. (5) RENOUAR [*sic*]. (6) SISLEY, route de la Princesse, Voisin. (7) CÉZANE [*sic*], rue Remy à Auvers-sur-Oise. (8) *manque* (9) DE MOLLINS [*sic*], route du Calvaire, St-Cloud. (10) ROSSE, sculpteur, 78, avenue de Breteuil. (11) LÉPINE. (12) LANCON, Auguste, 69, Boulevard St-Jacques. (13) ROUART, 34, rue de Lisbonne. (14) QUOST, Ernest, 5, rue des Rosiers. (15) VERNIER, 19, rue de Constantinople. (16) DEGAS, 77, rue Blanche. (17) METLING. (18) AUTHIER, Lubin, 350, rue St-Jacques. (19) MARGOTET, rue Clothaire 3 ou Lothaire, près le Panthéon. (20) ROBERT à Barbizon.

MATHOU, 10, place Dancourt. GILBERT, *do.*, Montmartre. RIOS DE LOS RIOS, 11, boulevard Montparnasse. Alphonse MASSON, 11 ou 17, avenue des Tilleuls à Montmartre. John Lewis BROWN, 64, Laroche-Foucauld. BRISSET, 19, rue du Delta. CHAPUIS, sculpteur, 116, rue d'Assas. GILL, 116, rue d'Assas. CORROENNE [?], 138, faubourg Poissonnière. FEYEN-PERRIN, 28, rue Mazarine. Mlle SANSON, 72, rue de Rivoli.

But de la Société.

Art. 2. — Le but de la Société est premièrement, d'organiser des expositions libres, sans Jury ni récompense honorifique, où chaque sociétaire pourra exposer ses œuvres.

Deuxièmement, de vendre lesdites œuvres.

Troisièmement, de publier un journal exclusivement relatif aux arts.

Art. 3. — Les expositions seront plus ou moins fréquentes, suivant les ressources pécuniaires de la Société.

Elles devront être votées par une assemblée générale.

Siège de la Société.

Art. 4. — Le Siège de la Société est établi provisoirement chez M......; il sera fixé par l'Assemblée Générale.

Durée de la Société.

Art. 5. — La durée de la Société est fixée à dix années. Elle pourra être prolongée par le vote d'une Assemblée Générale.

La Société ne sera pas dissoute par la mort, la retraite, ou l'incapacité d'aucun Sociétaire.

Fonds Social.

Art. 6. — Le Fonds Social est actuellement fixé à la somme de Douze cents francs, représentée par vingt Actions de soixante francs, souscrites immédiatement par les sus-nommés qui en ont versé le douzième entre les mains de M......., Caissier provisoire. Le Solde de l'Action sera versé par douzième de mois en mois.

Ce Fonds Social pourra être augmenté soit par l'adjonction de nouveaux Sociétaires qui devront chacun souscrire au moins une action de 60 francs, soit par toute donation qui pourra être faite à la Société.

De plus, chaque Sociétaire, après le paiement de son action [devra] verser chaque mois une somme de cinq francs dans la Caisse Sociale. Il lui sera délivré une action toutes les fois que ses versements mensuels auront atteint la Somme de Soixante Francs.

Toute somme de 100 francs devra être versée par le Trésorier à la Caisse de dépôts et Comptes Courants, ou toute autre maison de Banque indiquée par le Conseil d'Administration, où un Compte sera ouvert à la Société.

Art. 7. — L'Action ne pourra être cédée qu'à des sociétaires et avec l'autorisation du Conseil d'Administration.

Droits et Obligations des Sociétaires.

Art. 8. — Nul ne sera admis comme sociétaire qu'après une décision du Conseil d'Administration.

Art. 8 bis. — Les mineurs auront les mêmes droits et ne seront admis qu'avec la signature de leur tuteur ou père.

Le candidat refusé a le droit de connaître le motif du refus, de faire appel à l'Assemblée Générale et de s'y faire défendre par un des sociétaires. L'Assemblée, dans ce cas, statue au Scrutin secret.

Tout artiste, pour exposer, devra avoir versé une action complète, c'est-à-dire être au même niveau que ses co-associés comme paiement de l'année courante.

L'année part du premier Avril.

Art. 9. — L'Assemblée Générale peut, au scrutin secret et à la Majorité des deux tiers des voix des membres présents, décider qu'un sociétaire cessera de faire partie de la Société, après avoir toutefois entendu les explications de ce sociétaire.

Art. 10. — Tout sociétaire s'engage à payer sa cotisation jusqu'à sa démission, sous peine de poursuites. Tout associé a le droit de se retirer en prévenant trois mois avant la fin de l'année courante, c'est-à-dire au premier janvier.

Tout sociétaire qui cessera de payer pendant cinq mois sera poursuivi, s'il n'a pas fait valoir ses raisons en assemblée. [Annotation : *si la loi permet — à voir*; *revoir l'article de Dupont qui est seul dans la légalité*].

Art. 11. — Le Sociétaire, qui se retirera sera réputé démissionnaire.

Le Sociétaire qui sera expulsé ou qui cessera de faire partie de la Société pour une cause quelconque ne pourra retirer les Fonds par lui versés qu'à l'époque de la liquidation de la Société, et sans pouvoir réclamer aucun intérêt.

En cas de décès d'un sociétaire les héritiers représentants ne pourront exercer aucun recours en raison de leurs actions, et perdront [le] Capital versé, bénéfice et intérêts.

Art. 12. — Les Créanciers ou ayants droit d'un associé ne pourront saisir et faire vendre les actions et forcer ainsi la Société à avoir un co-intéressé qui n'aurait pas été admis conformément à l'art. 8.

Les Droits des créanciers se borneront à la saisie et arrêt des dividendes qui pourront revenir à leur débiteur selon les Statuts Sociaux et d'après les inventaires qui font loi pour les créanciers comme pour les sociétaires.

Administration de la Société.

Art. 13. — Jusqu'au jour de la première Assemblée Générale la Société sera provisoirement administrée par un Conseil composé de cinq, sept ou neuf membres.

Un Conseil provisoire de Surveillance sera composé de trois Sociétaires, MM.......; M....... est nommé trésorier provisoire.

En conséquence de ces nominations et par suite du versement du Douzième des Actions, la Société est définitivement constituée.

Art. 14. — L'Administration définitive sera composée d'un Conseil de quinze membres et renouvelé tous les six mois par tiers nommés chaque année en Assemblée Générale à la majorité des voix des membres présents. Ces administrateurs seront toujours révocables et rééligibles.

Ce Conseil représente la Société en justice.

Art. 15. — L'administration est contrôlée par un conseil de surveillance, composé de trois membres nommés chaque année par l'Assemblée Générale. Ce conseil est spécialement chargé de rendre compte de l'état de la Société.

256

Art. 16. — La première Assemblée Générale aura lieu incessamment et au plus tard dans les trois mois de la Signature du présent acte pour procéder à la nomination définitive des Membres du Conseil d'Administration et de Surveillance et du Trésorier.

Art. 17. — Les Assemblées Générales se réuniront tous les trois mois, le premier dimanche du mois. Chaque sociétaire est admis par la présentation de la quittance à lui délivrée par le Trésorier. Chaque associé n'a qu'une Voix. Nul ne peut se faire représenter.

Art. 18. — L'Assemblée Générale prend toutes les décisions relatives aux affaires de la Société, et notamment toutes celles relatives aux expositions ; elle arrête sur la proposition du Conseil d'Administration les règlements des expositions. Elle reçoit et arrête les Comptes annuels.

Art. 19. — Les produits sociaux se composent :

Premièrement, des droits d'Entrées aux Expositions.

Deuxièmement, des prélèvements opérés sur les ventes, ainsi qu'il est dit à l'art. 24.

Troisièmement, de toute autre recette quelconque.

Ces produits, après le prélèvement, seront partagés entre les Associés proportionnellement à leur mise. Toutefois, l'Assemblée Générale pourra décider chaque année qu'ils seront ajoutés au fonds social.

Base du Règlement relatif aux Expositions.

Art. 20. — Une exposition devra avoir lieu au moins une fois chaque année à l'Époque où aura lieu l'Exposition Officielle. L'Assemblée Générale pourra adjoindre au Conseil d'Administration des délégués pris dans le sein ou en dehors de la Société. Les Délégués étrangers à la Société pourront être rétribués.

Art. 21. — Le Conseil d'Administration et les délégués décideront du nombre et de la dimention [sic] des Tableaux ou tout autres objets d'Art à admettre à l'Exposition, suivant la grandeur du local que les ressources sociales permettront de louer.

Art. 22. — Les Tableaux devront être rangés suivant leur grandeur, les petits sur la cimaise, les plus grands au-dessus. Le tout par lettre alphabétique.

Il sera tiré au sort pour savoir par quelle lettre il faudra commencer.

En aucun cas il n'y aura plus de deux rangées de tableaux.

Le Catalogue devra mentionner le prix des tableaux à vendre.

Art. 23. — Les Droits d'Entrée et les jours d'entrée gratuite seront déterminés par l'Assemblée Générale. Les Associés auront droit d'entrer pour toute l'Exposition.

Art. 24. — Un droit de tant — au maximum de 10 % — voté par l'Assemblée Générale sera prélevé sur le prix de chaque tableau exposé qui sera vendu pendant la durée de l'Exposition.

Publicité.

Art. 25. — Deux copies du présent acte certifié par le président du Conseil d'Administration provisoire seront, dans le délai d'un mois, déposées : l'une au greffe du Tribunal de Commerce de la Seine, l'autre au greffe de la Justice de Paix du domicile social. Les extraits du présents acte seront publiés dans l'un des journaux désignés par les annonces légales.

Fait double à Paris, le..... dont un exemplaire pour le Conseil d'Administration et l'autre pour le Conseil de Surveillance.

III

EXPOSITION EN PARTICIPATION*

Entre les Soussignés,

Conformément aux Articles 47, 48, 49 et 50 du Code de Commerce, il est formé une Société en participation pour la réalisation d'une Exposition publique de peinture, sculpture, gravure et objets s'y rattachant, et la vente des objets exposés.

Elle prendra le nom d'*Exposition en participation.*

Cette Exposition sera faite à Paris dans un local qu'on trouvera disposé à cet effet ou dans une Baraque construite dans ce but. Elle aura lieu vers le 1er mars, pour durer un mois à six semaines.

Elle comprendra 300 œuvres d'art.

L'entrée pour le public sera de 1 franc.

Le placement des tableaux aura lieu par ordre alphabétique, les plus grands en dessus, sans qu'il puisse y avoir plus de deux rangées de tableaux.

Le Capital de l'Exposition en participation devant faire face aux dépenses nécessitées pour son objet, se composera de 150 parts de 60 francs chacune.

Chaque part donnera droit à l'exposition de deux objets d'art.

Nul ne pourra souscrire plus de trois parts.

Toutefois, dans le cas où d'ici au 15 Février la totalité des parts n'aurait pas été souscrite, les adhérents, à cette époque, auront le droit de souscrire chacun deux parts supplémentaires.

La répartition des parts est faite comme suit : *savoir:* MM. ....

L'exposition en participation ne sera définitivement constituée que quand toutes les parts auront été souscrites.

Le montant des parts sera versé entre les mains du Trésorier de la Participation au moment de la souscription.

L'Exposition en Participation sera administrée par un Gérant choisi ou non parmi les participants, auquel il sera alloué pour cet objet, une somme de... et un intérêt dont il sera ci-après parlé.

Ce Gérant ne pourra ordonnancer de dépenses que sous le contrôle de deux Commissaires nommés en réunion générale.

Il devra déposer les fonds entre les mains du Trésorier de la Participation, lequel sera nommé en Réunion Générale et pris parmi les participants :

Pour la Constitution de la Participation,

M. Martin est Gérant provisoire ;

MM. Renoir et Rouart, Commissaires ;

M......., Trésorier.

* Document polycopié, non daté.

Le placement des Tableaux se fera par le Gérant assisté d'une Commission composée de Cinq Membres nommés en Réunion générale.

Pour que la réunion générale soit valable, la moitié des Participants devra être présente ou représentée. Nul ne peut se faire représenter que par un Membre participant.

Les opérations de la Participation se feront au Comptant.

Les Recettes de la Participation se composeront : du droit d'entrée des visiteurs à l'Exposition, d'une prime de dix pour cent prélevée sur le prix des Tableaux vendus par les soins de la Participation, de la vente des Catalogues, Photographies ou autres objets.

La durée de la Participation est celle du temps nécessaire à sa constitution, à l'Exposition et à sa Liquidation.

Aussitôt l'Exposition terminée la Participation sera liquidée par les soins du Gérant et des Commissaires.

Le reliquat en Caisse se composant de l'excédent des Recettes quelconques sur les dépenses, sera partagé comme suit :

20 % seront donnés au Gérant ;

et les 80 % restants seront partagés entre les Participants au prorata du nombre de leurs parts.

Cette Liquidation se fera en soumettant les Comptes à une Réunion générale qui les approuvera et donnera décharge.

Si au quinze Mars prochain toutes les parts n'ont pas été souscrites, une Réunion des Souscripteurs décidera ce qu'il y aura lieu de faire.

S'adresser pour tous renseignements chez M. Martin, rue St-Georges n° 29.

Société Anonyme Coopérative à Capital variable

des Artistes Peintres, Sculpteurs, Graveurs &c.

Dépenses.

Fondation		
Exposition - Installation	Loges	244 50
	Estrade	2 020 .
	Escaliers	3 341 .
	Gaz & Gagew	983 70
	Imprimeur affiche	742 .
Service	Agents de ville	141 .
Frais Généraux	Appointements	1 080 15
	Frais divers	158 94
	Assurances	243 45
Frais exceptionnels	Droit des pauvres	317 46
		9 272 20

Recettes.

Actions 74/74	479 90	Reste du	581 55
74/75	7 55	,	1 905 55
Dons		81 55	
Avances		39 55	a valeur longue en balance
Entrées pour 2.006	3 510 .		
sous 504			
Billets		198 .	73
Catalogues		161 .	
Commissions		260 .	
Total des recettes		9 964 20	
Dépenses		9 272 20	
Différence		692 20	
plus le solde Maso (valeur en caise)	257		
Avoir en Caisse		949 20	restant à réaliser 2 339 50

Certifié conforme le présent Compte de Neuf mille quarante neuf francs vingt Centimes en Caisse
et de Deux mille trois cent cinquante neuf francs cinquante Centimes à réaliser.

Paris 27 . Mars 1874.

Le Trésorier

A. Ollin

Ce jourd'hui 29 . Mai 1874.

Vu et approuvé après vérification les Comptes ci-dessus

A Renoir   Latouche   E. Béliard.

Membre de la Commission de Contrôle.

	73/74　Actions　74/75				Avance	
	Sommes payées	Restant dû	Payé	Restant dû	Argent	
Attendu	61	,	25	60	,	100
Astruc	61	25		60	,	
Beaume		61	25	60	"	10
Beliard	61	"	25	10	50	
Bureau	61	25		60	"	
Brandon	61	25		60	"	
Boudin	61	25		60	"	
Cezanne	61	,	25	60	"	
Cals	61	25		60	"	
Colin	61	25		60	"	
Degas	61	,	25	10	50	50
Debras	61	25		10	50	
Guillaumain	61	,	25	60	"	
Latouche	61	25		10	50	"
Lepic	61	"	25	60	"	
Lepine	61	,	25	60	"	
Levert	61	25		60	"	100
Meyer	61	25		60	"	3
de Molins	61	25	10	50	"	
Monet	61	25		60	"	210
Milin Ouvrirage	61	25		60	"	
Mme Morizot	61	25		60	"	
de Nittis	60	25		60	"	
Ottin père	61	25		60	"	
Ottin fils	61	25	10	50	"	
Pissarro	61	,	25	10	50	520
Renoir	61	25		60	"	205
Rouart	61	25	10	50	"	1120
Robert	61	25	10	50	"	
Sisley	6	55	25	60	"	10
Metling	11	50	25	60	"	
Grandhomme			6	55	25	
Gilbert	6	55	25	60	"	
Joyen Perrin	6	55	25	60	"	
Guyot (dons)	61	25	20		"	
Totaux	**1801**	**25**	**281**	**25**	**96**	**1965 : 25**

Billets Soldés	Billets Dus	Commissions Soldés	Commissions Dus		Entrées jour	Entrées soir	Catalogues	
				avril				
				15	143	32		
				16	149	38	15	"
		15		17	143	45	11	"
	10			18	148	30	10	"
				19	149	12	7	"
				20	167	32	7	50
				21	104	18	9	"
				22	99	22	3	50
				23	119	20	5	50
				24	135	25	8	50
				25	109	16	7	50
				26	61	6	2	"
		25		27	137	12	4	50
				28	93	20	2	50
				29	123	19	6	50
				30	111	2	5	50
				Mai				
30		120		1	64	2	6	50
	20		80	2	49	11	4	"
				3	90	14	3	"
				4	68	11	2	50
8				5	86	8	2	50
	10	10	20	6	80	23	4	"
	13			7	65	19	5	"
	18			8	80	8	4	"
160				9	60	6	2	"
				10	77	11	9	"
			100	11	53	14	2	50
				12	71	7	3	"
				13	61	11	4	50
				14	58	2	"	50
				15	46	8	2	"
198	71	260	100		2996	514	160	

Société Anonyme Coopérative

des Artistes Peintres, Sculpteurs, Graveurs &c.

à Capital et Personnel variables.

9, Rue Vincent Compoint (18ᵉ Arrᵗ)

Procès-Verbal

de l'Assemblée Générale du 17 Décembre 1874.

tenue chez Mˢ Renoir, 35, rue St Georges

et convoquée par lettres en date du 10 du même mois.

————

La Séance est ouverte à 3 heures.

Sont présents MM. De Molins, Renoir, Cals, H. Rouart, Claude Monet, E. Degas, Latouche, P. Bureau, A. Sisley, L. Robert, A. Ottin, G. Colin, Béliard, L. Ottin.

MM. Pissarro en voyage et Brandon, malade, se font excuser.

Mˢ Renoir est nommé Président.

Le Procès-Verbal de la dernière Séance est lu et adopté.

Rapport du Trésorier. — Il constate que toutes

dettes extérieures payées, le passif de la Société s'élève encore à 3713 f. (argent avancé par les Sociétaires) quand il ne reste en Caisse que 277 f 99 c. Chaque Membre se trouverait donc redevable d'une somme de 184 f 50 c pour pouvoir solder ces dettes intérieures et reconstituer le fonds social.

Devant cet état de choses, la liquidation de la Société semble urgente. Elle est proposée, mise aux voix et adoptée à l'unanimité.

Il est décidé que les sommes versées par les Sociétaires pour la cotisation de seconde année leur seront rendues.

On procède à la nomination d'une Commission de Liquidation. Elle est composée de M. M. Bureau, Renoir et Sisley, chargés de faire les publications légales.

La Séance est levée à 5 h moins un quart.

Le Président du Jour.

Renoir.

	1874	1876	1877	1879	1880	1881	1882	1886
Astruc	****							
Attendu	****							
Béliard	****	****						
Bracquemond,	****	....	....	****	****			
Boudin	****							
Bracquemond, Mme	....	....	....	****	****	....	....	****
Brandon	****							
Bureau	****							
Caillebotte	....	****	****	****	****	....	****	
Cals	****	****	****	****	....	****		
Cassatt				****	****	****	....	****
Cézanne	****	....	****					
Colin	****							
Cordey			****					
Degas	****	****	****	****	****	****	....	****
Desboutin		****						
Debras	****							
Forain	....	....	....	****	****	****	....	****
François	....	****	****					
Gauguin	....	....	....	....	****	****	****	****
Guillaumin	****	....	****	....	****	****	****	****
Lamy	....	....	****					
Latouche	****							
Lebourg	....	....	....	****	****			
Legros	....	****						
Lepic	****	****						
Lépine	****							
Levert	****	****	****	....	****			
Maureau	....	....	****					
Meyer	****							
Millet, J.B.	....	****						
de Molins	****							
Monet	****	****	****	****	....	....	****	
Morisot	****	****	****	....	****	****	****	****
Mulot-Durivage	****							
de Nittis	****							
Ottin, A.	****							
Ottin, L.-A.	****	****						
Piette	....	....	****	****				
Pissarro, C.	****	****	****	****	****	****	****	****
Pissarro, L.	....	....	....	....	....	....	....	****
Raffaëlli	....	....	....	....	****	****		
Redon	....	....	....	....	....	....		****
Renoir	****	****	****	....	....	....	****	
Robert	****							
Rouart	****	****	****	****	****	****	....	****
Schuffenecker	....	....	....	....	....	....		****
Seurat	....	....	....	....	....	....		****
Signac	....	....	....	....	....	....		****
Sisley	****	****	****	....	....	....	****	
Somm	....	....	....	****				
Tillot	....	****	****	****	****	****	....	****
Vidal	....	....	....	....	****	****		
Vignon	....	....	....	....	****	****	****	****
Zandomeneghi	....	....	....	****	****	****	....	****

BIBLIOGRAPHIE

Cette bibliographie est conçue comme un guide. Alors que la plupart des bibliographies savantes et plus ou moins complètes accordent une place égale à l'important et au secondaire, au bon et au mauvais, nous avons essayé ici de nous limiter aux principales publications et à indiquer en même temps au lecteur ce qu'il pouvait en attendre.

La section consacrée aux études sur l'impressionnisme en général est organisée de façon chronologique, de telle manière que le lecteur puisse suivre, à la lumière de nos commentaires, à la fois l'évolution des jugements portés sur l'impressionnisme et le développement des études consacrées au mouvement.

Les sections consacrées à chaque artiste (Bazille, Caillebotte, Cassatt, Cézanne, Degas, Gauguin, Manet, Monet, Morisot, Pissarro, Renoir et Sisley) sont, pour des raisons pratiques, divisées comme suit : Catalogues de l'Œuvre; Écrits de l'Artiste; Témoignages contemporains; Biographies; Études de style; Reproductions; et parfois Catalogues d'Expositions. A l'intérieur de chaque subdivision, l'ordre est chronologique. Comme certaines publications peuvent être citées dans plusieurs rubriques, toutes sont numérotées et les numéros sont répétés à chaque fois qu'il y a lieu.

Les commentaires essaient surtout de déterminer la confiance que l'on peut faire à l'ouvrage en question et mettent l'accent sur la documentation de première main. Les bibliographies, les index, le choix des illustrations et la qualité des reproductions, etc., sont signalées.

Parmi les articles de revues et de périodiques, nous ne citons que ceux qui contiennent des éléments importants, des documents nouveaux, etc. Parmi les livres, même ceux qui paraissent sans grande importance sont cités s'ils ont atteint un large public ou connu un succès non mérité.

Comme nous n'avons pas la prétention d'être complet, nous n'avons pas indiqué dans la bibliographie toutes les publications que nous avons utilisées ou citées. Le lecteur trouvera d'abondantes références à des publications plus nombreuses dans les notes qui suivent chaque chapitre.

BIBLIOGRAPHIE GÉNÉRALE

1 ZOLA, É. : *Mon Salon* (1866) repris dans *Mes Haines*, Paris, 1866, 1879, 1926; *Une nouvelle manière en peinture - Édouard Manet* (1867); *Nos peintres au Champ-de-Mars* (1867); *Mon Salon* (1868). Tous ces articles sont reproduits dans É. Zola - *Salons, recueillis, annotés et présentés par F. W. J. Hemmings et Robert J. Niess*, Genève-Paris, 1959. Ce volume contient une excellente étude sur la critique d'art de Zola par Hemmings et des réimpressions des écrits postérieurs de Zola, notamment ses études pour le périodique russe, *Le Messager de l'Europe*, qu'on ne trouve nulle part ailleurs : « Une exposition de tableaux à Paris (1875) »; « Deux expositions d'art au mois de mai (1876) »; « L'école française de peinture à l'exposition de 1878 (1878) »; « Nouvelles artistiques et littéraires (1879) ». Mais ce sont les premiers écrits de Zola qui ont contribué de façon importante à la naissance du groupe impressionniste. Voir aussi bibl. 11 et 40. Sur le goût et la collection de Zola, voir : J. Adhémar : *Le cabinet de travail de Zola* dans *Gazette des Beaux-Arts*, nov. 1960.

2 LEROY, L. : *L'Exposition des Impressionnistes*, dans *Le Charivari*, 25 avril 1874. Longuement cité, vol. I, pp. 364-371 du présent ouvrage. Cet article, où les peintres sont pour la première fois appelés « impressionnistes », représente d'une manière caractéristique les innombrables attaques publiées dans les journaux français lors des différentes expositions du groupe.

3 DURANTY, E. : *La Nouvelle Peinture. A propos du groupe d'artistes qui expose dans les Galeries Durand-Ruel*, Paris, 1876. Longuement cité et discuté vol. II, pp. 39-43. La première publication consacrée au groupe impressionniste, bien que le terme « impressionnisme » soit soigneusement évité. Nouvelle édition avec appendice et notes par M. Guérin, Paris, 1946. Voir aussi O. Reuterswaerd : *An Unintentional Exegete of Impressionism. Some observations on Edmond Duranty and his « La nouvelle peinture »*, Konsthistorisk Tidskrift, IV, 1949, Stockholm. Sur Duranty voir également : L. E. Tabary : *Duranty, étude biographique et critique*, Paris, 1954 (cette étude concerne surtout Duranty romancier).

4 JAMES, H. : *Parisian Festivity* dans *New York Tribune*, 13 mai 1876; repris dans James : *The Painter's Eye*, présenté par J. L. Sweeney. New York, 1956.

5   RIVIÈRE, G. (rédacteur) : *L'Impressionniste, journal d'art*, 5 numéros parus du 6 au 28 avril 1877 à l'occasion de la troisième exposition du groupe, publiés avec l'aide et la collaboration de Renoir. Pour extraits voir L. Venturi : *Les Archives de l'Impressionnisme*, Paris, 1939, v. II, pp. 305-329.

6   RIVIÈRE, G. : *Les Intransigeants et les Impressionnistes — Souvenir du Salon libre de 1877* dans *L'Artiste*, 1er novembre 1877. A la demande du rédacteur, cet article ne mentionne ni Cézanne ni Pissarro.

7   DURET, T. : *Les Peintres impressionnistes*, Paris, 1878. Cette brochure est reproduite dans l'ouvrage du même auteur : *Critique d'avant-garde*, Paris, 1885, et dans : *Peintres impressionnistes*, Paris, 1923. Courte étude générale accompagnée de notices biographiques sur Monet, Sisley, Pissarro, Renoir et Berthe Morisot. Premier effort sérieux pour expliquer l'impressionnisme et mettre en valeur ses principaux représentants. Voir vol. II, pp. 80-83 du présent ouvrage. Voir aussi 17 et 62.

8   CLEMENT, C. E. et HUTTON, L. : *Artists of the Nineteenth Century and their Works. A handbook*, Boston-New York, 1879. Ce livre ne mentionne aucun peintre moderne à l'exception de Manet. Il est utile cependant pour l'étude des peintres qui étaient célèbres au moment où les impressionnistes débutèrent.

8a HÉBERT, H. : *Physionomie d'un Atelier libre à Paris* dans *Revue illustrée du Cercle des Beaux-Arts*, Genève, I, nº 1-4 [1879], sur l'Atelier Suisse.

9   MARTELLI, D. : *Gli Impressionisti. Lettura data al circolo filologico di Livorno*, Florence, 1880. Conférence donnée par un ami de Degas et de Pissarro; analyse intelligente de l'art nouveau que Martelli avait étudié à Paris en 1878-1879 (où Degas avait fait son portrait). Voir aussi l'édition des écrits de Martelli, en partie inédits : *Scritti d'Arte di Diego Martelli* (présentés par A. Boschetto), Florence, 1952.

10 BURTY, P. : *Grave Imprudence*, Paris, 1880. Roman; histoire sentimentale d'un peintre ayant des traits communs avec Monet, Renoir et Manet. L'auteur raconte les débuts de l'impressionnisme, décrit les réunions de café et introduit dans son récit un critique dans lequel il se peint lui-même. Pour des extraits voir 136, v. II, p. 293.

11 ZOLA, É. : *Le Naturalisme au Salon* dans *Voltaire*, 18, 19, 22 juin 1880. Repris dans 1.

12 DURANTY, E. : *Le Pays des Arts*, publication posthume, Paris, 1881. Quatre nouvelles parmi lesquelles « Le peintre Louis Martin » présente les opinions de l'auteur sur l'art, ses souvenirs du Salon des Refusés, de Manet, Degas, Fantin, et un portrait assez injurieux de Cézanne, sous le nom de Maillobert. (Sur ce dernier voir J. Rewald : *Cézanne, sa vie, son œuvre, son amitié pour Zola*. Paris, 1939, pp. 261-263.)

13 BRANDES, G. : *Japanesik og impressionist Kunst*, 30 oct. 1882; repris dans Brandes : *Berlin som tysk Rigshovestad*, Copenhague, 1885.

14 WEDMORE, F. : *The Impressionists* dans *Fortnightly Review*, janvier 1883. Compte rendu d'exposition.

15 LAFORGUE, J. : *Compte rendu d'une Exposition impressionniste à Berlin*, 1883. Repris dans 54.

16 HUYSMANS, J.-K. : *L'Art moderne*, Paris, 1883. Réédition d'articles sur les Salons de 1879 à 1881 et sur les expositions impressionnistes de 1880 à 1882. D'abord plutôt hostile au groupe, partageant les préjugés de son ami Zola, Huysmans en devient le défenseur convaincu parce que — selon lui — les peintres ont triomphé de leurs erreurs, alors qu'en réalité c'est lui qui, petit à petit, apprend à mieux saisir leurs buts. Sur Huysmans critique d'art, voir : H. Trudgian : *L'Esthétique de J.-K. Huysmans*, Paris, 1934 (avec une liste complète de ses œuvres et une bibliographie) et J. Rewald : *Le Post-Impressionnisme, de van Gogh à Gauguin*, Paris, 1961.

17 DURET, T. : *Critique d'avant-garde*, Paris, 1885. Réédition d'un compte rendu du Salon de 1870, de la brochure de 1878 sur les impressionnistes et d'études sur Monet, Renoir, Manet, les estampes japonaises, etc., écrites principalement comme avant-propos à des catalogues d'expositions.

18 FÉNÉON, F. : *Les Impressionnistes en 1886*, Paris, 1886. Compte rendu de la dernière exposition du groupe, insistant particulièrement sur l'art et les théories de Seurat. Le premier, Fénéon prend note des tendances divergentes qui distinguent en 1886 les divers impressionnistes. Réimprimé dans Fénéon : Œuvres, avec introduction de J. Paulhan, Paris, 1948. (Cette édition n'est pas complète et omet notamment plusieurs des plus importants écrits de Fénéon sur le néo-impressionnisme.) Sur Fénéon voir J. Rewald : *Le Post-Impressionnisme, de van Gogh à Gauguin*, Paris 1961.

19 NATIONAL ACADEMY OF DESIGN : *Special Exhibition : « Works in oil and Pastel by the Impressionists of Paris »*, New York, 1886. Cat. de l'exposition historique organisée par Durand-Ruel, avec citations d'écrits de Duret, Pellet, Georget, Burty, Mirbeau, Geffroy et d'articles parus dans *Le Temps* et *The Evening Standard*. Voir aussi H. Huth : *Impressionism comes to America* dans *Gazette des Beaux-Arts*, avril 1946. Voir également vol. II, p. 191, note 4 du présent ouvrage.

20 SABBRIN, C. : *Science and Philosophy in Art*, Philadelphie, 1886. Compte rendu de l'exposition impressionniste de New York, consacré surtout à Monet dont les tableaux sont analysés en détail et définis comme étant « la plus récente expression artistique de la pensée scientifique et philosophique ».

21 ZOLA, É. : *L'Œuvre*, Paris, 1886. Roman rempli de détails autobiographiques; le héros est un peintre qui emprunte quantité de traits à Manet et à Cézanne. Sur ce livre et les notes préparatoires de Zola voir J. Rewald : *Cézanne, sa vie, son œuvre, son amitié pour Zola*, Paris, 1939, ch. XIX et XX. Voir aussi l'édition de 1928 avec notes et commentaires de M. Le Blond. Voir encore :

Petersen, C.V. : *Omkring Zola's « Mestervaerket », Afhandlinger og Artikler om Kunst*, Copenhague, 1939; Niess, R.J. : *Another View of Zola's « L'Œuvre »*, dans *Romanic Review*, New York, 1948; Robert, G. : *Émile Zola, principes et caractères généraux de son œuvre*, Paris, 1952.

22 MOORE, G. : *Confessions of a Young Man*, Londres, 1888. Cet ouvrage, ainsi que les autres écrits du même auteur, offre des aperçus sur les impressionnistes parmi lesquels il a surtout connu Manet et Degas. Ce livre — paru aussi en français dès 1888 — contient une description caricaturale de la dernière exposition de 1886. Sur la « compétence » de Moore voir D. Cooper : *George Moore and Modern Art* dans *Horizon*, février 1945. Voir aussi 25, 34 et 64.

23 STRANAHAN, C.H. : *A History of French Painting from its earliest to its latest practice, including an account of the French Academy of Painting, its Salons, Schools of Instruction and Regulations*, New York, 1888. Le chapitre VII, section XI est consacré aux « Impressionnistes », traite de Manet, Bastien-Lepage, Duez, etc. et ne manifeste aucune compréhension pour les véritables impressionnistes. Il s'agit cependant d'une des premières histoires d'ensemble de l'art français qui leur accorde au moins un court passage.

24 LEMONNIER, C. : *Les Peintres de la Vie*, Paris, 1888. Bref développement sur les Impressionnistes.

25 MOORE, G. : *Impressions and Opinions*, Londres-New York, 1891. Contient un chap. important sur Degas.

26 *L'Art dans les deux Mondes*, périodique publié par Durand-Ruel de novembre 1890 à mai 1891. Les différents numéros contiennent des articles importants de Wyzewa sur Renoir, Berthe Morisot, Seurat; de Geffroy sur Degas; de Lecomte sur Sisley; de Mirbeau sur Pissarro et Monet, etc. (Les articles de Wyzewa sur Berthe Morisot et Renoir ont été réimprimés — revisés et augmentés — dans 53.)

27 WYZEWA et PERREAU : *Les Grands Peintres de la France*, Paris, 1891.

28 HAMERTON, P.G. : « *The Present State of the Fine Arts in France » (IV. Impressionism)* dans *The Portfolio*, 1891. Bien que l'auteur ait approché plusieurs peintres et leur ait demandé des explications et des illustrations, son étude reflète les préjugés de l'époque. Il reproche aux impressionnistes « la négligence des détails, le manque de dessin, l'indifférence au charme de la composition ».

29 WAERN, C. : « *Notes on French Impressionists* » dans *Atlantic Monthly*, avril 1892. Étude très bienveillante, se terminant sur une description vivante d'une visite à la boutique du père Tanguy.

30 SILVESTRE, A. : *Au Pays des Souvenirs*, Paris, 1892. Le chap. sur le Café Guerbois contient des portraits de Manet, Zola, Desboutins, Duranty, Degas, Fantin-Latour, etc. Voir vol. I, pp. 247-254 du présent ouvrage.

31 LECOMTE, G. : *L'Art impressionniste d'après la collection privée de M. Durand-Ruel*, Paris, 1892. Écrit à l'époque où les impressionnistes commençaient lentement à être reconnus, cet ouvrage mêle à de courts portraits des peintres des descriptions plutôt lyriques de leurs œuvres principales; il ne contient guère de renseignements biographiques et présente surtout une appréciation dithyrambique de l'impressionnisme. Illustré d'eaux-fortes d'après des œuvres de Degas, Monet, Manet, Renoir, Pissarro, etc.

32 AURIER, G. A. : *Œuvres posthumes*, Paris, 1893. Quelques écrits sur l'art par un auteur symboliste, admirateur fervent de van Gogh et Gauguin. Sur Aurier, voir J. Rewald : *Le Post-Impressionnisme, de van Gogh à Gauguin*, Paris, 1961.

33 GEFFROY, G. : *L'Impressionnisme* dans *Revue encyclopédique*, 15 décembre 1893.

34 MOORE, G. : *Modern Painting*, Londres-New York, 1893. Contient une étude sur « Monet, Sisley, Pissarro et la décadence », des remarques curieuses et erronées sur Renoir et une discussion amusante sur Degas.

35 GEFFROY, G. : *Histoire de l'Impressionnisme* dans *La Vie artistique*, IIIᵉ série, Paris, 1894. Une étude sur l'évolution de l'impressionnisme suivie de chapitres sur les artistes individuels. Cette première histoire du mouvement fut écrite principalement — comme le livre de Lecomte — pour défendre les peintres, à une époque où il était encore nécessaire de convaincre les lecteurs de l'honnêteté de leurs intentions et de leurs efforts scrupuleux. Bien que l'auteur connût la plupart des impressionnistes intimement, il évite de parler de leurs personnalités, insistant au contraire sur l'élément commun de leurs recherches et sur la manière logique dont ils ont développé l'héritage du passé. Cet ouvrage est intéressant comme document historique, mais ne contient pas de renseignements ne se trouvant pas dans des publications plus récentes. Index.

36 GARLAND, H. : *Crumbling Idols*, Chicago-Cambridge, 1894. Un court chap. sur l'impressionnisme présente ce qui est sans doute la première défense totale du mouvement écrite en anglais. L'auteur compare les peintres à des « musiciens accomplis; l'exécution du morceau est rapide, mais elle a nécessité beaucoup d'études et une longue pratique ».

37 NITTIS, J. DE : *Notes et Souvenirs*, Paris, 1895. Sans grand intérêt. Contient des notes sur Manet et Degas (désigné simplement comme D.) que l'auteur connaissait bien tous deux, et sur Caillebotte, Duranty et la première exposition du groupe, à laquelle l'auteur avait participé.

38 MICHEL, A. : *Notes sur l'Art moderne*, Paris, 1896.

39 MUTHER, R. : *The History of Modern Painting*, Londres, 1896, 3 vol. Le chap. sur l'impressionnisme dans le 2ᵉ vol., fondé sur une connaissance très imparfaite des faits, a perdu tout intérêt aujourd'hui.

40 ZOLA, É. : *Peinture* dans *Le Figaro*, 2 mai 1896. Le dernier article sur
l'art par Zola qui s'y montre fort déçu par le mouvement impressionniste. Longuement cité dans J. Rewald : *Cézanne, sa vie, son
œuvre, son amitié pour Zola*, Paris, 1939, pp. 354-361.

41 SÉAILLES, G. : *L'Impressionnisme* dans *Almanach du Bibliophile pour
l'année 1898*, Paris, 1898.

42 BRICON, E. : *L'Art impressionniste au musée du Luxembourg* dans *La
Nouvelle Revue*, 15 septembre 1898. Étude favorable sur le legs
Caillebotte, concernant surtout Manet, Monet, Degas et Renoir.
Voir aussi vol. II, p. 248 note 32 et bibl. 219.

43 SIGNAC, P. : *D'Eugène Delacroix au Néo-Impressionnisme*, Paris,
1899. Démonstration tendant à prouver que le développement de
l'art depuis Delacroix — en passant par l'impressionnisme —
devait logiquement aboutir au néo-impressionnisme, écrit par le
principal promoteur de ce mouvement.

44 THIBAULT-SISSON : *Une Histoire de l'Impressionnisme* dans *Le Temps*,
17 avril 1899.

45 SUCCESSION DE MADAME VEUVE CHOCQUET : *Tableaux modernes*,
Galeries Petit, Paris, 1, 3 et 4 juillet 1899. Cat. ill. de la coll.
Chocquet avec introduction par L. Roger-Milès.

46 BRIDGMANN, F. A. : *Enquête sur l'Impressionnisme* dans *La Revue
Impressionniste*, Marseille-Paris, 1900.

47 GEFFROY, G. : *La Peinture en France de 1850 à 1900*, Paris, s.d.
[1900].

48 MELLERIO, A. : *L'Exposition de 1900 et l'Impressionnisme*, Paris, 1900.
Petite brochure consacrée à la défense du mouvement impressionniste; méthodique; documentation bien établie. La biblio. énumère
de nombreux articles anciens et contient une liste des expositions
de Monet, Pissarro, Renoir, Degas, Cézanne, Sisley, Morisot,
Guillaumin, Boudin, Caillebotte, Cassatt et Zandomeneghi.
C'est apparemment la première biblio. de ce genre.

49 LECOMTE, G. : *Catal. de la coll. E. Blot*, Paris, mai 1900.

50 MACCOLL, D. S. : *Nineteeth Century Art*, Glasgow, 1902.

51 MAUCLAIR, C. : *Les Précurseurs de l'Impressionnisme* dans *La Nouvelle
Revue*, 1902. Consacrée surtout à Monticelli, sans mentionner
toutefois son amitié pour Cézanne.

52 MEIER-GRAEFE, J. : *Manet und sein Kreis*, Berlin, 1902. Le premier
livre sur le sujet par un auteur dont les nombreux écrits pleins
d'enthousiasme pour l'impressionnisme ont beaucoup contribué
à en répandre la connaissance en Allemagne et ailleurs. Ce petit
livre ill. contient des chap. sur Manet, Monet, Pissarro, Cézanne
et Renoir.

53 WYZÉWA, T. (DE) : *Peintres de Jadis et d'Aujourd'hui*, Paris, 1903.
Chap. sur Morisot et Monet.

54 LAFORGUE, J. : *Mélanges posthumes*, Paris, 1903 (Œuvres complètes,
v. III). Contient un chap. sur l'impressionnisme, une excellente
« explication physiologique et esthétique de la formule impressionniste », écrit à l'occasion d'une exposition impressionniste
chez Gurlitt à Berlin en 1883. Voir auss M. Dufour : *Une

Philosophie de l'Impressionnisme, Étude sur l'Esthétique de Jules Laforgue, Paris, 1904, et F. Fisca : *Jules Laforgue et la Gazette des Beaux-Arts* dans *Gazette des Beaux-Arts*, février 1961.

55 MAUCLAIR, C. : *The French Impressionists*, Londres, 1903. Premier ouvrage sur le sujet traduit en anglais; la version originale parut à Paris en 1904 sous le titre : *L'Impressionnisme, son Histoire, son Esthétique, ses Maîtres*. Ce livre a incontestablement contribué d'une manière importante à l'appréciation de l'impressionnisme. Son auteur, pourtant, n'était pas précisément désigné pour être le champion du mouvement. Comme critique d'art du *Mercure de France* il avait publié de nombreux articles prétentieux et insolents, attaquant tous les grands peintres contemporains. Il voyait dans le néo-impressionnisme une « amusette technique », parlait de « l'art colonial et vulgaire » de Gauguin, du « gangstérisme » de Lautrec, déversait son mépris sur Cézanne et traitait Pissarro avec dédain. En même temps il admirait Böcklin, Hodler, Carrière, etc. Mais lorsque les peintres qu'il avait calomniés furent enfin appréciés — après leur mort — Mauclair ne se fit pas scrupule de joindre sa voix à l'expression générale d'admiration et de se faire l'exégète de l'impressionnisme. Il faut reconnaître, cependant, qu'il resta au moins fidèle à ses opinions concernant Cézanne qu'il n'a jamais cessé de considérer comme un pauvre peintre de province, frappé d'impuissance et cherchant à réaliser une œuvre bien au-delà de ses dons médiocres (Voir aussi 51, 85, 97).

L'ouvrage de Mauclair présente de courts chap. sur l'histoire et les théories de l'impressionnisme, suivis d'études sur Manet, Monet, Degas, Renoir et d'un chap. intitulé : « Les impressionnistes mineurs, Pissarro, Sisley, Cézanne, Morisot, Cassatt, Caillebotte, Lebourg, Boudin ». Viennent ensuite des chap. sur les illustrateurs modernes (où Raffaelli est préféré à Lautrec), sur le néo-impressionnisme (comprenant non seulement Seurat et Signac, mais aussi M. Denis, Vuillard, Bonnard, Gauguin, etc.) et un dernier chap. sur les mérites et les « défauts » de l'impressionnisme.

56 MEIER-GRAEFE, J. : *Der Moderne Impressionismus*, Berlin, s.d. [1903-1904]. Consacré à Lautrec, Gauguin, aux estampes japonaises et au néo-impressionnisme.

57 DEWHURST, W. : *Impressionist Painting, its Genesis and Development*, Londres, 1904. Ouvrage animé de bonnes intentions, écrit par un peintre qui a connu et admiré Monet et a correspondu avec Pissarro. N'étant ni historien ni écrivain, l'auteur est extrêmement peu sûr des faits et des dates et ne montre aucun sens de la succession des événements. Quoique peintre, il ne donne guère non plus de renseignements d'ordre technique. Se rapprochant de Mauclair dans ses jugements, il place Cézanne sur le même plan que Boudin et Jongkind. Incapable apparemment de distinguer entre initiateurs et disciples, Dewhurst comprend dans son livre

des artistes qui ont très peu ou même rien à voir avec l'impressionnisme. Excellentes ill. en blanc et noir et en couleurs.

58 MEIER-GRAEFE, J. : *Entwickelungsgeschichte der modernen Kunst*, 3 vol. Stuttgart, 1904 (2e édition augmentée, Munich, 1927; traduction anglaise, New York, 1908). La première histoire générale de l'art moderne, largement conçue et accordant une place prépondérante à chaque impressionniste en particulier. Profusément ill., index.

58a SIZERANNE, R. DE LA : *Les Questions esthétiques contemporaines*, Paris, 1904, chap. II : « Le bilan de l'impressionnisme. »

59 BURNE-JONES, P. : *The Experiment of Impressionism* dans *Nineteenth Century and After*, mars 1905. Une diatribe contre l'impressionnisme par un protagoniste du mouvement préraphaélite.

60 NICHOLSON, A. : *The Luminist* dans *Nineteenth Century and After*, avril 1905. Une défense modérée de l'impressionnisme contre l'attaque de Burne-Jones.

61 LANOÉ, G. : *Histoire de l'École française du Paysage, depuis Chintreuil jusqu'à 1900*, Nantes, 1905.

62 DURET, T. : *Histoire des Peintres impressionnistes*, Paris, 1906. La brochure de 1878 considérablement augmentée. Cet ouvrage ne présente pas une histoire de mouvement, mais une série de chap. consacrés à Pissarro, Monet, Sisley, Renoir, Morisot, Cézanne et Guillaumin. Bien que ce livre — longtemps classique — contienne des renseignements biographiques et des souvenirs personnels, il paraît aujourd'hui assez décevant, d'autant plus que l'auteur, ami intime des impressionnistes dès avant 1870, semblait tout désigné pour donner un rapport complet et définitif sur le mouvement. Quoique « témoin » par excellence de « l'époque héroïque » de l'impressionnisme, Duret n'a su tracer ni des portraits vivants de ses amis peintres, ni faire usage des nombreuses lettres qu'il en avait reçues. D'après Tabarant (*Autour de Manet* dans *L'Art Vivant*, 15 août 1928), qui fut le premier à publier de nombreux documents ayant appartenu à Duret, celui-ci ne savait pas utiliser les renseignements à sa disposition, pas plus qu'il ne savait estimer à leur juste valeur faits ou documents originaux. Biblio. insuffisante, ill., pas d'index.

63 FONTAINAS, A. : *Histoire de la Peinture française au XIXe siècle*, Paris, 1906. Excellente étude sur les impressionnistes et leurs précurseurs, suivie d'un chap. instructif sur l'art officiel à la même époque. Nouvelle édition augmentée — couvrant la période 1901 à 1920, Paris, 1922.

64 MOORE, G. : *Reminiscences of the Impressionist Painters*, Dublin, 1906. Conférence basée sur les « Confessions » du même auteur (voir 22), avec des souvenirs additionnels sur Renoir, Pissarro, Cézanne et Cassatt. Plus tard incorporée dans Moore : *Vale*. Londres, 1914.

65 HEVESI, L. : *Acht Jahre Secession*, Vienne, 1906. Chap. sur les impressionnistes et leurs envois à la Sécession de Vienne en 1903.

66 MEIER-GRAEFE, J. : *Impressionisten*, Munich-Leipzig, 1906. Chap. sur Guys, Manet, van Gogh, Pissarro et Cézanne. III., pas d'index.

67 PICA, V. : *Gl'Impressionisti francesi*, Bergame, 1908. Une étude importante, bien que tant soit peu confuse et pas trop bien informée, accompagnée d'ill. nombreuses et très bien choisies.

68 HAMANN, R. : *Der Impressionismus in Leben und Kunst*, Marbourg, 1908. Traité philosophique plutôt qu'historique sur l'impressionnisme en peinture, sculpture, musique, poésie et dans la pensée abstraite, insistant particulièrement sur ses expressions littéraires. L'auteur voit dans le néo-impressionnisme la réalisation la plus caractéristique du mouvement impressionniste. Ni ill., ni index.

69 MEIER-GRAEFE, J. : *Ueber Impressionismus* dans *Die Kunst für Alle*, 1er janvier 1910.

70 HOLL, J. C. : *Après l'impressionnisme*, Paris, 1910. Malgré le titre, cette brochure concerne plutôt les impressionnistes que leurs successeurs.

71 HUNEKER, J. : *Promenades of an Impressionist*, New York, 1910. Chap. sur Cézanne, Degas, Monet, Renoir, Manet, Gauguin, etc. Ni ill., ni index.

72 WEISBACH W. : *Impressionismus. Ein Problem der Malerei in der Antike und Neuzeit*, 2 vol., Berlin, 1910-1911. Le second vol. contient une étude sélective de l'art d'Extrême-Orient et de l'impressionnisme français avec quelques petites planches en couleurs d'œuvres peu connues et de nombreuses ill. en noir et blanc.

73 KOEHLER, E. : *Edmond und Jules de Goncourt, die Begründer des Impressionismus*, Leipzig, 1911. Étude sur les Goncourt comme écrivains, critiques d'art et artistes, avec une longue biblio. sur l'impressionnisme littéraire et artistique.

74 DEWHURST, W. : *What is Impressionism?* dans *Contemporar Review*, 1911. Retrace rapidement « les analogies extraordinaires entre les théories de Ruskin et l'impressionnisme ». Voir aussi 57.

75 PHILLIPS, D. C. : *What is Impressionism?* dans *Art and Progress*, septembre 1912.

76 DENIS, M. : *Théories, 1890-1910. Du Symbolisme et de Gauguin vers un nouvel ordre classique*, Paris, 1912. Collection de nombreux articles, dont quelques-uns consacrés à Gauguin et à Cézanne que l'auteur avait connus. Document important sur les conceptions de la génération post-impressionniste dont l'auteur fut le porte-parole le plus important parmi les peintres. Voir aussi 94 et M. Denis : *Journal (1884-1943)*, 3 vol., Paris, 1957-1959.

77 COELLEN, L. : *Die neue Malerei*, Munich, 1912. Chap. sur l'impressionnisme.

78 RAPHAEL, M. : *Von Monet zu Picasso*, Munich-Leipzig, 1913. Contient une longue étude sur l'esprit créateur en général et un chap. intéressant sur l'impressionnisme, consacré surtout à Monet et Rodin. L'impressionnisme est défini comme une « réaction plutôt qu'une action », à cause de sa soumission aux perceptions immédiates. 30 ill., ni biblio., ni index.

79 BORGMEYER, C. L. : *The Master Impressionists*, Chicago, 1913. Cet ouvrage, la première étude importante publiée en Amérique sur ce sujet, contenant 234 ill., souvent bien choisies, est tout à fait suranné. Les appréciations critiques de l'auteur manquent d'intérêt et ses informations sont souvent erronées. Les ill. sont groupées sans aucun ordre; elles comprennent non seulement des œuvres des impressionnistes, mais aussi de Carolus-Duran, Bastien-Lepage, de Nittis, Raffaelli, de nombreux épigones et même de Matisse.

80 HAUSENSTEIN, W. : *Die bildende Kunst der Gegenwart*, Stuttgart-Berlin, 1914. Chap. sur les impressionnistes français, le néo-impressionnisme, Cézanne, van Gogh et Gauguin.

81 WRIGHT, W. H. : *Modern Painting, its Tendency and Meaning*, Londres-New York, 1915. Le premier ouvrage en anglais étudiant l'impressionnisme avec érudition, démontrant qu'il ne représentait pas une rupture avec le passé et qu'il n'est pas basé sur des données scientifiques, comme on l'a si souvent prétendu. Ill., index, pas de biblio.

82 GRAUTOFF, O. : *Die Auflosung der Einzelform durch den Impressionismus* dans *Der Cicerone*, 1919.

83 BLANCHE, J. E. : *Propos de Peintre, de David à Degas*, Paris, 1919. Contient trois chap. importants de souvenirs sur Manet, Renoir, Degas. Ni ill., ni index.

84 FÉNÉON, F. (présenté par) : *L'Art moderne*, Paris, 1919. Deux vol. avec 173 bonnes ill. — quoique non datées — d'après des œuvres de Cézanne, Manet, Renoir, etc., de la Collection Bernheim-Jeune. Citations intéressantes de divers auteurs.

85 MAUCLAIR, C. : *L'Art indépendant français sous la IIIᵉ République*, Paris, 1919. Études sur la peinture, la littérature et la musique de de 1890 à la première guerre mondiale.

86 LANDSBERGER, F. : *Impressionismus und Expressionismus*, Leipzig, 1919. Une brève juxtaposition des deux styles avec l'accent sur le second.

87 DERI, M. : *Die Malerei im XIX. Jahrhundert*, 2 vol. (texte et ill.), Berlin, 1919. Traité d'évolution, basé sur la psychologie. Les chap. sur l'impressionnisme et le néo-impressionnisme souffrent d'un manque de discrimination entre initiateurs et épigones. Court index, pas de biblio. Pour une étude condensée de l'impressionnisme par le même auteur, voir Deri : *Die neue Malerei*, Leipzig, 1921.

88 LETELLIER, A. : *Des Classiques aux Impressionnistes*, Paris, 1920. Défendant l'art officiel, ce livre est une tentative médiocre destinée à « écraser » l'impressionnisme par un fatras de citations et une pseudo-érudition bavarde.

89 PICARD, M. : *Das Ende des Impressionismus*, Zurich, 1920.

90 COLIN, P. : *Notes pour servir à l'étude de l'impressionnisme*, Paris, 1920.

91 MARZYNSKI, G. : *Die Methode des Expressionismus*, Leipzig, 1920. Chap. sur l'impressionnisme dans lequel le « pointillisme » est considéré son expression la plus pure.

92 KLINGSOR, T. L. : *La Peinture (L'Art français depuis vingt ans)*, Paris, 1921. Chapitre sur : L'Académisme et l'Impressionnisme.

93 FAURE, E. : *Histoire de l'Art — L'Art moderne*, Paris, 1921. Ne traite que brièvement de l'impressionnisme en général, mais consacre des études pénétrantes à Cézanne et Renoir. Tableau historique sommaire, index, ill.

94 DENIS, M. : *Nouvelles Théories, sur l'Art moderne, sur l'Art sacré*, 1914-1921, Paris, 1922. Contient des chap. sur l'impressionnisme, sur Cézanne et Renoir. Voir aussi 76.

95 FONTAINAS, VAUXCELLES et GEORGE : *Histoire générale de l'Art français de la Révolution à nos jours*, Paris, 1922. Dans le 1er vol. de bons chap. sur l'impressionnisme en général et sur les peintres individuels. Profusément ill., ni index, ni biblio.

96 LES MAITRES DE L'IMPRESSIONNISME ET LEUR TEMPS. Bruxelles, été 1922. Catalogue d'une exposition, avec notices biographiques et citations.

97 MAUCLAIR, C. : *Les Maîtres de l'Impressionnisme, leur Histoire, leur Esthétique, leur Œuvre*, Paris, 1923. Nouvelle édition de l'ouvrage de 1904. Voir 55.

98 HILDEBRANDT, H. : *Die Kunst des 19. und 20. Jahrhunderts*, Potsdam, 1924. Traitant indifféremment du meilleur et du pire, cet ouvrage ne consacre que peu de place à l'impressionnisme, et cela d'une manière insatisfaisante.

99 PACH, W. : *The Masters of Modern Art*, New York, 1924. Le chap. « From the Revolution to Renoir » résume l'évolution de l'art français depuis David. Quelques ill., liste des ouvrages principaux.

100 ANONYME : *La Grande Misère des Impressionnistes* dans *Le Populaire*, 1er mars 1924. Lettres de Monet au Dr de Bellio.

101 LAMANDE, A. : *L'Impressionnisme dans l'Art et la Littérature* (Conférence), Monaco, 1925.

102 MAUS, M. O. : *Trente Années de lutte pour l'Art*, Bruxelles, 1926. Histoire détaillée du groupe Les Vingt et de la Libre Esthétique en Belgique, avec documentation abondante sur leurs expositions.

103 RIVIÈRE, G. : *Les Impressionnistes chez eux* dans *L'Art vivant*, no 48, 1926.

104 GOODRICH, L. : *The Impressionists fifty Years ago* dans *The Arts*, janvier 1927. Article extrêmement bien documenté.

105 RIVIÈRE, G. : *Les « Nymphéas » de Claude Monet et les Recherches collectives des Impressionnistes* dans *L'Art vivant*, 1er juin 1927.

106 WALDMANN, E. : *Die Kunst des Realismus und des Impressionismus im 19. Jahrhundert*, Berlin 1927. Le texte ne contient rien de nouveau ; les ill., bonnes par ailleurs, représentent surtout des œuvres connues ; court index.

106a SCHEFFLER, K. : *Die europäische Kunst im neunzehnten Jahrhundert*, 2 v., Berlin, 1927. Vol. II : *Geschiche der europäischen Malerei vom Impressionismus bis zur Gegenwart*.

107 MATHER, F. J. : *Modern Painting*, New York, 1927. Un excellent chap. sur « Landscape Painting before Impressionism » est suivi d'une étude sur l'impressionnisme qui est malheureusement gâtée par certaines erreurs et où le divisionnisme est attribué à Monet. Le seul ouvrage en anglais qui consacre un chap. entier au problème important de l'art officiel au XIXᵉ siècle. Ill. médiocres, court index.

108 BELL, C. : *Landmarks in Nineteenth Century Painting*, New York, 1927. Le chap. sur l'impressionnisme oppose les conceptions des artistes de plein air à celles de Degas. Ill., pas d'index.

109 FOCILLON, H. : *La Peinture aux XIXᵉ et XXᵉ siècles*, Paris, 1928. Un court chap. sur l'impressionnisme consacre des paragraphes aux peintres individuels.

110 GUIFFREY, J. (directeur) : *La Peinture au musée du Louvre*, Paris, 1929. — Tome I, section III, P. Jamot : *XIXᵉ siècle*. Catal. des œuvres les plus importantes des coll. Camondo, May, Dihau, Moreau-Nelaton, etc., joignant des notices biographiques à l'analyse des tableaux. Ne comprend pas les coll. importantes entrées au Louvre plus récemment, comme celles de Caillebotte, Kœchlin, Personnaz, etc. A leur sujet voir 218 et 219.

111 BLANCHE, J. E. : *Les Arts plastiques — La IIIᵉ République, de 1870 à nos jours*, Paris, 1931. Dans un chap. sur l'impressionnisme, l'auteur rapporte des souvenirs personnels sur l'époque en général ainsi que sur quelques-uns des peintres.

112 REY, R. : *La Peinture française à la fin du XIXᵉ siècle — La Renaissance du Sentiment classique*, Paris, 1931. Études importantes sur Renoir, Cézanne, Gauguin et Seurat; la dernière surtout est riche en documents nouveaux. Ill., biblio.

113 WILENSKI, R. H. : *French Painting*, Boston, 1931. Une histoire générale du XIVᵉ au XXᵉ siècle. Le chap. sur l'impressionnisme présente un résumé des matériaux utilisés dans un ouvrage plus récent du même auteur : *Modern French Painting*, 1940. Voir 139.

114 POULAIN, G. : *Pré-Impressionnisme* dans *Formes*, novembre 1931.

115 JAMOT, P. : *French Painting*, II dans *Burlington Magazine*, numéro spécial, janvier 1932, publié à l'occasion d'une grande exposition d'art français à Londres.

116 ROTHENSTEIN, J. : *Nineteenth Century Painting — A Study in conflict*, Londres, 1932.

117 BESSON, G. : *L'Impressionnisme et quelques Précurseurs* dans *Bulletin des Expositions*, III, Gal. d'art Braun & Cie, Paris, 22 janvier-13 février 1932. Lettres de Courbet, Manet, Pissarro, Renoir, Monet, Cézanne et Murer, en général adressées à Duret.

118 COGNIAT, R. : *Le Salon entre 1880 et 1900*. Cat. d'une exposition organisée par *Beaux-Arts* (Paris, avril-mai 1934), contenant des notices biographiques et des reproductions d'œuvres des plus

importants peintres officiels de l'époque, c'est-à-dire de quelques-uns des ennemis les plus acharnés de l'impressionnisme.

119   ROTHSCHILD, E. F. : *The Meaning of Unintelligibility in Modern Art*, Chicago, 1934. Définit l'impressionnisme comme « la subjecti-visation de l'objectif ».

120   BESSON, G. : *Peinture française*, vol. III : *XIXᵉ siècle*, Paris, 1934. Petit album avec de bonnes ill. de Puvis à Vuillard.

121   *Les origines de l'Impressionnisme* dans *Les Beaux-Arts* numéro spécial (Bruxelles), juin-septembre 1935.

122   VENTURI, L. : *L'impressionismo* dans *L'Arte*, mars 1935. Étude impor-tante du développement et du caractère particulier de la conception de la nature chez les impressionnistes.

123   VENTURI, L. : *Impressionism* dans *Art in America*, juillet 1936.

124   KATZ, L. : *Understanding Modern Art*. [Chicago], 1936. Chap. XXV-XXVIII, vol. I, donnent une explication assez confuse de l'impres-sionnisme; dates inexactes.

125   VOLLARD, A. : *Recollections of a Picture Dealer*, Boston, 1936. Édition française (augmentée) : *Souvenirs d'un Marchand de Tableaux*. Paris, 1937. Bien qu'il eût été en mesure d'ajouter considérablement à notre connaissance de la plupart des impres-sionnistes qu'il avait connus plus ou moins intimement depuis 1895, l'auteur s'est contenté de bavardages d'une lecture agréable, mais presque totalement dénués d'information sérieuse. Ill., index.

125a GUILLAUME, G. : *Influence de l'atelier de Gleyre sur les impressionnistes français*, XIVᵉ Congrès international d'Histoire de l'Art, 1936, Actes du Congrès, v. I.

126   SCHAPIRO, M. : *Nature of Abstract Art* dans *Marxist Quarterly*, janvier-mars 1937. Discussion intéressante sur les rapports entre l'art et les circonstances historiques. L'auteur voit dans la vision des premiers impressionnistes, insoumise aux conventions et aux règles, une critique implicite du formalisme symbolique de la vie sociale et familiale.

127   COGNIAT, R. : *La Naissance de l'Impressionnisme*. Cat. d'une exposi-tion organisée par *Beaux-Arts*, Paris, mai 1937.

128   FRANCASTEL, P. : *L'Impressionnisme — Les origines de la peinture moderne, de Monet à Gauguin*, Paris, 1937. L'auteur prétend qu'on peut observer vers 1875 un changement soudain dans les œuvres de Monet, Pissarro, Sisley et Renoir. C'est donc à cette époque qu'il place le début de l'impressionnisme, le faisant coïncider avec les découvertes de Helmholz et Chevreul. Sures-timant le rôle de la science dans l'évolution de l'impressionnisme, il exagère aussi l'importance des écrits de Duranty; au surplus, il confond impressionnisme et divisionnisme. 12 ill. insuffisantes.

129   LAVER, J. : *French Painting and the Nineteenth Century*, Londres, 1937. Court texte, non exempt d'erreurs, suivi de notes sur les différents peintres. Excellent choix de bonnes ill. en blanc et noir, quelques planches en couleurs passables.

130 SCHEFFLER, K. : *Meisterwerke französischer Impressionisten*, Berlin, 1937. Neuf planches en couleurs.

131 UHDE, W. : *The Impressionists*, Londres-New York, 1937. Album somptueux d'excellentes ill. en noir et blanc et quelques planches en couleurs. Deux tiers des reproductions sont consacrés aux œuvres de Manet, le reste étant inégalement réparti entre les impressionnistes. Plus déconcertant encore est le fait que les ill. ne sont pas groupées par ordre chronologique (Phaidon).

132 KLEIN, J. : *Modern Masters*, New York, 1938. Brève vulgarisation de l'art moderne de Manet à Gauguin, avec des ill. passables en blanc et noir mais des planches en couleurs très médiocres.

133 BOWIE, T. R. : *Relationships between French Literature and Painting in the XIXth Century*. Cat. d'une exposition, Columbus Gallery of Fine Art, Columbus, Ohio, avril-mai 1938.

134 HUYGHE, R. : *L'impressionnisme et la pensée de son temps* dans *Prométhée*, février 1939.

135 LHOTE, A. : *Traité du Paysage*, Paris, 1939. Ill.

136 VENTURI, L. : *Les Archives de l'Impressionnisme*, Paris-New York, 1939. Deux volumes indispensables à l'étude de l'impressionnisme. Ils contiennent 213 lettres de Renoir, 411 de Monet, 86 de Pissarro, 16 de Sisley, 31 de Mary Cassatt, 27 de Degas et un certain nombre de lettres d'autres artistes, toutes adressées à Durand-Ruel, surtout après 1881, ainsi que quelques lettres à Octave Maus; finalement quelques lettres et les mémoires de Paul Durand-Ruel. (La plupart des lettres écrites à Durand-Ruel avant 1881 ont été perdues, et même pour la période postérieure ces archives ne sont pas tout à fait complètes puisque certains documents ont pris place dans des collections particulières.)
Le V. II contient le sommaire des cat. des huit expositions impressionnistes. Un appendice présente des extraits, des reproductions *verbatim* ou de brefs comptes rendus d'écrits concernant l'impressionnisme, publiés entre 1863 et 1880; ceux-ci se bornent aux études sérieuses et ne comprennent aucune des attaques violentes dirigées contre les peintres (qu'on trouvera dans 223). Les auteurs longuement cités sont Zola, Astruc, Silvestre, Burty, Pothey, Rivière et Edmond Renoir. Dans une longue introduction, Venturi retrace l'histoire de la galerie Durand-Ruel et suit le développement de Monet, Sisley et Renoir. Il énumère les premiers collectionneurs de tableaux impressionnistes, analyse les commentaires des critiques contemporains et complète les renseignements fournis par les documents. Peu d'ill., pas de biblio., index.

137 RICHARDSON, E. P. : *The Way of Western Art, 1776-1914*, Cambridge, 1939. Un court chap. sur « Objective Realism and Impressionism » étudie ces mouvements sur une base internationale. Peu d'ill. index.

138 SLOCOMB, G. : *Rebels of Art — Manet to Matisse*, New York, 1939. Cet ouvrage, plus biographique que critique, considère les « sauvages » de l'impressionnisme d'une manière par trop simple.

Les éléments d'information ne sont nullement exacts et l'auteur insiste trop sur les anecdotes chères à Vollard et autres. Ill. index, pas de biblio.

139   WILENSKI, R. H. : *Modern French Painters*. Londres-New York, 1940. Gros livre intéressant mais auquel on ne peut guère se fier. L'auteur, qui indique « mes connaissances » comme sa principale source de renseignements, a laissé à d'autres les travaux de recherches, adaptant leurs découvertes — en toute liberté — au plan général de son ouvrage. Il en résulte de nombreuses inexactitudes, des simplifications inexcusables et des conclusions injustifiées qui conviennent à la vue d'ensemble cherchée par l'auteur et assurent la continuité plaisante de son récit, mais rendent le livre inutilisable en tant qu'ouvrage d'érudition. Nulles références ne sont données pour les citations qui sont faites tantôt en français, tantôt en traduction anglaise. Biblio. sommaire et insuffisante; ill. excellentes et bien choisies; parfait index. Seconde édition, avec quelques planches en couleurs, 1945. Voir le compte rendu de J. Rewald : *Lettre* à propos de : *Modern French Painters* dans *Burlington Magazine*, janvier 1948.

140   CHENEY, S. : *The Story of Modern Art*, New York, 1941. Livre de vulgarisation, répétant les erreurs courantes, confondant les doctrines impressionnistes et néo-impressionnistes. Pour une réfutation de ces erreurs voir 154. Ill., biblio. sans discernement, index.

141   NEUMEYER, A. : *One Step before Impressionism* dans *Pacific Art Review*, printemps 1941.

142   VENTURI, L. : *The Aesthetic Idea of Impressionism* dans *Journal of Aesthetics*, printemps 1941.

143   VENTURI, L. : *Art Criticism Now*, Baltimore, 1941. Contient un chap. sur les problèmes de l'impressionnisme et du post-impressionnisme.

144   ROCHEBLAVE, S. : *French Painting, XIXth Century*, New York, 1941. Reproductions mal choisies et planches en couleurs particulièrement médiocres. Textes et biblio. insuffisants (Hypérion).

145   DORIVAL, B. : *Les Étapes de la Peinture française contemporaine*, 3 vol., Paris, 1943. Tome I : *De l'impressionnisme au fauvisme 1883-1905*. Débutant sur un aperçu de la peinture et des idées en France vers 1889, cet ouvrage traite de l'époque qui suit immédiatement celle de l'impressionnisme proprement dit. Biblio. sommaire; ni index, ni ill.

146   VINDING, O. : *Foraaret i Fransk Kunst (Printemps de l'art français)*. Copenhague, 1943. Chap. sur les impressionnistes et Vollard; ouvrage de vulgarisation. 16 ill., biblio. insuffisante.

147   SCHEYER, E. : *Far Eastern Art and French Impressionism* dans *Art Quarterly*, VI, n° 2, printemps 1943.

147a SCHMALENBACH, F. : *Eine frühe schweizerische Aeusserung über die französichen Impressionisten* dans *Pro Arte*, 1943; repris dans l'ouvrage du même auteur : *Neue Studien über Malerei des 19. und 20. Jahrhunderts*, Berne, 1955.

148 PISSARRO, C. : *Letters to his son Lucien*, publiées par J. Rewald avec l'assistance de L. Pissarro, New York-Londres, 1943. Édition française, C. Pissarro : *Lettres à son fils Lucien*, Paris, 1950 (avec des lettres additionnelles de Lucien Pissarro à son père). Plusieurs centaines de lettres écrites entre 1883 et 1903 avec le récit détaillé de la dernière exposition impressionniste et des renseignements utiles sur Pissarro et ses amis. Ill., index.

149 REWALD, J. : *Durand-Ruel* dans *Art News*, 1-14 décembre 1943.

150 SCHEFFER, K. : *Die grossen französischen Maler des 19. Jahrhunderts.* 1943. Portraits, ill.

151 VENTURI, L. : *Qu'est-ce que l'Impressionnisme?* dans *Labyrinthe*, 15 août 1944.

152 CAIRNS, H. et WALKER, J. (rédacteurs) : *Masterpieces of Painting from the National Gallery of Art, Washington*, New York, 1944. De bonnes planches en couleurs avec commentaires. Second volume, d'une conception identique : *Great Paintings from the National Gallery of Art, Washington*, New York, 1952.

153 JEWELL, E. A. : *French Impressionists and their Contemporaries, represented in American Collections*, New York, 1944. Planches en couleurs médiocres présentées sans plan ni ordre. Les brèves notices biographiques et la biblio. rédigées par Aimée Crane fourmillent d'erreurs (Hypérion). Voir le compte rendu de J. Rewald, *Magazine of Art*, mars 1945.

154 WEBSTER, J. C. : *The Technique of Impressionism — A Reappraisal* dans *College Art Journal*, novembre 1944. Excellente réfutation d'erreurs souvent répétées sur le mélange optique, etc.

155 RAGGHIANTI, C. L. : *Impressionismo*, Turin. 1944. 41 mauvaises planches en couleurs et 36 en noir et blanc. Dans une courte introduction l'auteur préfère voir dans l'impressionnisme des individualités plutôt qu'un mouvement. Pas de biblio.

156 VENTURI, L. : *Painting and Painters : How to Look at a Picture, from Giotto to Chagall*, New York, 1945. Édit. française : *Pour comprendre la peinture, de Giotto à Chagall*, Paris, 1950. Dans le chap. « Vitalisation de la nature », l'auteur montre que « ce que les impressionnistes peignaient et interprétaient n'était pas la réalité mais l'apparence de la réalité ».

157 GOLDWATER, R. et TREVES, M. : *Artists on Art, from the XIVth to the XXth Century*, New York, 1945. Contient des extraits d'écrits et de propos de Manet, Degas, Sisley, Monet, Pissarro, Cézanne, etc.

158 REWALD, J. : *Depressionist Days of the Impressionists* dans *Art News*, 15-28 février 1945. Sur la grande exposition impressionniste organisée par Durand-Ruel à Londres en 1905. Sur cette exposition voir aussi 203.

159 ALAZARD, J. : *Les Origines de l'Impressionnisme* dans *Études d'Art*. Musée d'Alger, nº 1, 1945.

160 VAGUETTI, G. : *Impressionisti*, Florence, 1945. Courte introd. et brèves notices biogr.; planches médiocres, quelques-unes en

couleurs, groupées par artiste mais pas dans un ordre chronologique. La répartition de ces planches n'est nullement proportionnée.

160a   Ortwin-Rave, P. : *Die Malerei des 19. Jahrhunderts*, Berlin, 1945.

161   Huth, H. : *Impressionism comes to America* dans *Gazette des Beaux-Arts*, avril 1946 (publié novembre 1946). Étude extrêmement intéressante et bien documentée sur les différentes expositions, les marchands, les collectionneurs et les critiques grâce auxquels l'impressionnisme fut introduit en Amérique entre 1879 et 1892.

162   Rewald, J. : *The History of Impressionism*, New York, 1946. Première édition du présent ouvrage avec 382 reproductions en blanc et noir (généralement trop sombres) et 22 en couleurs, chartes, biblio., index. Édition française : *Histoire de l'Impressionnisme*, Paris, 1955. Nouvelle édition américaine, entièrement revisée et augmentée, New York, 1961.

163   Chase, E. T. : *The Etchings of the French Impressionists and their Contemporaries*, Paris-New York, 1946. 72 planches, dont quelques-unes en couleurs, plutôt mal choisies et représentant plus de lithographies que d'eaux-fortes (Hypérion).

164   Francastel, P. : *Nouveau Dessin, Nouvelle Peinture*, Paris, 1946. Chap. ii et iii sont consacrés à l'impressionnisme.

165   Baschet, J. : *Pour une Renaissance de la Peinture française*, Paris, 1946. Texte sans intérêt accompagné d'un assemblage hétéroclite de planches en couleurs (parues dans *L'Illustration*) parmi lesquelles de nombreuses œuvres impressionnistes.

166   Bazin, G. : *L'Époque impressionniste*, Paris, 1947. Le texte condensé est basé sur des conceptions analogues à celles qui régissent le présent ouvrage et est accompagné de bonnes planches en noir et blanc et en couleurs (Tisné).

167   Bazin, G., Florisoone, M. et Leymarie, J. : *L'Impressionnisme*. N° spécial de *L'Amour de l'Art*, 1947, nᵒˢ III et IV. Excellentes ill., juxtapositions intéressantes, photos de détails, etc.

168   Venturi et Palluchini : *Gli Impressionisti*, Venise, 1948. Cat. de l'exposition impressionniste de la Biennale de Venise, 1948; ill.

169   Natanson, T. : *Peints à leur tour*, Paris, 1948. Souvenirs, parmi d'autres, sur Renoir, Monet, Degas et Pissarro que l'auteur connut vers le tournant du siècle.

170   Vaudoyer, J.-L. : *Les Impressionnistes de Manet à Cézanne*, Paris, 1948. 53 planches en couleurs souvent assez bonnes mais de différents formats (apparemment provenant de *L'Illustration*), assemblées sans directive et accompagnées d'un texte qui ne contient rien de nouveau.

171   Robiquet, J. : *L'Impressionnisme vécu*, Paris, 1948. Récit purement anecdotique et journalistique.

172   Leymarie, J. : *Manet et les Impressionnistes au musée du Louvre*, Paris, 1948. 54 bonnes planches avec courte préface.

173 RAMUZ, C. F. : *Les Grands Moments du* XIXᵉ *siècle français*, Lausanne, 1948.

174 LONGHI, R. : *Introduction à l'édition italienne du présent ouvrage :* Rewald : *Storia dell'Impressionismo*, Florence, 1949. Étude approfondie et intéressante sur l' « Impressionnisme et le goût des Italiens », sur l'attitude des peintres italiens aussi bien que des critiques — tels que Martelli et Pica — envers l'impressionnisme depuis sa conception jusqu'à 1948. Sur Martelli en particulier, voir 9.

175 *Monet and the Beginnings of Impressionism.* Cat. d'une exposition, Currier Gallery of Art, Manchester, N.H., octobre-novembre 1949. Ill.

176 (PRINS) : *Pierre Prins et l'époque impressionniste*, Paris, 1949. Un faible effort pour rattacher ce peintre médiocre, qui avait connu Manet, au mouvement impressionniste. Ill.

177 RAYNAL, M., LEYMARIE, J., READ, H. : *Histoire de la Peinture moderne de Baudelaire à Bonnard*, Genève, 1949. Chap. sur les années 1858-1870, 1871-1880, 1881-1884, abordant les problèmes de l'impressionnisme d'une manière un peu journalistique mais s'appuyant sur de nombreuses tables chronologiques, notices biographiques, biblio, etc. fort bien arrangées. Nombreuses ill., en couleurs souvent trop vives, mais bien choisies (Skira).

178 NORDENFALK, C. : *Luminarismen, Konstrevy* (Stockholm), 1949.

179 GAUSS, C. E. : *The Aesthetic Theories of French Artists, 1855 to the present*, Baltimore, 1949.

180 GEBSER, J. : *Ursprung und Gegenwart*, 2 vol., Stuttgart, 1949-1953.

181 CLARK, K. : *Landscape Painting*, Londres-New York, 1950. Contient quelques passages sur les impressionnistes. Index, ill.

182 VENTURI, L. : *Impressionists and Symbolists*, New York, 1950. Chapitres sur Manet, Degas, Monet, Pissarro, Renoir, Cézanne, etc., ill. Édition française : *De Manet à Lautrec*, Paris, 1953.

183 REUTERSWAERD, O. : *The « Violettomania » of the Impressionists* dans *Journal of Aesthetics and Art Criticism*, décembre 1950.

184 GOMBRICH, E. H. : *The Story of Art*, Londres-New York, 1950. Une excellente histoire générale, ill., avec passage sur l'impressionnisme.

185 JEDLICKA, G. : *Französische Malerei (de Fouquet à Cézanne)*. 1950. Courte introd., section sur l'impressionnisme, planches.

186 COGNIAT, R. : *French Painting at the Time of the Impressionists*. New York, 1951. 101 médiocres planches en couleurs, assemblées sans système, accompagnées d'un texte qui n'apporte rien de neuf (Hypérion).

187 RAYNAL, M. : *Le* XIXᵉ *siècle, de Goya à Gauguin*, Genève, Paris, New York, 1951. Texte général, accompagné de planches en couleurs assez bonnes (Skira).

188 FRY, R. : *French, Flemish and British Art*, Londres, 1951. Édition posthume d'une série d'articles parmi lesquels un essai sur l'impressionnisme

189 SLOANE, J. C. : *French Painting Between the Past and the Present*; *Artists, Critics and Traditions from 1848 to 1870*, Princeton, 1951. Étude érudite sur la situation artistique de l'époque où naquit l'impressionnisme. Appendice utile, biblio., index, ill.

190 *Impressionnistes et Romantiques français dans les musées allemands*. Cat. d'une exposition, Musée de l'Orangerie, Paris, 1951, avec 71 bonnes ill.

191 FOSCA, F. : *Les historiens d'art et la technique impressionniste* dans *Études d'Art*, Musée d'Alger, nº 6, 1951. Utile réfutation de nombreuses et courantes erreurs.

192 NOVOTNY, F. : *Die grossen französischen Impressionisten*. Vienne, 1952. Excellente introduction suivie de 44 bonnes planches en couleurs de Delacroix à Matisse d'après des œuvres bien choisies et souvent peu connues. Notices analytiques des planches. Pas de biblio.

193 BELL, C. : *The French Impressionists*, Londres-New York, 1952. 50 planches en couleurs plutôt médiocres (Phaidon).

194 REUTERSWAERD, O. : *The Accentuated Brush Stroke of the Impressionists* dans *Journal of Aesthetics and Art Criticism*, mars 1952.

195 ROGER-MARX, C. : *Le Paysage français de Corot à nos jours*, Paris, 1952. Ill. Chap. sur « le miracle impressionniste », index.

196 REUTERSWEARD, O. : *Impressionisterna inför publik och kritik*, Stockholm, 1952. Compte rendu année par année de 1873 à 1886 (avec un long chapitre de conclusion) sur les impressionnistes et l'accueil que leur réserva la critique. Très utile pour l'étude de la critique d'art de l'époque et le rôle joué par Silvestre, Chesneau, d'Hervilly, Burty, Hoschedé, Castagnary, Leroy, A. Houssaye, Wolff, Rivière, Claretie, Zola (bien que l'auteur n'ait pas eu connaissance de ses articles publiés en Russie, voir biblio. 1), Duranty, Duret, Huysmans, Alexis, Geffroy, Laforgue, Fénéon, etc. Parmi les reproductions, de nombreuses caricatures contemporaines de tableaux impressionnistes aussi bien que des portraits de critiques. Une liste alphabétique détaillée (p. 254-262) donne de brefs renseignements sur les critiques les plus importants et leur bibliographie ; elle est suivie d'une liste chronologique d'articles anonymes. Il n'existe malheureusement pas de traduction de ce livre fondamental.

197 MOSER, R. : *L'Impressionnisme français — Peinture, Littérature, Musique*, Genève-Lille, 1952. Étude de l'esthétique impressionniste dans les différents arts.

198 WECHSLER, H. J. : *French Impressionists and their Circle*, New York, 1952. Petit volume avec courte introduction et commentaires ; planches en couleurs médiocres (Abrams).

199 RUHLEMANN, H. : *Methods of the Masters, II, Impressionist and Post-Impressionists* dans *The Studio*, février 1953. Article de vulgarisation truffé de poncifs.

200 TAYLOR, B. : *The Impressionists and Their World*, Londres, s.d. [1953]. 96 mauvaises planches en couleurs et en noir et blanc (Manet, Monet, Pissarro, Sisley, Renoir, Cézanne, Gauguin, van Gogh,

Lautrec, Seurat, Redon, Rousseau), avec de courtes biographies et une biblio.

201 CASSOU, J. : *Les Impressionnistes et leur Époque*, Paris, s.d. [1953-1954]. 48 planches en couleurs avec très courte préface.

202 GAFFÉ, R. : *Introduction à la Peinture française, de Manet à Picasso*, Paris-Bruxelles, 1954. Chap. sur Manet et l'impressionnisme, n'apportant rien de nouveau.

203 COOPER, D. : *The Courtauld Collection*, Londres, 1954. Cat. raisonné de cette collection importante qui comprend des œuvres célèbres de Cézanne, Degas, Manet, Monet, Renoir, Seurat, Gauguin, etc., avec 116 bonnes ill. en blanc et noir et un index étendu. Le texte présente des études très nourries non seulement sur la collection elle-même, mais aussi sur Whistler et son groupe, sur les impressionnistes français et leurs rapports avec l'Angleterre et les critiques anglais.

204 DICTIONNAIRE DE LA PEINTURE MODERNE, Paris, 1954. Ouvrage fort bien conçu, richement ill., allant de l'impressionnisme aux temps présents et consacré non seulement aux peintres, mais aux différents mouvements et aux personnalités connexes. Nouvelle édition augmentée, 1963.

205 GILARDONI, V. : *Impressionismo*, Milan, 1954.

206 CHAN, G. : *Les Peintres impressionnistes et le Chemin de Fer*, Paris, 1955. Pamphlet avec de médiocres ill.

207 LEYMARIE, J. : *Impressionnisme*, 2 vol., Genève, 1955. V. I, avant 1873; v. II, après 1873; tous les deux avec une chronologie sommaire et un index. Nombreuses petites illustrations en couleurs (parfois commentées) comprenant quelques œuvres peu connues. Le néo-impressionnisme est étudié, mais non Redon. Biblio. très sommaire et courte liste d'expositions.

208 FRANCASTEL, P. : *Histoire de la Peinture française*, v. II : *Du classicisme au cubisme*, Amsterdam-New York, 1955.

209 VAUDOYER, J.-L. : *Les Impressionnistes de Manet à Cézanne*, Paris, 1955.

210 FRIEDENWALD, J. D. : *Knowledge of Space Perception and the Portrayal of Depth in Painting* dans *College Art Journal*, hiver 1955.

211 LAPRADE, J. DE : *L'Impressionnisme*, Paris, 1956.

212 COGNIAT, R. : *L'Impressionnisme*, Paris, 1956. De Jongkind à Slevogt. Petit volume avec de médiocres planches en couleurs accompagnées de brefs commentaires.

213 ROGER-MARX, C. : *Les Impressionnistes*, Paris, 1956. Exposé de vulgarisation. Nombreuses planches en noir et blanc et en couleurs d'œuvres généralement très connues.

214 GACHET, P. : *Deux Amis des Impressionnistes — Le Docteur Gachet et Murer*, Paris, 1956. Biographie bavarde et très détaillée de deux figures périphériques avec, de temps à autre, des renseignements sur les impressionnistes; ill.

215 GACHET, P. (présenté par) : *Lettres impressionnistes au docteur Gachet et à Murer*, Paris, 1957. Lettres de Pissarro, Guillaumin, Renoir, Monet, Sisley, Vignon, Théo van Gogh, Cézanne, etc. Malheu-

reusement, la plupart de ces documents sont d'importance médiocre (les lettres les plus significatives de Pissarro à Murer ont été citées par Tabarant dans une biographie de Pissarro, Paris, 1924; les lettres de van Gogh n'ont été adressées ni à Gachet ni à Murer et ont été publiées ailleurs).

216 STOLL, R. TH. : *La Peinture impressionniste*, Lausanne, 1957. Longue introduction avec de nombreuses bonnes planches en couleurs et noir et blanc.

217 ROBIDA, M. : *Le Salon Charpentier et les Impressionnistes*, Paris, 1958. L'auteur, quoique lié à la famille Charpentier, n'offre, en dehors d'anecdotes mineures, que peu d'informations. Ce petit volume ne contient pas (et ne mentionne pas) les lettres que Renoir, Monet, etc. ont écrites à M. et Mme Charpentier.

218 *Catalogue des Peintures, Pastels, Sculptures impressionnistes*, Musée national du Louvre, Paris, 1958. Introduction de G. Bazin. Excellent catalogue avec des informations détaillées sur de nombreuses œuvres, mais pas d'ill.

219 BAZIN, G. : *Trésors de l'Impressionnisme au Louvre*, Paris, 1958. L'auteur relate entre autres l'histoire du legs Caillebotte et retrace l'histoire de la représentation des impressionnistes au Louvre dont la collection se compose presque exclusivement de dons et de legs. Nombreuses planches en couleurs commentées, accompagnées de petites reprod. en noir et blanc en appendice. Complément utile de 218.

220 STERLING, C. : *Great French Painting in the Hermitage*, New York, 1958. Une partie considérable de ce large volume est consacrée à la riche collection impressionniste et post-impressionniste du musée de Léningrad. (Des œuvres également importantes, et qui ne sont pas reproduites, se trouvent au Musée Pushkin à Moscou.) Illustrations nombreuses et de bonnes qualités en noir et blanc, bonnes planches en couleurs d'œuvres généralement peu connues.

221 BALZER, W. : *Der französische Impressionismus*, Dresde, 1958. Courte introduction, 112 bonnes planches de grand format en noir et blanc, 18 médiocres planches en couleurs, pour la plupart d'œuvres très connues du Louvre.

222 ALLEY, R. : *Tate Gallery The Foreign Painting, Drawings and Sculpture*, Londres, 1959. Catalogue utile et détaillé qui, avec 200, contient la plupart des œuvres exposées dans des collections publiques anglaises.

223 LETHÈVE, J. : *Impressionnistes et Symbolistes devant la presse*, Paris, 1959. Avec un texte limité au strict minimum, ce petit volume présente de très abondantes citations des journaux contemporains; beaucoup d'entre elles n'ont d'intérêt qu'anecdotique, cependant leur accumulation constitue une somme de la critique de l'époque. Quelques ill., biblio. sommaire.

224 MATHEY, F. : *Les Impressionnistes et leur Temps*, Paris, 1959. Étude sommaire, sans éléments nouveaux, avec de nombreuses ill.

225 COGNIAT, R. : *Le Siècle des Impressionnistes*, Paris, 1959. Encore un volume populaire avec un texte général et de nombreuses ill. de bonne qualité en noir et blanc et en couleurs. Va de Turner à Macke. Courtes notices biographiques.

226 ANONYME : *The Geography of Impressionism* dans *The Times* (Londres), 22 sept. 1959.

227 CANADAY, J. : *Mainstreams of Modern Art*, New York, 1959. Chapitres sur le « Salon du demi-siècle », sur Manet et sur l'impressionnisme. Richement illustré en noir et blanc, avec quelques mauvaises planches en couleurs. Pas de biblio., index.

228 SERULLAY, M. : *Les Peintres impressionnistes*, Paris, 1959. Étude générale depuis les pré-impressionnistes jusqu'à van Gogh, Gauguin, Seurat et Redon. Nombreuses planches en couleurs de bonne qualité. Courtes notices biographiques, index.

229 NOVOTNY, F. : *Painting and Sculpture in Europe — 1780 to 1880*, Londres, 1960. Cet excellent volume de la « Pelican History of Art » consacre un court chapitre à l'impressionnisme en général et à ses protagonistes les plus importants. Peu d'ill., biblio. sommaire, index.

230 JONES, P. : *Daumier et l'Impressionnisme* dans *Gazette des Beaux-Arts*, avril 1960.

231 DAULTE, F. : *Le Marchand des Impressionnistes* [Durand-Ruel] dans *L'Œil*, juin 1960.

232 HAMANN, R. et HERMAND, J. : *Impressionismus*, Berlin, 1960. Ne traite que des impressionnistes allemands dont les œuvres significatives datent d'après 1890.

233 BADT, K. : *Die Farbenlehre van Goghs*, Cologne, 1961. Chapitre important sur les théories de l'impressionnisme.

234 CABANNE, P. : *Le Roman des Grands Collectionneurs*, Paris, 1961. Chapitres sur Choquet et Durand-Ruel, ne contenant rien de nouveau.

235 *The French Impressionists and some of their Contemporaries*. Cat. d'exposition, Wildenstein Galleries, Londres, avril-mai 1963, avec notices détaillées et ill.

236 DELAGE, R. : *Chabrier et ses Amis impressionnistes* dans *L'Œil*, déc. 1963.

BAZILLE

Catalogues de l'œuvre

Un catalogue détaillé des œuvres de Bazille (pour la plupart reproduites) suit le livre de F. Daulte (6); il est plus complet que celui contenu dans l'ouvrage de G. Poulain (5).
Un autre catalogue et une édition des lettres de Bazille sont préparés par G. Sarraute.

1 Catalogue de l'exposition Bazille organisée par l'Association des Étudiants Protestants, Paris, s.d. [1935]. Brève introduction de G. Poulain, ill.

2   Centenaire de F. Bazille, Musée Fabre, Montpellier, mai-juin 1941.
    Catalogue sommaire.
3   CLAPARÈDE, J. et SARRAUTE, G. : *Catalogue de l'exposition Bazille*,
    Galeries Wildenstein Paris, été 1950 ; notices détaillées et citations
    de lettres concernant 67 œuvres exposées, 14 bonnes ill.
4   *Catalogue de l'exposition Frédéric Bazille*, Musée Fabre, Montpellier,
    oct. 1959.

Écrits de l'Artiste

De nombreuses lettres de Bazille sont citées dans 3, 5 et 6.

Biographies

5   POULAIN, G. : *Bazille et ses Amis*, Paris, 1932. Ouvrage de première
    importance non seulement pour l'étude de Bazille, mais aussi
    pour l'histoire de la naissance de l'impressionnisme ; basé sur les
    lettres écrites par Bazille à sa famille aussi bien que sur celles
    reçues par lui de Monet et Renoir. L'intérêt de ces documents
    ne peut être surestimé. Malheureusement, ils ne sont pas présentés
    avec suffisamment de soins ; plusieurs lettres sont faussement
    datées, beaucoup n'ont pas été copiées complètement ; plus
    déroutant encore est le fait qu'elles ont été soit mal déchiffrées,
    soit réécrites, car quelques-uns de ces mêmes documents, cités
    dans un article du même auteur (9) présentent des variations de
    syntaxe aussi bien que d'expression. Ce livre contient une liste
    non complète de 44 toiles, de dessins, d'œuvres perdues, mais ne
    donne pas de dimensions. Ni index, ni biblio., ni ill.
6   DAULTE, F. : *Frédéric Bazille et son temps*, Genève, 1952. Texte
    richement documenté, plus consciencieux que 5 quoique un peu
    pédant. Quelques documents nouveaux, mais pour l'ensemble
    des lettres 5 est toujours indispensable. Nombreuses ill. en blanc
    et noir, 3 mauvaises planches en couleurs ; catalogue détaillé de
    59 toiles, 37 dessins et deux carnets de croquis ; iconographie,
    liste d'expositions, biblio. et index.

Études de style

7   CHARENSOL, J. : *Frédéric Bazille et les débuts de l'Impressionnisme*
    dans *L'Amour de l'Art*, janvier 1927.
8   FOCILLON, H. : *La Peinture aux* XIXe *et* XXe *Siècles*, Paris, 1928,
    pp. 211-212.
9   POULAIN, G. : *Le Pré-Impressionnisme* dans *Formes*, n° 19, 1931.
10 SANTENAC, P. : *Sur le Peintre méridional Frédéric Bazille* dans *Sud*
    1er décembre, 1932.
11 COLOMBIER, P. DU : *La place de Frédéric Bazille* dans *Candide*, 4 avril
    1935.

12 DABIT, E. : *Quelques Impressions à propos d'une Exposition Bazille à l'Association des Étudiants protestants* dans Revue *Europe*, 15 mai, 1935.

13 GAUTHIER, M. et LAPRADE, J. DE : *Frédéric Bazille* dans *Beaux-Arts*, n° 117, 1935.

14 ANONYME : *A Painting by Bzaille, Fogg Art Museum*, vol. VII, 1937.

15 SCHEYER, E. : *Jean-Frédéric Bazille — The Beginning of Impressionism* dans *The Art Quaterly*, printemps 1942. Étude fondée sur les documents de Poulain (5) et quelques œuvres inédites, dont certaines sont douteuses, dans des coll. américaines et européennes. Ill.

16 POULAIN, G. : *Une œuvre inconnue de Frédéric Bazille* dans *Arts de France*, n°s 17-18, 1947.

17 DORIVAL, B. : *La « Scène d'Été » de Bazille et Cézanne* dans *Musées de France*, mai 1949.

18 SARRAUTE, G. : *Deux Dessins de Frédéric Bazille au Musée du Louvre* dans *Musées de France*, mai 1949.

Reproductions

19 POULAIN, G. : *Un Languedocien, Frédéric Bazille* dans *La Renaissance*, avril 1927. Texte français et anglais, reproduction des principales œuvres de Bazille.

Voir aussi 1, 3 et surtout 6.

CAILLEBOTTE

1 BÉRHAUT, M. : *Caillebotte. Cat. d'une exposition*, Gal. Wildenstein, Paris, été 1951, avec liste de 332 tableaux (pas tous exposés) et 14 bonnes ill. Introduction de D. Wildenstein.

2 BÉRHAUT, M. : *Trois Tableaux de Caillebotte* dans *Musées de France*, juillet 1948 : également par le même auteur : *Gustave Caillebotte*, dans *Arts* (Paris), 30 août, 1948.

3 BOURET, J. : *Un Peintre de notre Temps* dans *Arts* (Paris), 25 mai, 1951. Voir aussi p. 248 note 32 du présent ouvrage.

CASSATT

Catalogues de l'œuvre

1 BREESKIN, A. D. : *The Graphic Work of Mary Cassatt*, New York, 1948. Catalogue raisonné avec introduction, chronologie, etc. et 232 superbes ill. A. D. Breeskin prépare actuellement un catalogue de l'œuvre complet de l'artiste.

2 *Mary Cassatt, Catalogue d'une exposition*, Baltimore, Museum of Art, 1941. Introduction non signée (de A. D. Breeskin); ill.,

table chronologique, biblio. Voir aussi du même auteur l'article paru dans *L'Œil*, janvier 1959.

3   *Catalogue de l'exposition Mary Cassatt*, Gal. Wildenstein, New York, 1947. Texte de A. D. Breeskin. Ill.

4   *Catalogue de l'exposition « Mary Cassatt, peintre et graveur »*, Centre culturel américain, Paris, novembre 1959-janvier 1960. Introduction de F. A. Sweet, chronologie, ill.

Écrits de l'artiste.

31 lettres à Durand-Ruel sont reproduites dans L. VENTURI : *Archives de l'Impressionnisme*, Paris, 1939, v. II. Des lettres à Mrs. Havemeyer sont citées dans 6; une lettre à Avery est citée dans 2; des lettres à Weitenkampf sont citées dans 24; une lettre à une amie est citée dans 1, une autre dans 4, p. 20. Mrs. Breeskin réunit actuellement la correspondance de l'artiste.

Témoignages de contemporains

5   BIDDLE, G. : *Some Memories of Mary Cassatt*, dans *The Arts*, août 1926.

6   HAVEMEYER, L. W. : *Mary Cassatt* dans *The Pennsylvania Museum Bulletin*, mai 1927. Voir également du même auteur : *Sixteen to Sixty. Memoirs of a Collector*, New York, 1961. Voir aussi 23.

7   WATSON, F. : *Mary Cassatt*, New York, 1932. Souvenirs importants, avec 20 reproductions de tableaux, pastels, eaux-fortes, assemblées chronologiquement. Biblio.

8   WATSON, F. : *Philadelphia pays Tribute to Mary Cassatt* dans *The Arts*, juin 1927.

Biographies

9   SEGARD, A. : *Mary Cassatt, un peintre des enfants et des mères*, Paris, 1913. Bien que l'auteur ait interviewé l'artiste, il n'offre que peu d'informations précises (et celles-ci sont souvent reléguées en notes). Livre composé surtout de commentaires lyriques et de descriptions de tableaux. 38 bonnes ill., arrangées chronologiquement. Appendice avec liste d'expositions, coll. particulières et biblio., pas d'index.

10   ANONYME : *Mary Cassatt, Painter and Engraver* dans *Index of Twentieth Century Artists*, octobre 1934. Courte biographie, liste d'expositions, reproductions et biblio.

Études de style

11   BEURDELEY, Y. R. : *Miss Cassatt* dans *L'Art dans les Deux Mondes*, novembre 22, 1890.

12   WHITE, F. L. : *Young American Women in Art* dans *Frank Leslie's Popular Monthly*, novembre 1893.

13 WALTON, W. : *Miss Mary Cassatt* dans *Scribner's Magazine*, mars 1896.

14 GEFFROY, G. : *Femmes Artistes — Un Peintre de l'Enfance — Mary Cassatt* dans *Les Modes*, v. IV, février 1904.

15 CAREY, E. L. : *The Art of Mary Cassatt* dans *The Scrip*, octobre 1905.

16 PICA, V. : *Artiste Contemporanei — Berthe Morisot, Mary Cassatt*, dans *Emporium*, v. XXVI, juillet 1907.

17 PACH, W. : *Quelques Notes sur les Peintres américains* dans *Gazette des Beaux-Arts*, octobre 1909.

18 ANONYME : *Mother and Child — The Theme as Developed in the Art of Mary Cassatt* dans *Good Housekeeping Magazine*, février 1910.

19 MELLERIO, A. : *Mary Cassatt* dans *L'Art et les Artistes*, novembre 1910. Contient une liste d'expositions et biblio.

20 ANONYME : *Mary Cassatt's Achievement* dans *The Craftsman*, mars 1911.

21 McCHESNEY, C. : *Mary Cassatt and her Work* dans *Arts and Decoration*, v. III, 1913.

22 GRAFLY, D. : *In retrospect — Mary Cassatt* dans *American Magazine of Art*, juin 1927.

23 ALEXANDRE, A. : *La Collection Havemeyer et Miss Cassatt* dans *La Renaissance*, février 1930. Voir aussi 6.

24 JOHNSON, U. E. : *The Graphic Art of Mary Cassatt* dans *American Artist*, novembre 1945.

25 FULLER, S. : *Mary Cassatt's Use of Soft-Ground Etching* dans *Magazine of Art*, février 1950.

26 SWEET, F. A. : *Sargent, Whistler and Mary Cassatt. Catalogue raisonné d'une exposition*, Art Institut de Chicago et Metropolitan Museum of Art, New York, 1954. Le même auteur prépare un ouvrage important sur l'artiste.

Voir aussi 1 et 3.

Reproductions

27 VALERIO, E. : *Mary Cassatt*, Paris, 1930. 32 reproductions de tableaux, pastels, dessins et eaux-fortes, sans indication de dates, mesures ou propriétaires.

28 BREUNING, M. : *Mary Cassatt*, New York, 1944. 46 ill. non disposées chronologiquement, mauvaises planches en couleurs, courte biblio. (Hypérion).

Voir aussi 1, 3, 8, 9 et 26.

CÉZANNE

Catalogues de l'œuvre

1 VENTURI, L. : *Cézanne, son Art, son Œuvre*, Paris, 1935. 2 vol. (texte et planches) avec 1619 ill. de tableaux, aquarelles, dessins et gravures et 15 photographies. Le catalogue raisonné est précédé d'une

excellente étude sur l'évolution de Cézanne, mais les dates attribuées à de nombreuses œuvres ont été discutées depuis (sur ce sujet voir 45, 56 et divers catalogues d'expositions cités). L'index malheureusement n'indique que les possesseurs au moment de la parution. Une nouvelle édition entièrement révisée et considérablement augmentée (mais limitée aux huiles et aux aquarelles) est en préparation. Ce livre est indispensable pour l'étude de Cézanne.

Pour les reproductions de dessins et d'aquarelles, non cataloguées ni reproduits par Venturi, voir 3, 49, 61, 62, 74 et 85.

    2   GACHET, P. : *Cézanne à Auvers — Cézanne graveur*, Paris, 1952. Cat. des cinq eaux-fortes de Cézanne, plus complet que celui de Venturi. Voir aussi Goriani, J. : *Cézanne's lithograph*, The small Bathers dans *Gazette des Beaux-Arts*, février 1943.

Écrits de l'artiste

    3   PAUL CÉZANNE : *Correspondance*, recueillie par J. Rewald, Paris, 1937, 1949. Plus de 200 lettres; ill., index. Illustré exclusivement avec des œuvres non reproduites dans 1.

    4   REWALD, J. : *Cézanne, Geffroy et Gasquet, suivi de souvenirs sur Cézanne de Louis Aurenche et de lettres inédites*, Paris, 1959. Contient des lettres inédites au comte Doria, à Geffroy et Vollard, et surtout un ensemble de lettres à J. Gasquet et à son père, dont on ne connaissait jusque-là que des extraits (voir 12) et toutes les lettres à L. Aurenche. Illustr.

Une lettre inédite à A. Emperaire a été publiée par V. Nicollas : *Achille Emperaire*, Aix-en-Provence, 1953, p. 5.

Une nouvelle édition complète des lettres de Cézanne, comprenant les documents publiés dans 3 et 4, en traduction allemande, présentée par J. Rewald, a paru à Zurich en 1962.

Voir aussi 15.

Témoignages de contemporains

    5   ZOLA, É. : *Correspondance* (1858-1871); Œuvres Complètes, Paris, 1928. Nombreuses lettres à Cézanne et à leurs amis communs. Voir aussi Zola : *Mes Haines;* Œuvres Complètes, Paris, 1928. Contient : *Mon Salon* avec dédicace à Cézanne.

    6   SCOLARI, M. et BARR, A. : *Cézanne d'après les lettres de Marion à Morstatt* dans *Gazette des Beaux-Arts*, janvier 1938, et : *Cézanne in the letters of Marion to Morstatt*, 1865-1868 dans *Magazine of Art*, février, avril, mai 1938. Parmi les documents les plus importants sur la jeunesse de Cézanne.

    7   VOLLARD, A. : *Paul Cézanne*, Paris, 1914, 1919, 1924, 1938. La première biographie de Cézanne, écrite par son marchand; elle est surtout anecdotique et a perdu son intérêt aujourd'hui, à l'exception de la partie qui relate les rapports personnels de

l'auteur avec Cézanne qu'il connut durant les dernières dix années de la vie du peintre. Quelques détails concernant les années 1860-1870 ont été communiqués par Guillemet qui connut intimement Cézanne durant cette période, mais l'auteur ne le cite pas directement ni ne parle de sa collaboration. L'appendice I contient des extraits de critiques contemporaines. Ill., index.

8 JALOUX, E. : *Fumées dans la Campagne*, Paris, 1918. Également : *Souvenirs sur Paul Cézanne* dans *L'Amour de l'Art*, 1920.

9 OSTHAUS, K. Article dans *Das Feuer*, 1920. Traduction abrégée dans *Marianne*, 22 février 1939. Récit d'une visite à Cézanne en 1906.

10 CAMOIN, C. : *Souvenirs de Paul Cézanne* dans *L'Amour de l'Art*, janvier 1921; incorporé plus tard à 15. L'auteur est un peintre qui fit son service militaire à Aix, en même temps que Larguier.

11 LAFARGUE, M. : *Souvenirs sur Cézanne* dans *L'Amour de l'Art*, janvier 1921.

12 GASQUET, J. : *Cézanne*, Paris 1921. L'auteur, un poète distingué, était le fils d'un condisciple de Cézanne au collège et connut le peintre pendant les dernières années de sa vie. Il cède souvent à la tentation de rapporter les paroles de Cézanne dans un style personnel qui — si beau qu'il soit — ne donne pas toujours l'impression d'une grande fidélité. Dans trois chapitres de conversation plus ou moins imaginaires avec Cézanne sur le « motif », au Louvre et dans l'atelier du peintre, Gasquet fait de nombreuses citations, surtout de mémoire; à ce sujet voir 4. Malgré les réserves à faire, cet ouvrage fournit le plus vivant témoignage contemporain. Richement illustré, pas d'index.

13 BERNARD, É. : *Souvenirs sur Paul Cézanne*, Paris, 1921, 1925, 1926. L'auteur, un peintre qui avait publié un article sur Cézanne dès 1892, fit sa connaissance en 1904 et correspondit ensuite avec lui. Ses souvenirs sont marqués par son effort de justifier son propre art à travers les paroles de Cézanne. Pour l'opinion de Cézanne sur Bernard voir ses lettres à son fils dans 3. Ill., pas d'index.

14 GEFFROY, G. : *Claude Monet, sa Vie, son Temps, son Œuvre*, Paris, 1922. Vol. II, chapitres XII et XIV. Cézanne fit le portrait de l'auteur. Pour une description du séjour de Cézanne chez Monet, voir aussi la lettre de Mary Cassatt citée par A. D. Breeskin : *The Graphic Work of Mary Cassatt*, New York, 1948.

15 LARGUIER, L. : *Le Dimanche avec Paul Cézanne*, Paris, 1925. Un charmant récit des nombreuses visites que l'auteur a rendues au peintre lorsqu'il fit son service militaire à Aix en 1901-1902. Augmenté de propos de Cézanne, transcrits par son fils et de souvenirs de Camoin (voir 10). L'auteur n'a rien ajouté à son premier récit dans deux publications postérieures : *Paul Cézanne ou le Drame de la Peinture*, Paris, 1936, et : *Cézanne ou la Lutte avec l'Ange de la Peinture*, Paris, 1947.

16 JOURDAIN, F. : *A propos d'un peintre difficile*, *Cézanne* dans *Arts de France*, n° 5, 1946. Jourdain vint voir Cézanne dans son atelier en 1904, accompagné de Camoin (voir 10).

16a *Le Tombeau de Cézanne*, Paris, 1956. Petite anthologie contenant les souvenirs de Marie Gasquet.
17 FLORY-BLONDEL : *Quelques Souvenirs sur Paul Cézanne, par une de ses nièces* dans *Gazette des Beaux-Arts*, nov. 1960. Sans importance.
Pour les souvenirs de L. Aurenche sur Cézanne, voir 4.
Pour les souvenirs de M. Denis, voir 28.
Émile Zola a emprunté quelques traits de Cézanne pour le personnage du peintre Claude Lantier dans : *L'Œuvre*, voir 21 et biblio. générale 21.

Biographie

18 COQUIOT, G. : *Paul Cézanne*, Paris, 1919. Ne contient pas de documents de première main. Ce livre fort décousu a été complètement dépassé par de plus récentes publications.
19 RIVIÈRE, G. : *Le Maître, Paul Cézanne*, Paris, 1923. L'auteur qui fut toute sa vie un ami de Renoir, et le beau-père de l'unique fils de Cézanne, apporte peu d'informations nouvelles. Ill., pas d'index. (Voir aussi du même auteur : *Cézanne*, Paris, 1936; mauvaise ill., pas d'index.)
20 MACK, G. : *Paul Cézanne*, New York, 1935; traduction française, Paris, 1939. Excellente biographie avec un résumé chronologique biblio. condensée. Ill. et index détaillé.
21 REWALD, J. : *Cézanne, sa Vie, son Œuvre, son Amitié pour Zola*, Paris, 1939 (2ᵉ édition, considérablement augmentée, de : *Cézanne et Zola*, Paris, 1936). La biographie la plus complète sur Cézanne avec insistance particulière sur son amitié de trente ans pour Zola, basée sur de nombreux documents nouveaux, lettres, entretiens, etc. Ill., biblio., index. Voir aussi 4.
22 GRABER, H. : *Paul Cézanne nach eigenen und fremden Zeugnissen*, Bâle, 1942. Cet ouvrage présente des traductions plus ou moins maladroites de documents précédemment publiés dans 1 et 7, mais surtout dans 3 et 21, sans indiquer les sources, ni même reconnaître que ces documents n'avaient pas été rassemblés par l'auteur lui-même. L'ouvrage n'apporte pas un seul renseignement nouveau; on peut en dire autant des autres publications de même genre par le même auteur. R. Goldwater, dans son compte rendu (*The Art Bulletin*, juin 1945) a très justement qualifié les méthodes de Graber de « pillage ».
23 SCHILDT, G. : *Cézanne*, Stockholm, 1946.
24 BEUCKEN, J. DE : *Un Portrait de Cézanne*, Paris, 1955 (d'abord publié dans *France Illustration*, supplément théâtral et littéraire, 11 et 25 août 1951). Utilise toutes les sources disponibles, spécialement 1, 3, 20 et 21, n'ajoutant que quelques détails nouveaux d'importance mineure.
25 PERRUCHOT, H. : *La Vie de Cézanne*, Paris, 1956. De toutes les biographies fondées sur des publications antérieures et sans apport nouveau, c'est la plus lisible et la plus intelligente. Chronologie, biblio., pas d'illustrations.

26 HANSON, L. : *Mortal Victory. A Biography of Paul Cézanne*. New York, 1959. Comme 24 et 25, utilise toutes les sources sans apporter de faits nouveaux, à moins que l'on veuille considérer comme neuve l'analyse des rapports du peintre avec son père, et, particulièrement une interprétation tout à fait discutable de la décision de Cézanne d'épouser Hortense Fiquet, décision que l'auteur attribue à la déception de Cézanne après la publication de *L'Œuvre* de Zola.

27 LANGLE DE CARY, M. DE : *Cézanne*, Paris, 1957. Brève biographie de caractère populaire; n'apporte rien de nouveau.

27a LEPROHON, P. : *Cézanne*, Lyon, 1961. Ouvrage de vulgarisation; n'apporte rien de nouveau.

Études de style

28 DENIS, M. : *Théories, 1890-1910*, Paris, 1912. Un chapitre écrit en 1907 sur Cézanne que le peintre-écrivain avait rencontré à Aix peu avant sa mort. Voir aussi, de Maurice Denis : *Journal*, volume 1, 1884-1904, Paris, 1957; volume 2, 1905-1920, Paris, 1957; volume 3, 1921-1943, Paris, 1959.

29 RILKE, R. M. : *Lettres sur Cézanne*, Paris, 1944. Introduction et traduction par M. Betz de l'ouvrage de Rilke : *Briefe aus den Jahren* 1906-1907. Les lettres de Rilke furent écrites en 1907, au moment de la rétrospective de Cézanne, au Salon d'Automne à Paris; le poète pensa même à écrire un livre sur Cézanne. Sur ce sujet, voir également R. Pitrou : *Rilke et Cézanne*, dans *Cahiers du Sud*, février 1940.

30 BURGER, F. : *Cézanne und Hodler*, Munich, 1913. Ill.

31 RAPHAEL, M. : *Von Monet zu Picasso*, Munich-Leipzig, 1913.

32 MORICE, C. : *Quelques Maîtres modernes*, Paris, 1914. Un chapitre sur Cézanne.

33 MEIER-GRAEFE, J. : *Cézanne und sein Kreis*, Munich, 1919-1922; abondantes illustrations. Voir aussi par le même auteur : *Cézanne*, Londres-New York, 1927, 40 Ill., pas d'index et également 68.

34 POPP, A. E. : *Cézanne Elemente seines Stiles anlässlich einer Kritik erörtert* dans *Bildende Kunste*, Vienne, seconde année, 1919, pages 177-189. Compte rendu important de 33.

35 WEDDERKOP, H. VON : *Paul Cézanne*, Leipzig, 1922, avec de médiocres illustrations.

36 FAURE, É. : *Cézanne* 1926. 59 illustrations, pas d'index.

37 BERNARD, É. : *L'Erreur de Cézanne* dans *Mercure de France*, 1er mai 1926.

38 FRY, R. : *Le Développement de Cézanne* dans *L'Amour de l'Art* (numéro spécial) décembre 1926. La première bonne étude sur l'évolution artistique de Cézanne, publiée par la suite en anglais : *Cézanne, a study of his Development*, New York, 1927. 54 ill., pas d'index. Nouvelle édition, s.d. [1952-1953].

39 PFISTER, K. : *Cézanne, Gestalt, Werk, Mythos*, Potsdam, 1927, nombreuses illustrations.

40 Ors, E. d' : *Paul Cézanne*, Paris, 1930, Londres, 1936, nombreuses illustrations.

41 Rey, R. : *La Renaissance du Sentiment classique*, Paris, 1931. Important chapitre sur Cézanne.

42 Tolnai, K. von : *Zu Cézannes geschichtlicher Stellung* dans *Deutsche Vierteljahrsschrift für Literaturwissenschaft und Geistesgeschichte*, Heft, 1, 1933.

43 Huyghe, R. : *Cézanne*, Paris, 1936. Voir aussi Huyghe, R. et Rewald, J. : *Cézanne*, numéro spécial de *L'Amour de l'Art*, mai 1936. Présente un tableau chronologique et une étude de l'évolution de Cézanne par Huyghe, en même temps qu'une iconographie de de Cézanne, nombreuses ill.

44 *La Renaissance*, numéro spécial : *Cézanne*, mai-juin 1936. Ill. Articles de P. Jamot, Ch. de Tolnay, Ch. Sterling, J. Vergnet-Ruiz et J. Combes.

45 Rewald, J. : *A propos du catalogue raisonné de l'œuvre de Paul Cézanne et de la chronologie de cette œuvre* dans *La Renaissance*, mars-avril 1937; voir aussi par le même auteur : *Cézanne au Louvre* dans *L'Amour de l'Art*, octobre 1935; *Une copie par Cézanne d'après Le Greco* dans *Gazette des Beaux-Arts*, février 1936; *As Cézanne Recreated Nature* dans *Art News*, fév. 15-29, 1944; *Proof of Cézanne's Pygmalion Pencil* dans *Art News*, oct. 1-15, 1944; *The Camera Verifies Cézanne Watercolors* dans *Art News*, sept. 1944; Rewald, J. et Marschutz, L. : *Cézanne au Château Noir* dans *L'Amour de l'Art*, janv. 1935; *Cézanne et la Provence*, numéro spécial, *Le Point*, août 1936.

46 Novotny, F. : *Cézanne und das Ende der wissenschaftlichen Perspektive*, Vienne, 1938, 56 ill. Index. Étude approfondie de l'organisation de l'espace chez Cézanne, avec une liste des « motifs » de l'artiste.

47 Barnes, A. C. et Mazia, V. de : *The Art of Cézanne*, New York, 1939. Avec 71 ill. commentées. Index.

48 Loran, E. : *Cézanne's Composition, Analysis of his Form with Diagrams and Photographs of his Motifs*, Berkeley et Los Angeles, 1943. Nombreuses illustrations, index. Ce livre se propose d'établir quelques principes généraux de dessin et de composition pouvant s'appliquer à la création artistique, en présentant des exemples concrets qui révèlent « l'organisation de l'espace » dans l'œuvre de Cézanne. Voir aussi du même auteur : *Cézanne's Country* dans *The Arts*, avril 1930 (publié sous le nom de Erle Loran Johnson).

49 Venturi, L. : *Paul Cézanne, Water Colours*, Londres, 1943. 32 bonnes ill.

50 Bazin, G. : *Cézanne devant l'impressionnisme* dans *Labyrinthe*, fev. 15, 1945.

51 Novotny, F. : *Cézanne als Zeichner*, dans *Wiener Jahrbuch für Kunstwissenschaft*, v. XIV (XVIII), 1950, ill.

52 Guerry, L. : *Cézanne et l'Expression de l'Espace*, Paris, 1950. Ill., notes abondantes, biblio.

53 RAMUZ, C. F. : *L'Exemple de Cézanne*, suivi de *Pages sur Cézanne*, Lausanne, 1951. Extraits d'une série de conférences données à Lausanne en 1915-1916 (voir aussi 85 et bref compte rendu d'une exposition présentée par Vollard en 1906. Malheureusement, il y a parmi les quelques illustrations des œuvres d'une authenticité très douteuse).

54 SHERMAN, H. L. : *Cézanne and Visual Form*, Colombus, Ohio, 1952. Étude originale, très bien documentée; nombreuses illustrations, diagrammes, etc.

55 STERNE, M. : *Cézanne Today* dans *The American Scholar*, v. 22, n° 1, hiver 52-53.

56 COOPER, D. : *Two Cézanne Exhibitions* dans *Burlington Magazine*, nov. et déc. 1954. Voir la réponse de L. Gowing, *Burlington Magazine*, juin 1956.

56a COOPER, D. : *Au Jas de Bouffan* dans *L'Œil*, 15 février 1955.

57 BADT, K. : *Die Kunst Cézannes*, Munich, 1956. Importante étude de la technique de l'aquarelle chez Cézanne, de la composition des joueurs de cartes, de sa position historique, etc. Notes abondantes, pas d'index, ill.

57a FUSSINER, H. : *Organic Integration in Cézanne's Painting* dans *College Art Journal*, été 1956.

57b HAMILTON, G. H. : *Cézanne, Bergson and the Image of Time* dans *College Art Journal*, fin 1956.

58 ROSTRUP, H. : *Den braendende Tornebusk* dans *Meddelelser fra Ny Carlsberg Glyptotek*, Copenhague, 1957. Sur les compositions de baigneurs de Cézanne.

59 KEMP, M. L. : *Cézanne's Critics* dans *New*, The Baltimore Museum of Art, déc. 1957.

60 BIEDERMAN, C. : *The new Cézanne — from Monet to Mondriaan* dans *Red Wing*, Minn. 1958. L'auteur voit dans Mondriaan l'héritier logique de Cézanne; mais son interprétation de celui-ci est fondée sur une acceptation, dépourvue de tout examen critique, des écrits de Bernard et Gasquet (sur la confiance qu'on peut accorder à Gasquet, voir 4).

61 NEUMEYER, A. : *Cézanne Drawings*, New York-Londres, 1958. Une assez longue introduction avec 93 ill. bien choisies et commentées de façon détaillée.

62 BERTHOLD, G. : *Cézanne und die alten Meister*, Stuttgart, 1958. Une étude approfondie de la signification des dessins de Cézanne d'après les œuvres d'autres artistes, avec un catalogue raisonné des copies de Cézanne (nombre d'entre elles sont identifiées pour la première fois), abondantes ill. Pour un compte rendu voir 65.

62a NOVOTNY, F. : *Der Reiz des Unvollendeten bei Cézanne* dans *Du*, avril 1959.

63 REFF, T. : *Cézanne's Drawings*, 1875-1885 dans *Burlington Magazine*, mai 1959, ill.

64 NEUMEYER, A. : *Paul Cézanne die Badenden*, Stuttgart, 1959. Ill. Étude sur la composition des baigneurs de Cézanne.

65   REFF, T. : *Gertrude Berthold : Cézanne und die alten Meister* dans *The Art Bulletin*, juin 1960. Compte rendu détaillé de 62 avec des corrections et des éléments nouveaux.

66   BENESCH, O. : *Rembrandt's Artistic Heritage from Goya to Cézanne* dans *Gazette des Beaux-Arts*, juillet-août 1960.

67   REFF, T. : *Reproductions and Books in Cézanne's Studio* dans *Gazette des Beaux-Arts*, nov. 1960.

67a REFF, T. : *Cézanne and Poussin. Journal of the Warburg and Courtauld Institutes*, vol. XXIII, janv.-juin 1960.

67b WALTER, R. : *Cézanne à Bennecourt en 1866* dans *Gazette des Beaux-Arts*, février 1962.

67c ANDERSEN, W. V. : *Cézanne's Sketchbook in the Art Institute of Chicago* dans *Burlington Magazine*, mai 1962 (voir 81).

67d BODELSEN, M. : *Gauguin's Cézannes* dans *Burlington Magazine*, mai 1962.

67e WALDFOGEL : *A Problem in Cézanne's « Grandes Baigneuses »* dans *Burlington Magazine*, mai 1962.

67f CHAPPUIS, A. : *Les dessins de Paul Cézanne à Bâle*, 2 vol. Olten et Lausanne, 1962. Superbe catalogue raisonné avec excellentes ill.

67g FEIST, P. H. : *Paul Cézanne.* Leipzig, 1963. Sérieuse étude teintée de marxisme, accompagnée de planches commentées.

67h REFF, T. : *Cézanne's Constructive Stroke* dans *The Art Quarterly*, vol. XXV, automne 1963. Article important.

Voir aussi biblio. 1, 79, 80, 82 et 85.

Reproductions

68   MEIER-GRAEFE, J. : *Cézanne und seine Ahnen*, Munich, 1910; *Cézannes Aquarelle*, Munich, 1920. Deux excellents albums de la Marées Gesellschaft.

69   MIRBEAU, DURET, WERTH, etc. : *Cézanne*, Paris, 1914. 49 bonnes ill. en noir et blanc et en couleurs.

70   KLINGSOR, T. L. : *Cézanne*, Paris, 1923. 40 planches.

71   GASQUET, J. : *Cézanne*, Paris, 1926. Assez médiocres planches en noir et blanc (Album d'Art Druet).

72   RAYNAL, M. : *Cézanne*, Paris, 1936. 119 bonnes ill. quoique de petit format, 4 planches en couleurs.

73   NOVOTNY, F. : *Cézanne*, New York, 1937. Excellent choix de 126 bonnes ill. en noir et blanc et en couleurs disposées chronologiquement. Courte préface (Phaidon).

74   CHAPPUIS, A. : *Dessins de Paul Cézanne*, Paris, 1938. 48 dessins bien reproduits, dont certains ne se trouvent pas dans 1, et 4 planches en couleurs.

75   RAYNAL, M. : *Cézanne*, Paris, 1939. Album de 8 bonnes planches en couleurs.

76   NICODEMI, G. : *Cézanne, Disegni*, Milan, 1944. 75 ill. assez mauvaises, de dessins reproduits surtout d'après 21, 68, 73 et 74.

77   JEWELL, E. A. : *Paul Cézanne*, New York, 1944. Édition peu soignée avec de mauvaises planches en couleurs, 48 ill. sans ordre chronologique.

78   JEDLICKA, G. : *Cézanne*, Berne, 1948. 52 bonnes planches de petit format, quelques-unes en couleurs, assemblées chronologiquement.

79   DORIVAL, B. : *Cézanne*, Paris-New York, 1948. Abondantes ill. avec de bonnes planches en blanc et noir et en couleurs, arrangées chronologiquement. Texte important, appendices utiles, table chronologique, notes sur les planches, liste d'expositions, biblio., index (Tisné).

80   REWALD, J. : *Cézanne, Carnets de dessins*, Paris, 1951. 2 vol. (texte et planches). Choix de dessins provenant de cinq carnets inédits, pas mentionnés dans 1, avec introduction et catalogue raisonné, page par page, des 5 carnets (voir aussi 81).

81   SCHNIEWIND, C. O. : *Cézanne Sketchbook*, New York, 1951. Deux volumes (texte et planches). Reproduction en facsimilé de l'un des cinq carnets (voir 80) avec excellentes planches. Voir aussi 67c.

82   SCHAPIRO, M. : *Cézanne*, New York, 1952. 50 larges planches en couleurs assez bonnes avec des commentaires et une introduction (Abrams).

83   RAYNAL, M. : *Cézanne*, Genève-Paris-New York, 1954. Planches en couleurs, beaucoup trop crues, format et qualité « carte postale » (Skira).

84   ZAHN, L. : *Paul Cézanne, Aquarelles de Paysage*, Paris, 1957. 12 planches en couleurs des plus médiocres.

85   CHAPPUIS, A. : *Dessins de Cézanne (précédés de pages de C.F. Ramuz ; voir 53)*, Lausanne, 1957. 56 excellentes ill. avec de brefs commentaires.

86   REWALD, J. : *Cézanne, Paysages*, Paris, 1958. Médiocres planches en couleurs.

86a   MUSÉE NATIONAL DU LOUVRE : *Peintures, École française, XIXe siècle*, vol. 1 A-C, Paris, 1958. Cite et reproduit 24 tableaux de Cézanne.

87   STOKES : *Cézanne*, Londres s.d. Introduction et notes, médiocres planches en couleurs (Faber Gallery).

88   Recueil important des Œuvres de Paul Cézanne, Japon s.d. Vol. 1, *Paysages* ; Vol. 2, *Portraits et Nus* ; Vol. 3, *Natures mortes*. Chaque volume contient 20 planches en couleurs médiocres avec des commentaires en japonais.

89   DORIVAL, B. : *Cézanne*, Paris. Petit volume avec 20 médiocres planches en couleurs (Hazan).

89a   TAILLANDIER, Y. : *P. Cézanne*, Paris 1961. Planches en couleurs très mauvaises, assemblées sans souci chronologique.

Voir aussi biblio. 1, 3, 12, 33, 38, 39, 40, 43, 46, 47, 48, 49, 54, 61, 62, 67f et 67g.

Catalogues d'expositions

Cette section mentionne les catalogues des expositions les plus importantes
présentées depuis la parution de 1.

90 *Cézanne*, Musée de l'Orangerie, Paris, printemps 1936. Importante
exposition. Préfaces par J.-E. Blanche et P. Jamot, notices
détaillées par C. Sterling, importante biblio. Ill.

91 *Paul Cézanne*, Kunsthalle, Bâle, août-oct. 1936.

92 *Cézanne*, Galerie Bignou, New York, nov.-déc. 1936. 30 tableaux,
quelques ill.

93 *Paul Cézanne*, San Francisco Museum of Art, sept.-oct. 1937. Textes
de G. L. McCann Morley and G. Mack; biblio., excellentes ill.

94 *Cézanne*, Paul Rosenberg, Paris, février-avril 1939. Préface de Tabarant.
Les 35 tableaux exposés sont reproduits.

95 *Paul Cézanne*, Société des Artistes Indépendants, Grand Palais,
Paris, mars-avril 1939. Préface de Maurice Denis. Liste de 85
œuvres, pas d'ill.

96 *Cézanne*, Rosenberg et Helft, Londres, avril-mai 1939. Les 23 œuvres
exposées sont reproduites.

97 *Cézanne*, Musée de Lyon 1939, quelques ill.

98 *Hommage à Paul Cézanne*, Wildenstein et Cie, Londres, juillet 1939.
Préface de John Rewald, catalogue avec notes détaillées, bonnes
ill.

99 *Cézanne*, Wildenstein, New York, mars-avril 1947. Importante
exposition; commentaires, nombreuses ill.

100 *Six Masters of Post-Impressionism*, Wildenstein, New York, avril-
mai 1948 (Cézanne, Gauguin, Lautrec, Rousseau, Seurat, van
Gogh). Ill.

101 *Cézanne*, Art Institute of Chicago et Metropolitan Museum of Art,
New York, 1952. Importante exposition. Préface de T. Rousseau
Jr., commentaires, nombreuses ill. de bonne qualité.

101a *Cézanne, Rarely Shown Works*, Fine Arts Associates, New York,
nov. 1952. Texte de K. E. Osthaus (voir 9). Également à la même
galerie : *Cézanne, Watercolors*, février 1956. Ill.

102 *Cézanne*. Musée Granet, Aix-en-Provence et Musée de Nice, été
1953, quelques ill.

103 *Monticelli et le Baroque Provençal*, Orangerie des Tuileries, Paris,
juin-septembre 1953 (importante section consacrée à Cézanne).

104 *Hommage à Cézanne*, Orangerie des Tuileries, Paris, juin-oct. 1954.
50 tableaux de l'ancienne collection Pellerin et toutes les œuvres
appartenant au Louvre. Notes importantes de A. Châtelet,
quelques ill.

105 *Cézanne*, Édimbourg et Tate Gallery, Londres, été fin 1954. Préface
de L. Gowing, notes détaillées. Voir aussi 56.

106 *Paul Cézanne*, Gemeentemuseum, La Haye, juin-juillet 1956 (voir
aussi 108 et 109). Préface de F. Novotny, excellente étude biographique et stylistique, bonnes ill.

107 *Cézanne*, Pavillon de Vendôme, Aix-en-Provence, juillet-août 1956.
Préface de F. Novotny, nombreuses ill.

108   *Paul Cézanne*, Kunsthaus, Zürich, août-oct. 1956. Voir aussi 106 et 109.

109   *Cézanne*, Haus der Kunst, Munich, oct.-nov. 1956. Voir aussi 106 et 108.

110   *Cézanne*, Kunsthaus Lempertz, Cologne (Wallraf-Richartz-Museum), déc. 1956-janv. 1957. Catalogue et commentaires par L. Reidemeister, nombreuses ill.

111   *Cézanne*, Wildenstein, New York, nov.-déc. 1959. Importante exposition. Courte préface de M. Schapiro, commentaires repris de 99. Les 87 œuvres exposées sont reproduites.

112   *Cézanne*, Oesterreichische Galerie, Vienne, avril-juin 1961. Préface de F. Novotny, notes détaillées, aperçu biographique, excellentes ill., quelques-unes en couleurs.

113   *Cézanne*, Pavillon de Vendôme, Aix-en-Provence, été 1961. Petite mais belle exposition.

114   *Cézanne*, *Watercolors*, Knoedler Galleries, New York, avril 1963. Exposition importante; toutes les œuvres exposées sont reproduites et analysées dans le catalogue.

DEGAS

Catalogues de l'œuvre

1   Catalogues des tableaux, pastels et dessins par Edgar Degas et provenant de son atelier dont la vente... aura lieu à Paris, Galeries Georges Petit; (I) 6-8 mai 1918 (336 ill.); (II) 11-13 décembre 1918 (421 ill.); (III) 7-9 avril 1919 (637 ill.); (IV) 2-4 juillet 1919 (755 ill.). Quatre ventes de tableaux, aquarelles, pastels, dessins et monotypes qui, à l'exception des peintures et pastels, ne sont pas reproduits dans 4.
Voir également : Cat. de la « Succession de M. René de Gas » [frère du peintre], Paris, 10 novembre 1927, et cat. de la « Collection de Mlle J. Fèvre » [nièce du peintre], Paris, 10 juin 1934.

2   DELTEIL, L. : *Edgar Degas* dans *Le Peintre-Graveur illustré*, v. IX. Paris, 1919. Cat. raisonné des 66 eaux-fortes de Degas. Voir aussi 100.

3   REWALD, J. : *Degas, Works in Sculpture*, New York, 1944. Cat. raisonné des sculptures de Degas avec 141 ill. d'après bronzes, modèles en cire, plâtres et dessins apparentés; biblio. Nouvelle édition, aussi en français, 1957. Voir également 82, 83, 90 et 93.

4   LEMOISNE, P. A. : *Degas et son Œuvre*, Paris, 1946-1949., 4 vol. V. I, texte, avec notes abondantes et biblio., sommaire; V. II, peintures et pastels, 1853-1882; V. III, peintures et pastels, 1883-1908; V. IV, tables, index alphabétique et géographique, etc. (D'autres volumes, notamment sur les dessins, en préparation.) Ouvrage d'une présentation impeccable, avec planches excellentes (plus de 1500 ill.) et texte sur page opposée. Malheureusement, les

œuvres apparentées n'ont pas toujours été groupées et il n'y a nul renvoi aux dessins préparatoires. Le texte est inspiré de forts partis pris, l'auteur ayant choisi d'ignorer tous les travaux avec lesquels il n'est pas d'accord. Ce procédé rend son travail incomplet. Néanmoins, ce catalogue est l'ouvrage de base sur Degas et le premier effort pour établir une chronologie de ses œuvres, encore que l'auteur néglige en général de justifier les dates qu'il propose. Voir à ce sujet 58b.

Écrits de l'artiste

5 DURANTY, E. : *La Nouvelle Peinture*, Paris, 1876. Nouvelle édition, Paris, 1946. La lettre d'un artiste non identifié, citée par Duranty, est supposée avoir été écrite par Degas; elle ne se trouve pas dans 7.

6 LEMOISNE, P. A. : *Les Carnets de Degas au Cabinet des Estampes* dans *Gazette des Beaux-Arts*, avril 1921. Extraits fort intéressants des notes prises par Degas dans ses carnets de dessins. Quelques-unes ont été citées dans le présent ouvrage. Voir aussi 56.

7 *Lettres de Degas, recueillies et annotées par M. Guérin*, Paris, 1931. 193 lettres (1872-1910), 17 ill., principalement d'après d'excellentes photos du peintre, pas d'index. Édition nouvelle et plus complète, contenant entre autres les quelques lettres, à Durand-Ruel, publiées par L. Venturi *(Les Archives de l'Impressionnisme)*, Paris, 1945. D'autres lettres inédites se trouvent dans l'édition anglaise, Oxford, 1947. Aucun des ouvrages n'est complet. Sur les photographies de Degas, voir aussi L. Hochin : *Degas photographe* dans *L'Œil*, mai 1960 et 9a.

8 DEGAS, E. : *Huit Sonnets*, Paris, 1946. Avec introduction de J. Nepveu-Degas; excellentes ill.

9 FÈVRE, J. : *Mon Oncle Degas. Souvenirs et documents inédits recueillis et publiés par Pierre Borel*, Genève, 1949. Contient environ 25 lettres inédites; ill.

9a B. NEWHALL : *Degas, photographe amateur*. Huit lettres inédites [de 1895]. *Gazette des Beaux-Arts*, janv. 1963.

Pour d'autres lettres voir 4 et 24.

Témoignages de contemporains

10 GONCOURT, E. et J. : *Journal*, v. V, 1872-1877, Paris, 1891.

11 MOORE, G. : *Memories of Degas* dans *Burlington Magazine*, janvier-février 1918. Voir aussi du même auteur : *Impressions and Opinions*, New York, 1891 (chap. sur Degas) et *Modern Painting*, Londres, 1893.

12 SICKERT, W. : *Degas* dans *Burlington Magazine*, novembre 1917. Reprod. dans Emmons, R. : *The Life and Opinions of Richard Walter Sickert*, Londres, 1941.

13 CHARLES, F. : *Les mots de Degas* dans *La Renaissance*, avril 1918.

14 THIÉBAULT-SISSON : Article sur Degas dans *Le Temps*, 18 mai 1918.

15 MICHEL, A. : *Degas et son Modèle* dans *Mercure de France*, 1ᵉʳ et 16 février 1919. Deux excellents articles par un modèle de Degas, donnant une description vivante du peintre vieillissant, de son travail, son atelier, etc.

16 BLANCHE, J.-E. : *Propos de Peintre, de David à Degas*, Paris, 1919.

17 VOLLARD, A. : *Degas*, Paris, 1924, 1938. Une suite d'anecdotes sans lien, souvent médiocres, qui parfois font mieux connaître Vollard que Degas. Le plus décevant des recueils de Vollard. Ill. mauvaises, pas d'index.

18 MOREAU-NELATON, E. : *Deux heures avec Degas* dans *L'Amour de l'Art*, juillet 1931. Notes intéressantes prises au cours d'un entretien en 1907, concernant surtout la rencontre de Degas avec Ingres.

19 CHIALIVA, J. : *Comment Degas a changé sa technique du dessin* dans *Bulletin de la Société de l'Histoire de l'art français*, 1932.

19a HALÉVY, D. : *Pays parisiens*, Paris, 1932. Souvenirs. Voir aussi 25 et 74.

20 JEANNIOT, G. : *Souvenirs sur Degas* dans *La Revue universelle*, 15 octobre-1ᵉʳ novembre 1933. Étude importante.

21 ROUART, E. : *Degas* dans *Le Point*, numéro spécial, février 1937.

22 ROMANELLI, P. : *Comment j'ai connu Degas* dans *Le Figaro littéraire*, 13 mars 1937.

23 NATANSON, T. : *Peints à leur tour*, Paris, 1948. Chapitre sur Degas.

24 ROUART, D. : *Correspondance de Berthe Morisot*, Paris, 1950. Avec des lettres de Berthe Morisot et de Degas. Les souvenirs de M. Ernest Rouart et les « Souvenirs de Berthe Morisot notés par elle dans un carnet » ont été publiés dans *48*, pp. 180-173 et 140-148.

25 HALÉVY, D. : *Degas parle...*, Paris-Genève, 1960. Extrait d'un journal commencé en 1888 lorsque l'auteur, dont les parents étaient des amis intimes de l'artiste, avait 16 ans. Voir aussi 74.

25a HAVEMEYER, L. W. : *Sixteen to Sixty. Memoirs of a Collector*, New York, 1961. L'auteur connut Degas par Mary Cassatt.

Voir aussi 9, 26, 30, 39 et 48.
Octave Mirbeau a emprunté quelques traits à Degas pour le peintre qui figure dans son roman : *Le Calvaire*.

Biographies

26 LAFOND, P. : *Degas*, Paris, 1918-1919, 2 vol. Une étude sur la vie et l'art de Degas par un ami du peintre. Belles ill., les planches en noir et blanc et en couleurs sont meilleures dans le second vol., mais toutes sont assemblées sans ordre. Ni biblio., ni index.

27 MEIER-GRAEFE, J. : *Degas*, Munich, 1920 (Édition anglaise, Londres, 1923, 1927). 103 planches excellentes, groupées chronologiquement. Ni biblio., ni index.

28 COQUIOT, G. : *Degas*, Paris, 1924. Plus de verbiage que de renseignements, accompagné d'une liste insuffisante des « principales » œuvres de Degas, assemblées sans dates. Ill. médiocres ; ni biblio., ni index.

29 MANSON, J. B. : *The Life and Work of Edgar Degas*, Londres, 1927. Cette biographie consciencieuse est accompagnée de 81 bonnes reprod. en noir et blanc, arrangées chronologiquement, et de quelques planches en couleurs. Ni biblio., ni index.

30 RIVIÈRE, G. : *M. Degas, bourgeois de Paris*, Paris, 1935. Bien que l'auteur connût Degas, il n'a rien de personnel à dire et voit surtout son sujet à travers Renoir, ami de toujours de l'auteur. 71 ill. médiocres; ni biblio., ni index.

31 GRABER, H. : *Edgar Degas, Eigene Zeugnisse — Fremde Schilderungen — Anekdoten*, Bâle, 1940. Sur les « méthodes » de cet auteur voir Cézanne, 22.

32 REWALD, J. : *Degas and his Family in New Orleans* dans *Gazette des Beaux-Arts*, août 1946. Article basé sur des recherches effectuées à La Nouvelle-Orléans et sur des renseignements communiqués par un neveu du peintre; avec arbre généalogique, ill.

33 RAIMONDI, R. : *Degas e la sua famiglia in Napoli (1793-1917)*, Naples, 1958. Une étude détaillée sur la famille de Degas en Italie avec des documents nombreux mais peu soigneusement transcrits; ill.

Voir aussi biblio. 4, 43 et 58.

Études de style

34 HUYSMANS, J.-K. : *L'Art moderne*, Paris, 1883, 1902. Voir aussi du même auteur : *Certains*, Paris, 1889.

35 GEFFROY, G. : *Degas* dans *L'Art dans les Deux Mondes*, 20 décembre 1890.

36 LIEBERMANN, M. : *Degas*, Berlin, 1899, 1912. Court essai.

37 MAUCLAIR, C. : *Edgar Degas* dans *La Revue de l'Art ancien et moderne*, 10 novembre 1903.

38 GRAPPE, G. : *Degas* dans *L'Art et le Beau*, s.d [3e année].

39 LEMOISNE, P. A. : *Degas*, Paris, s.d. [1912]. 48 planches, chronologiquement assemblées, accompagnées d'un commentaire qui contient parfois des renseignements donnés par Degas que l'auteur connaissait. Courte biblio., pas d'index.

40 ALEXANDRE, A. : *Monsieur Degas*, numéro spécial, *Les Arts*, n° 166, 1918.

41 HERTZ, H. : *Degas*, Paris, 1920. Ill. médiocres.

42 FOSCA, F. : *Degas*, Paris, 1921. Sans ill.

43 JAMOT, P. : *Degas*, Paris, 1924. Une excellente étude de l'évolution de Degas. 88 bonnes planches en noir et blanc, arrangées chronologiquement et accompagnées de commentaires détaillés; liste des expositions auxquelles Degas participa avec titres des œuvres exposées; courte biblio., pas d'index.

44 GUÉRIN, M. : *Remarques sur des portraits de famille peints par Degas* dans *Gazette des Beaux-Arts*, juin 1928.

45 MONGAN, A. : *Portraits Studies by Degas in American Collections* dans *Bulletin of the Fogg Museum*, Harvard University, mai 1932.

46 WALKER, J. : *Degas et les Maîtres anciens*, dans *Gazette des Beaux-Arts*, 1933. Comprend une liste des œuvres copiées par Degas. Voir aussi 58e.

47 GEORGE, W. : *Œuvres de vieillesse de Degas — Sur quelques copies de Degas*, dans *La Renaissance*, janvier-février 1936.

48 VALÉRY, P. : *Degas, Danse, Dessin*, Paris, 1936, 1938. Considérations subtiles sur l'art en général et sur Degas que le poète avait connu et de qui il rapporte quelques souvenirs. Aux siens s'ajoutent ceux d'E. Rouart et des notes de Berthe Morisot, voir 24.

49 MITCHELL, E. : *La Fille de Jephté par Degas, genèse et évolution* dans *Gazette des Beaux-Arts*, octobre 1937.

50 MONGAN, A. : *Degas as seen in American Collections* dans *Burlington Magazine*, juin 1938.

51 ROUART, D. : *Degas à la recherche de sa technique*, Paris, 1945. Étude très compétente sur les média utilisés par Degas : détrempe à la colle et à l'œuf, gouache, peinture à l'essence sur papier, peinture sur papier huilé, pastel, peinture à l'huile, monotypes, contre-épreuves, gravure, dessin. Notes très détaillées, biblio., ill. Ouvrage de base.

52 REWALD, J. : *The Realism of Degas* dans *Magazine of Art*, janvier 1946.

53 ROUART, D. : *Degas, Monotypes*, Paris, s.d. [1948]. Courte introduction pour album de planches superbes. Sur les monotypes de Degas voir aussi 58f et 94.

54 BROWSE, L. : *Degas Dancers*, Londres, 1949. Étude sur la place que le ballet occupe dans l'œuvre de Degas; très richement ill.

55 BOGGS, J. S. : *Edgar Degas and the Bellelis* dans *Art Bulletin*, juin 1955. Étude bien documentée. Voir aussi 58c.

56 BOGGS, J. S. : *Degas Notebooks at the Bibliothèque nationale* dans *Burlington Magazine*, mai, juin et juillet 1958.

57 ROSENBERG, J. : *Great Draughtsmen from Pisanello to Picasso*, Cambridge, 1959. Important chapitre sur Degas.

58 CABANNE, P. : *Edgar Degas*, Paris, 1960. Abondamment illustré avec d'excellentes reproductions en noir et blanc, de bonnes planches en couleurs, photographies, etc. Les reproductions sont disposées par ordre chronologique. Extraits des écrits de jeunesse de Degas, chronologie, notes détaillées sur les planches, biblio., liste d'expositions, index. Un livre très utile (Tisné).

58a SCHARF, A. : *Painting, Photography and the Image of Movement* dans *Burlington Magazine*, mai 1962.

58b BOGGS, J. S. : *Portraits by Degas*, Berkeley, Los Angeles, 1962. Basé sur des recherches très fouillées à la suite desquelles il faudra changer certaines dates proposées dans 4. Excellentes ill. Appendice avec très utile dictionnaire des modèles de Degas, biblio. sélectionnée, index.

58c KELLER, H. : *Edgar Degas — Die Familie Bellelli*, Stuttgart, 1962 (Reclam).

58d BURROUGHS, L. : *Degas paints a Portrait* dans *Metropolitan Museum of Art Bulletin*, janv. 1963. Il s'agit d'un portrait d'Yves Gobillard.

58e   FRIES, G. : *Degas et les Maîtres* dans *Art de France*, 1964.
58f   ROUART, D. : *Neuf monotypes de Degas* dans *L'Œil*, 1964.
Voir aussi 3, 4, 26, 29 et 75.

Reproductions

59   DEGAS : *Vingt Dessins*, 1861-1896, Paris, s.d. 20 magnifiques reprod.
en couleurs, exécutées suivant un procédé nouveau, inventé par
Manzi, ami de Degas. L'artiste lui-même a surveillé l'impression
et signé chaque album.

60   *Degas*, Paris, 1914, 1918. 98 reprod. en noir et blanc d'après des
peintures, pastels, dessins et gravures, publiés par Vollard.
Avant de les imprimer, celui-ci soumit les photos à l'artiste qui
les signa ce qui, cependant, n'augmente guère l'intérêt de l'ouvrage. Les planches sont médiocres.

61   RIVIÈRE, H. : *Les Dessins de Degas*, Paris, 1922-1923. Grand album de
reprod. excellentes en noir et blanc et en couleurs, imprimées par
Demotte.

62   FOSCA, F. : *Degas*, Paris, 1927. 24 planches médiocres (Album d'Art
Druet).

63   HUYGHE, BAZIN, LEMOISNE, etc. : *Degas*; numéro spécial de *L'Amour
de l'Art*, juillet 1931. Études sur la peinture et la sculpture de
Degas, abondamment ill.; plusieurs photos intéressantes, représentant Degas ou prises par lui.

64   GUÉRIN, M. et LEMOISNE, P. A. : *Dix-neuf Portraits de Degas par
lui-même*, Paris, 1931.

65   ANDRÉ, A. : *Degas*, Paris, 1935. 30 excellentes planches en noir et
blanc d'après des dessins et pastels.

66   GRAPPE, G. : *Degas*, Paris, s.d. [1936].

67   MAUCLAIR, C. : *Degas*, Paris, 1937. New York, 1941, 1945. Assez
bonnes ill. en noir et blanc; planches en couleurs médiocres
(Hypérion).

68   NICODEMI, G. : *Degas, 28 disegni*, Milan, 1944. Reprod. médiocres
de peintures, pastels et dessins.

69   WILENSKI, R. H. : *Degas*, Londres, 1946. Introd. et notes, planches
en couleurs mauvaises; second album avec texte de M. Ayrton
(Faber Gallery).

70   HAUSENSTEIN, W. : *Degas*, Berne, 1948. Bonnes ill., quoique petites.

71   LEYMARIE, J. : *Dessins de Degas*, Paris, 1948. 24 petites planches, la
plupart en couleurs (Hazan).

72   SCHWABE, R. : *Degas the Draughtman*, Londres, 1948. Assemblage
sans ordre de 44 planches.

73   ROUART, D. : *Degas, dessins*, Paris, 1948. 16 excellentes planches en
couleurs.

74   HALÉVY, D. : *Album de dessins de Degas*, Paris, 1949. Courte préface
séparée et reprod. parfaite en fac-similé d'un album de croquis
ayant appartenu à Halévy, datant de 1877 et des années suivantes.
Voir aussi 19a et 25.

75 RICH, D. C. : *Degas*, New York, 1951. Ouvrage de 50 larges planches en couleurs, généralement assez bonnes, avec commentaires et introduction.

76 CHAMPIGNEULLE, B. : *Degas, Dessins*, Paris, 1952. 80 petites planches, pas très bonnes, arrangées chronologiquement.

77 FOSCA, F. : *Degas*, Genève, Paris, New York, 1953. Planches en couleurs trop vives, format et qualité « carte postale » (Skira).

78 CHARENSOL, G. : *Degas*, New York, 1959. Petit volume avec de médiocres planches en couleurs.

79 COOPER, D. : *Pastels by Edgar Degas*, Bâle-New York (s.d.). 32 passables planches en couleurs avec courte introduction et commentaires.

80 HUTTINGER, E. : *Degas*, Paris (s.d.). Planches pauvres, le plus souvent fréquemment sans date et disposées au hasard.

80a PECIRKA, J. : *Degas, Dessins*, Prague, Paris, 1963.

80b ROUART, D. : *Degas et Renoir inconnus au musée de Belgrade*, Paris, Londres, New York, 1964. Bonnes reproductions.

Voir aussi biblio. 1-4, 7, 9, 21, 26 27, 29, 30, 38, 39, 43, 51, 53, 54, 58, 58b, 58f, 84, 87, 89, 92-96, 98 et 99.

Catalogues d'expositions

81 *Exposition Degas*, Paris, Galeries Petit, avril-mai 1924; catalogue réalisé par M. Guérin; ill.

82 *Edgar Degas, das plastische Werk*, Berlin, mai 1926; Munich, juillet-août 1926; Dresde, septembre 1926. Introductions par C. Glaser et W. Hausenstein.

83 *Degas, Portraitiste, Sculpteur*, Paris, Musée de l'Orangerie, s.d. [1931]. Introductions par P. Jamot et P. Vitry; ill.

84 *Degas*, Philadelphia Museum of Art, 1936; catalogue réalisé par H. P. Mc Ilhenny, introductions par P. J. Sachs et A. Mongan; ill.

85 *Degas*, Paris, Musée de l'Orangerie, mars-avril 1937; réalisé par J. Bouchot-Saupique et M. Delaroche-Vernet, introduction par P. Jamot; ill., considérable biblio.

86 *Degas, peintre du mouvement*, Paris, Galerie A. Weill, 1939. Introduction par C. Roger-Marx.

87 *Works by Edgar Degas*, Cleveland Museum of Art, 1947. Ill.

88 *Edgar Degas — Skulpturer og Monotypier*, Tegninger og Malerier, Ny Carlsberg Glyptotek, Copenhague, 1948.

89 *Degas*, Wildenstein Galleries, New York, 1949. Texte de D. Wildenstein, ill.

90 *The Complete Collection of Sculptures by Edgar Degas*, Marlborough Galleries, Londres, 1951.

91 *Degas*, Edinburgh Festival and Tate Gallery, Londres, 1952. Introduction par D. Hill, ill.

92 *Degas dans les collections françaises* dans *Gazette des Beaux-Arts*, Paris, 1955. Texte de D. Wildenstein, Ill.

93 *Edgar Degas — Original Wax Sculptures*, Knoedler Galleries, New York, 1955. Avant-propos de J. Rewald et J. Nepveu-Degas, ill.

94 *Degas — Monotypes, Drawings, Pastels, Bronzes*, Lefevre Gallery, Londres, 1958. Avant-propos de D. Cooper, ill.

95 *Degas — Paintings, Drawings, Prints, Sculpture*, Los Angeles County Museum, 1958. Texte de J. S. Boggs, ill. Très belle publication.

96 *Renoir — Degas, Drawings, Pastels, Sculptures*, Charles E. Slatkin Galleries, New York, 1958. Avant-propos de V. Price. Nombreuses ill.

97 *Twenty-six Original Copperplates engraved by Degas*, Frank Perls Gallery, Beverly Hills, 1959. Textes de J. Rewald et J. S. Boggs, ill.

98 Musée national du Louvre — *Peintures, École française, XIXᵉ siècle*, v. II, D-G., Paris, 1959. Listes et reproductions de 51 peintures et pastels de Degas.

99 *Degas*, Wildenstein Galleries, New York, 1960. Textes de K. Lansner et D. Wildenstein, ill.

100 *Etchings by Edgar Degas*, University of Chicago, mai-juin 1964. Préface et notes de P. Moses, ill. Excellent catalogue.

GAUGUIN

La phase impressionniste de Gauguin n'a pas encore été étudiée comme il convient. Ses œuvres de cette époque n'ont pas encore été réunies dans une publication spéciale ni examinées d'un point de vue critique. Cela s'applique également à ses œuvres exécutées à la Martinique (1887) où il continua à peindre dans un style proche de celui qu'il avait adopté sous l'influence de Pissarro. La plupart des biographes de Gauguin se sont consacrés surtout à son évolution à partir de 1888, époque à laquelle il commença à exprimer ses théories du synthétisme.

Le premier volume du catalogue raisonné des peintures de Gauguin par G. Wildenstein a paru à Paris en 1963. Pour une bibliographie étendue voir J. REWALD : *Le Post-Impressionnisme, de van Gogh à Gauguin*, Paris, 1961.

GUILLAUMIN

Voir vol. I, p. 92, note 31.

MANET

Catalogues de l'œuvre

1 TABARANT, A. : *Manet, Histoire catalographique*, Paris, 1931. Tentative intéressante de combiner catalogue raisonné et biographie. Malheureusement cet ouvrage n'est pas illustré. Biblio. Voir aussi 4.

2 JAMOT, WILDENSTEIN, BATAILLE : *Manet*, Paris, 1932. 2 vol. (texte et planches). Le catalogue énumère 546 peintures et pastels (ni

aquarelles, ni dessins), comprenant un certain nombre d'œuvres d'authenticité douteuse et de faux, indiqués comme tels et non reprod. Des notes détaillées fournissent tous les renseignements désirables sur chacune des œuvres. Une longue introd. de P. Jamot examine l'évolution de Manet. Elle est suivie d'une généalogie de la famille du peintre, d'une iconographie de Manet, de descriptions de Manet par A. Proust, Bazire, Zola, Mallarmé, Moore, de Nittis, etc. Une table chronologique très détaillée, avec nombreuses citations de documents, est particulièrement précieuse. Excellent index. Les 487 ill. ne sont malheureusement pas groupées chronologiquement. Biblio. très étendue. Une nouvelle édition revisée était préparée par G. Wildenstein.

3 GUÉRIN, M. : *L'Œuvre gravé de Manet*, Paris, 1944. Édition nouvelle et plus complète d'un catalogue de Moreau-Nelaton : *Manet Graveur et Lithographe*, Paris, 1906, dont l'introduction est réimprimée ici. Présentation chronologique des plus importantes eaux-fortes, lithographies, etc., de Manet, avec 182 bonnes reprod., parmi lesquelles tableaux ou études se rapportant aux estampes. Courte biblio. Voir aussi 40 et 60a.

4 TABARANT, A. : *Manet et ses Œuvres*, Paris, 1947. Une entreprise gigantesque, mêlant le récit de la vie de Manet, jour par jour, à une description de ses œuvres, toile par toile, et noyant le tout dans un amas de détails, souvent insignifiants, véritable avalanche d'informations, de documents, de bavardages, de suppositions, etc. De plus, le texte est mal écrit et fort difficile à consulter pour des références, en dépit des index; il n'est accompagné nulle part de renvois aux 678 reprod. format timbre-poste, groupées à la fin. Parmi celles-ci se trouvent d'ailleurs plusieurs œuvres dont l'authenticité paraît douteuse, pour le moins. Listes, index, pas de biblio.; voir le compte rendu de J. Rewald, avec table de concordances entre 1, 2 et 4, *The Art Bulletin*, septembre 1948.

5 MATHEY, J. : *Graphisme de Manet — Essai de catalogue raisonné des dessins*, Paris, 1961. Ce livre déconcertant traite du domaine pratiquement ignoré des dessins de Manet, mais il est difficile de suivre l'auteur dans beaucoup de ses attributions, basées sur des interprétations stylistiques qui ne sont soutenues par aucune documentation d'origine. Beaucoup d'ill.

5a MATHEY, J. : *Graphisme de Manet II — Peintures réapparues*, Paris, 1963. Voir commentaire pour 5.

Écrits de l'artiste

6 DURET, T. : *Quelques Lettres de Manet et de Sisley* dans *Revue Blanche*, 15 mars 1899.

7 MANET, É. : *Lettres de Jeunesse*, Paris, 1929. Série de lettres écrites par Manet à l'âge de dix-sept ans, alors qu'il était apprenti marin entre Rio de Janeiro et Le Havre.

8 GUIFFREY, J. : *Lettres illustrées* de *Édouard Manet*, Paris, 1929. Superbes fac-similés de 22 lettres écrites vers 1880 et plus intéressantes par leurs charmantes aquarelles que par leur texte. Une nouvelle édition a été publiée à New York : *Manet, Lettres avec aquarelles*, 1944.

9 TABARANT, A. : *Une correspondance inédite d'Édouard Manet — Lettres du Siège de Paris*, Paris, *Mercure de France*, 1935.

10 *Lettres d'Édouard Manet sur son voyage en Espagne* dans *Arts*, Paris, 16 mars 1945. Quelques lettres à Eva Gonzalès sont citées dans C. Roger-Marx : *Eva Gonzalès*, Paris, 1950.

La plupart des lettres importantes de Manet, adressées à sa famille et à ses amis (il ne se livre pas beaucoup dans ses missives), sont citées longuement dans 22; d'autres se trouvent dans 1, 2, 3 et 4. Voir aussi 28.

Témoignages de contemporains

11 ZOLA, É. : *Édouard Manet, étude biographique et critique*, Paris, 1867. Réimprimé dans : *Mes Haines*, Œuvres complètes, Paris, 1928, avec d'autres écrits de Zola sur Manet et des notes et commentaires de M. Le Blond. Voir aussi : *Émile Zola — Salons, recueillis, annotés et présentés par F. W. J. Hemmings et R. J. Niess*, Genève-Paris, 1959.

12 ALEXIS, P. : *Manet* dans *Revue Moderne et Naturaliste*, 1880, pp. 289-295. Cet article et les deux suivants sont des comptes rendus de visites au studio de l'artiste publiés durant sa vie.

13 JEANNIOT : article sur Manet dans *La Grande Revue*, janvier 1882.

14 GOETSCHY, G. : *Édouard Manet* dans *La Vie Moderne*, 12 mai 1883.

15 MOORE, G. : *Confessions of a Young Man*, Londres, 1888. Voir aussi du même auteur : *Modern Painting*, Londres-New York, 1898 et *Memories of my Dead Life*, Londres, 1906. Sur l'amitié de Moore et de Manet voir D. Cooper : *George Moore and Modern Art* dans *Horizon*, février 1945.

16 DE NITTIS, J. : *Notes et Souvenirs*, Paris, 1895. Les quelques remarques intéressantes sont citées dans 22, d'autres se trouvent rapportées dans le présent ouvrage.

17 BLANCHE, J. E. : *Essais et Portraits*, Paris, 1912. Notes sur Manet réimprimées dans : *Propos de Peintre, de David à Degas*, Paris, 1919.

18 PROUST, A. : *Édouard Manet, Souvenirs*, publiés par A. Barthélemy, Paris 1913. L'auteur, qui connut Manet au collège, puis chez Couture, et qui se tourna ensuite vers la politique, présente ses souvenirs avec plus ou moins de cohérence. On ne peut toujours se fier à lui; il se trompe de dates, ne suit que d'une manière intermittente la carrière de l'artiste et surtout ne comprend pas tout à fait le génie de son ami. Son livre qui développe un article de *La Revue Blanche* (1897) : *Souvenirs de Manet*, apporte néanmoins quelques renseignements utiles.

Un chapitre sur Manet basé sur les souvenirs de Mallarmé peut être trouvé dans l'ouvrage de T. Natanson : *Peints à leur tour*, Paris, 1948. Voir aussi 19, 20 et 28.

Biographies

19 BAZIRE, E. : *Manet*, Paris, 1884. Le premier en date des ouvrages sur Manet, publié un an après sa mort. Intéressant comme témoignage d'admiration, cet ouvrage souffre de beaucoup de lacunes.

20 DURET, T. : *Histoire d'Édouard Manet et de son Œuvre*, Paris, 1902, 1906, 1919, 1926. Biographie fondée sur la longue amitié de l'auteur pour Manet.

21 WALDMANN, E. : *Édouard Manet — Sein Leben und seine Kunst*, Berlin, 1910, 1923. Ill.

22 MOREAU-NELATON, E. : *Manet raconté par lui-même*, 2 vol., Paris, 1926. Excellente présentation, faite avec le plus grand soin, de tous les faits intéressant Manet, avec de nombreuses citations de lettres et d'autres documents. L'exploration minutieuse de toutes les sources de renseignements retire pratiquement tout intérêt aux biographies publiées antérieurement. L'ouvrage a été largement utilisé par tous ceux qui depuis ont écrit sur Manet. Abondamment ill. avec de très bonnes planches. En appendice catal. et photos de l'exposition Manet, Paris, 1884. Index détaillé, pas de biblio.

23 FLAMENT, A. : *La Vie de Manet*, Paris, 1928.

24 VAN ANROY, A. : *Impromptu*, La Haye, 1931. Sur Manet et sa femme hollandaise (en hollandais). En français, Genève-Annemasse, 1949.

25 COLIN, P. : *Édouard Manet*, Paris, 1932. 96 assez bonnes planches, biblio., pas d'index.

26 JEDLICKA, G. : *Manet*, Erlenbach-Zurich, 1941. Combinant étude critique et biographie, cet ouvrage présente une enquête approfondie et soigneuse de la vie de Manet et de son développement qui présuppose, cependant, une parfaite connaissance du monde où vivait l'artiste. Ceux qui cherchent des faits précis et des documents seront sans doute déçus. Parfois l'auteur manque de discernement dans l'utilisation de ses sources (notamment quand il s'agit des souvenirs de Proust, etc.), mais cela n'ôte rien au grand mérite de cet ouvrage en tant que portrait très fouillé de Manet. Abondamment ill. avec d'excellentes planches, index, pas de biblio.

27 GRABER, H. : *Édouard Manet, nach eigenen und fremden Zeugnissen*, Bâle, 1941. Sur les « méthodes » de cet auteur voir Cézanne 22.

28 COURTHION, P. et CAILLER, P. : *Manet raconté par lui-même et par ses amis*, Genève, 1945, 1954. Extraits de lettres de Manet et d'écrits de Zola, Baudelaire, Mallarmé, Proust, etc. Pas de documents nouveaux. Ill., courte biblio., pas d'index. Une très utile compilation.

29 PIÉRARD, L. : *Manet l'incompris*, Paris, 1946.
30 SCHWARZ, H. : *Two Unknown Portraits of Manet* dans *Gazette des Beaux-Arts*, avril 1949.
31 PERRUCHOT, H. : *La Vie de Manet*, Paris, 1959. Cette biographie compétente ne contient que peu d'éléments nouveaux et souffre de l'effort que fait l'auteur pour « animer » la vie de l'artiste par des aventures d'ordre sentimental. Voir aussi 83. Quelques ill., chronologie, bibl. condensée, pas d'index.

Études de style

32 BIETZ, J. DE : *Édouard Manet* (conférence), Paris, 1884.
33 TSCHUDI, H. VON : *Édouard Manet*, Berlin, 1902. Mince volume avec de nombreuses ill.; pas de biblio., pas d'index.
34 MEIER-GRAEFE, J. : *Manet und sein Kreis*, Berlin, 1903. Voir aussi du même auteur : *Édouard Manet*, Munich, 1912. Ill.
35 PAULI, G. : *Raffael und Manet* dans *Monatshefte fur Kunstwissenschaft*, 1908.
36 HOURTICQ, L. : *Manet*, Paris, s.d. [1912]. 48 ill. chronologiquement assemblées, accompagnées de commentaires par J. Laran et G. Le Bas. Ni biblio., ni index.
37 BERNARD, E. : *Tintoret, Greco, Magnasco, Manet*, Paris, 1920.
38 GLASER, C. : *Édouard Manet*, Munich, 1922.
39 BLANCHE, J. E. : *Manet*, Paris, 1924. Introduction avec 40 planches médiocres.
40 ROSENTHAL, L. : *Manet aquafortiste et lithographe*, Paris, 1925. Étude approfondie, avec ill.
41 LÉGER, C. : *Manet*, Paris, 1931.
42 GEORGE, W. : *Manet et la Carence du spirituel*, Paris, 1932.
43 BAZIN, G. : *Manet et la Tradition* dans *L'Amour de l'Art*, mai 1932.
44 ZERVOS, C. : *A propos de Manet* dans *Cahiers d'Art*, nos 8-10, 1932.
45 STERLING, C. : *Manet et Rubens* dans *L'Amour de l'Art*, sept.-oct. 1932.
46 LAMBERT, E. : *Manet et l'Espagne* dans *Gazette des Beaux-Arts*, 1933.
47 MESNIL, J. : *Le Déjeuner sur l'Herbe* dans *L'Arte*, 1934.
48 FLORISOONE, M. : *Manet inspiré par Venise* dans *L'Amour de l'Art*, janvier 1945.
49 THYIS, J. : *Manet et Baudelaire* dans *Études d'Art*, Alger, 1945.
50 EBIN, I. N. : *Manet and Zola* dans *Gazette des Beaux-Arts*, juin 1945.
51 FAISON, S. L., Jr. : *Manet's Portrait of Zola* dans *Magazine of Art*, mai 1949.
52 VENTURI, L. : *De Manet à Lautrec*, Paris, 1953 (New York, 1950).
53 SLOANE, J. C. : *Manet and History* dans *Art Quarterly*, v. 14, 1951.
54 HAMILTON, G. H. : *Manet and his Critics*, New Haven-Londres, 1954. Compilation très consciencieuse et très complète de tout ce qui fut écrit sur Manet de son vivant, avec une appréciation de son évolution. Ill., courte biblio., index détaillé.
55 SANDBLAD, N. G. : *Manet — Three Studies in Artistic Conception*, Lund, 1954 (en anglais). Très intéressante analyse des trois

peintures de Manet : *Musique aux Tuileries, Olympia* et l'*Exécution de l'empereur Maximilien.* Ill., courte bibl., notes, pas d'index. Voir aussi M. Davies : *Recent Manet Literature* dans *Burlington Magazine,* mai 1956.

56 BUSCH, G. : *Manet — « Un Bar aux Folies-Bergère »,* Stuttgart, 1956 (en allemand).

Voir aussi 70.

57 RICHARDSON, J. : *Édouard Manet — Paintings and Drawings,* Londres, 1958. Bonne introduction à 84 planches bien choisies en blanc et noir et en couleurs avec commentaires.

58 CORRADINI, G. : « *La Nymphe Surprise* » *de Manet et les rayons X,* dans *Gazette des Beaux-Arts,* septembre 1959.

59 DAVIDSON, B. F. : *Le Repos — A Portrait of Berthe Morisot by Manet* dans *Bulletin of Rhode Island School of Design,* déc. 1959.

60 LEIRIS, A. DE : *Manet — « Sur la plage de Boulogne »* dans *Gazette des Beaux-Arts,* janv. 1961.

60a REFF, T. : *The Symbolism of Manet's Frontispiece Etchings* dans *Burlington Magazine,* mai 1962.

60b DORIVAL, B. : *Meissonier et Manet* dans *Art de France,* 1962.

P. JAMOT a publié une série d'articles sur Manet, énumérés dans la biblio. de 2 ; voir aussi son introduction à 2. Voir aussi 21, 22, 26 et 86a.

Reproductions

61 SEVERINI, G. : *Manet,* Rome, 1924. 33 reprod. petites et médiocres.

62 BLANCHE, J. E. : *Manet,* Paris-New York, 1925. 40 ill., bonnes mais petites.

63 FELS, F. : *Édouard Manet,* Paris, s.d. [1928 ?]. 24 planches médiocres (Album d'Art Druet).

64 MANET : *Album de la Marées Gesellschaft,* Munich, 1928. 15 superbes planches en couleurs.

65 MANET : Numéro spécial de *L'Art vivant,* juin 1932.

66 MANET : Numéro spécial de *L'Amour de L'Art,* 1932. Ill. extrêmement intéressantes. Voir aussi le numéro spécial, n° 3-4, 1947.

67 REY, R. : *Choix de soixante-quatre dessins d'Édouard Manet,* Paris-New York, 1932. 64 bonnes ill.

68 REY, R. : *Manet,* Paris-Londres, 1938. Planches en noir et blanc assez bonnes, quelques-unes en couleurs, groupées sans ordre ; les légendes ont été composées sans consulter 2 qui n'est même pas mentionné dans la biblio. (Hypérion).

69 TABARANT, A. : *Manet,* Paris-Londres, 1939. Album avec 8 excellentes planches en couleurs.

70 MORTIMER, R. : *Édouard Manet — « Un Bar aux Folies-Bergère »,* Londres, s.d. [1944]. Excellentes photos de détails. Voir aussi 56.

71 FLORISOONE, M. : *Manet,* Monaco, 1947. Préface avec 96 bonnes planches en noir et blanc et 8 en couleurs. Des déclarations de l'artiste, des citations des critiques contemporains, une liste d'expositions, biblio. établie par ordre chronologique.

72 REWALD, J. : *Manet, Pastels,* Oxford, 1947. Bonnes reprod.

73 REIFENBERG, B. : *Manet*, Berne, 1947. Petites planches, bonnes.

74 ALAZARD, J. : *Manet*, Lausanne, 1948.

75 LEYMARIE, J. : *Manet et les Impressionnistes au musée du Louvre*, Paris, 1948.

76 ROTHENSTEIN, J. et WILENSKI, R. H. : *Manet*, Londres, Introd. et notes, planches en couleurs passables (Faber Gallery).

77 LEYMARIE, J. : *Manet*, Paris, 1952. 20 petites planches en couleurs bien choisies d'après peintures, pastels, aquarelles (Hazan).

78 COGNIAT, R. : *Manet*, Paris, 1953.

79 CASSOU, J. : *Manet*, Paris, 1954.

80 FAISON, S. L., Jr. : *Édouard Manet*, New York, 1954. Courte préface, médiocres planches en noir et blanc et en couleurs avec des commentaires (Pocket Library of Great Art).

81 VAUDOYER, J.-L. : *Édouard Manet*, Paris, 1955. Important volume avec une courte préface, une biographie par A. Rouart-Valéry, et 113 planches splendides, dont 7 en couleurs, nombreuses photos de détails; commentaires sur les planches et biblio. Ce livre est de loin celui qui présente les plus belles reproductions des peintures de Manet.

82 MARTIN, K. : *Édouard Manet — Aquarelle — Pastelle*, Bâle, 1955. 24 planches en couleurs avec introduction et commentaires. Reproductions passables.

83 BATAILLE, G. : *Manet*, Genève, 1955. Excellente étude biographique et critique, chronologie sommaire, biblio. selectionnée, index, beaucoup de petites planches en couleurs (Skira).

84 TROST, H. : *Édouard Manet*, Berlin, 1959. Courte préface, chronologie, 16 planches médiocres, la plupart en couleurs.

85 ROUART, D. : *Manet*, Paris, 1960 (Somogy).

86 JEDDING, H. : *Manet*, Milan, s.d. Album de 10 mauvaises planches en couleurs avec commentaires.

86a COURTHION, P. : *Manet*, Paris, 1961. Bonnes planches en couleurs avec commentaires.

86b REY, R. : *Manet*, Paris, s.d. [1962]. Planches médiocres, assemblées sans ordre, quelques dessins douteux.

Voir aussi biblio. 2, 3, 8, 21, 22, 25, 26, 27, 33, 34, 36, 54-57, 89, 91, 93 et 94.

Catalogues d'expositions

87 *Exposition Manet*, École des Beaux-Arts, Paris, 1884. Préface d'É. Zola. Liste de 179 œuvres mais sans dimensions; pas ill.

88 *Manet, trente-cinq tableaux de la Collection Pellerin*, Bernheim-Jeune. Paris, 1910. Préface de T. Duret. 9 bonnes planches.

89 *Ausstellung Édouard Manet*, Galerie Mathiesen, Berlin, 1928. Préface de E. Waldmann. 89 planches.

90 *Manet*, Musée de l'Orangerie, Paris, 1932. Introduction de Paul Valéry et P. Jamot. Notices par C. Sterling. Ill.

91 *Édouard Manet*, Wildenstein Galleries, New York, 1937. Préface de P. Jamot, chronologie, importantes notices sur 37 œuvres, toutes ill.

92 *Masterpieces by Manet*, Paul Rosenberg Gallery, New York, 1947. 11 peintures, toutes reproduites.

93 *Manet*, Wildenstein Galleries, New York, 1948. Chronologie, documents, nombreuses ill.

94 *Manet, dessins et aquarelles réunis en cinq albums par Auguste Pellerin.* Cat. de vente, Galerie Charpentier, Paris, 10 juin 1954, avec d'excellentes ill. de dessins et aquarelles inédits, acquis par le Louvre.

95 *Musée national du Louvre — Peintures, École française, XIX* siècle, v. III, H.-O, Paris, 1960. Listes et reproductions de 32 peintures et pastels de Manet.

MONET

Catalogues de l'œuvre

Un catalogue complet et raisonné est préparé par Daniel Wildenstein.
Parmi les catalogues d'expositions, voir les suivants :

1 *Claude Monet — Les Meules*, Galeries Durand-Ruel, Paris, 1891. Préface de G. Geffroy, réimprimé dans l'ouvrage de Geffroy : *La Vie artistique*, première série, Paris, 1892. Pour les autres articles du même auteur, concernant les expositions de Monet, voir : *La Vie artistique*, sixième série, Paris, 1900.

2 *Claude Monet*, Galeries Durand-Ruel, Paris, 1928. 84 œuvres.

3 *Claude Monet*, Galerien Thannhauser, Berlin, 1928. Ill.

4 *Claude Monet*, Musée de l'Orangerie, Paris, 1931. Préface de P. Jamot. 128 œuvres.

5 *Claude Monet*, Galerie Rosenberg, Paris, 1936. Préface de A. Charpentier.

6 *Claude Monet*, Wildenstein Galleries, New York, 1945. Texte de D. Wildenstein, chronologie, 49 ill.

7 *Claude Monet*, Kunsthaus, Zürich, 1952. Introductions de G. Besson et R. Wehrli, chronologie, 49 bonnes ill.

8 *Claude Monet*, Marlborough Galleries, Londres, 1954. Extraits de différents écrits, chronologie, biblio., bonnes ill.

9 *Claude Monet*, Edinburgh Festival et Tate Gallery, Londres, 1957. Texte de D. Cooper, chronologie détaillée de J. Richardson, biblio. selectionnée, notes étendues sur les œuvres exposées, ill. Excellent catalogue.

10 *Claude Monet*, City Art Museum, St. Louis et Minneapolis Institute of Arts, 1957. Longue étude sur les conceptions de Monet par W. C. Seitz, chronologie, ill. Voir aussi 13 et 69.

11 *Claude Monet*, Galeries Durand-Ruel, Paris, 1959. Préface de C. Roger-Marx, chronologie, ill.

12 *Claude Monet and the Giverny Artists*, Charles E. Slatkin Galleries, New York, 1960. Ill.

13 *Claude Monet — Seasons and Moments*, Museum of Modern Art, New York, et Los Angeles County Museum, 1960. Excellent

texte de W. C. Seitz, extraits de différents écrits, photographies documentaires, table biographique et liste des principales expositions, biblio. selectionnée. Abondantes ill. en noir et blanc et en couleurs. Voir aussi 69.

14 *Musée national du Louvre — Peintures, École française*, XIXe siècle, v. III, H.-O, Paris, 1960. Listes et reproductions de 78 peintures de Monet comprenant aussi la série des *Nymphéas* au Musée de l'Orangerie.

14a *Claude Monet, letzte Werke*, Galerie Beyeler, Bâle, 1962. Richement illustré.

Écrits de l'artiste

Pour les lettres à Boudin, voir G. Cahen : *Eugène Boudin, sa Vie et son Œuvre*, Paris, 1900.

15 Pour les lettres à de Bellio, voir : *La Grande Misère des Impressionnistes* dans *Le Populaire*, 1er mars 1924. Voir aussi : *Des lettres inédites de Claude Monet* dans *Arts-Documents*, février-mars 1953.

Une lettre à Charteris est reproduite dans Charteris : *John Sargent*, Londres, 1927.

16 Une lettre à Houssaye a été publiée par Chavance, R. : *Claude Monet* dans *Le Figaro illustré*, 16 décembre 1926.

Pour les lettres à Manet, voir Tabarant, A. : *Autour de Manet* dans *L'Art vivant*, 4 mai 1928.

17 Pour les lettres à Bazille voir Poulain, G. : *Bazille et ses Amis*, Paris, 1932 et Daulte, F. : *Frédéric Bazille et son Temps*, Genève, 1952.

Pour les lettres à Chocquet, voir Joëts, J. : *Les Impressionnistes et Chocquet* dans *L'Amour de l'Art*, avril 1935.

18 VENTURI, L. : *Les Archives de l'Impressionnisme*, Paris-New York, 1939. 2 vol. avec 411 lettres à Durand-Ruel (1876-1926) et 6 lettres à O. Maus; le plus important groupe de lettres de Monet.

Pour une lettre à R. Laurent, voir *Beaux-Arts*, Paris, 31 janvier 1941.

Quelques lettres à Zola sont citées dans Rewald, J. : *Cézanne, sa vie, son œuvre, son amitié pour Zola*, Paris, 1939, ainsi que dans le présent ouvrage.

19 Quelques lettres à Jeanne Baudot ont paru dans Baudot, J. : *Renoir, ses Amis, ses Modèles*, Paris, 1949.

Pour les lettres à Berthe Morisot, voir Rouart, D. : *Correspondance de Berthe Morisot*, Paris, 1950.

Pour les lettres au docteur Gachet et à E. Murer, voir : *Lettres impressionnistes au Dr. Gachet et à Murer*, présentées par P. Gachet, Paris, 1957.

Pour les lettres à sa belle-fille et à sa bru, Blanche, à Clemenceau et autres voir J.-P. Hoschedé : *Blanche Hoschedé*, Rouen, 1961.

Des lettres à Geffroy sont citées dans 41, des lettres à Charpentier dans 43, des lettres à Duret dans 40.

Pour les lettres de Mirbeau à Monet, voir *Cahiers d'Aujourd'hui*, 29 nov. 1922.

Pour quelques lettres de Pissarro à Monet voir Joëts, J. : *Lettres inédites de Pissarro à Claude Monet* dans *L'Amour de l'Art*, III, 1946.

Pour quelques lettres de Renoir à Monet, voir 19.

Un grand nombre de lettres adressées à Monet sont citées dans 41.

Voir aussi 30, 71 et 73.

Monet a aussi exprimé ses vues dans un grand nombre d'interviews :

20 TABOUREUX, E. : *Claude Monet* dans *La Vie moderne*, 12 juin 1880.

21 GUILLEMOT, M. : *Claude Monet* dans *Revue illustrée*, 15 mars 1898.

22 THIÉBAULT-SISSON : *Claude Monet, un entretien* dans *Le Temps*, 27 nov. 1900. Article particulièrement important surtout pour la jeunesse de Monet, et longuement cité dans le présent ouvrage.

23 VAUXCELLES, L. : *Un après-midi chez Claude Monet* dans *L'Art et les Artistes*, décembre 1905.

24 PACH, W. : Interview de Monet, paru dans *Scribner's Magazine*, 1908; réimprimé dans : *Queer Thing, Painting*, New York, 1938.

25 MARX, R. : « *Les Nymphéas* » *de M. Claude Monet*; réimprimé dans *Maîtres d'Hier et d'Aujourd'hui*, Paris, 1914.

26 TRÉVISE, DUC DE : *Le Pèlerinage de Giverny* dans *Revue de l'Art ancien et moderne*, janvier-février 1927.

27 GIMPEL, R. : *At Giverny with Claude Monet* dans *Art in America*, juin 1927. Voir aussi du même auteur : *Journal d'un Collectionneur marchand de tableaux*, Paris, 1963.

Témoignages de contemporains

28 BYVANCK, W. G. C. : *Un Hollandais à Paris en 1891*, Paris, 1892. Court chap. sur Monet.

29 ROBINSON, T. : *Claude Monet* dans *Century Magazine*, septembre 1892.

30 ELDER, M. : *Chez Claude Monet à Giverny*, Paris, 1924. Une série d'entretiens se rapportant principalement à la jeunesse du peintre et à ses dernières années, celles des *Nymphéas*. Ill.

31 RIVIÈRE, G. : *Claude Monet aux Expositions des Impressionnistes* dans *L'Art vivant*, 1er janvier 1927.

32 KOECHLIN, R. : *Claude Monet* dans *Art et Décoration*, février 1927.

33 PERRY, L. C. : *Reminiscences of Claude Monet from 1889 to 1909* dans *The American Magazine of Art*, mars 1927.

34 CLEMENCEAU, G. : *Claude Monet, « Les Nymphéas »*, Paris, 1928. Bien que ce livre soit écrit par un des plus intimes amis de Monet, il contient peu de renseignements de première main et présente surtout un panégyrique de ses dernières œuvres.

35 PRINCE EUGÈNE (de Suède) : *Monet och hans maleri. Minnen och intryck* dans *Ord och Bild*, décembre 1947. [*Monet et sa peinture, souvenirs et impressions notes et comment.* par O. Reutersward] (en suédois).

36 NATANSON, T. : *Peints à leur tour*, Paris, 1948. Deux chapitres sur Monet.

37 SALOMON, J. : *Giverny, 14 juin 1926 — Aujourd'hui déjeuner chez les Monet* dans *Arts*, Paris, 14 décembre 1951. Extraits cités dans 39.

38 BARBIER, A. : *Monet, c'est le Peintre* dans *Arts*, Paris, 31 juillet-6 août 1952. Extraits cités dans 39.

39 HOSCHEDÉ, J.-P. : *Claude Monet ce mal connu (intimité d'un demi-siècle à Giverny de 1883 à 1926*, 2 v., Genève, 1960. Écrits par le beau-fils de Monet avec plus de ferveur que de perspicacité, ce témoignage désappointe car il offre peu de nouveaux faits ou documents. Le vol. I contient quelques notes de Blanche Hoschedé-Monet et une liste d'expositions; le vol. II fournit des détails sur la série des *Nymphéas*, des extraits de deux articles scandinaves de 1895 (pp. 109-115), et des réfutations souvent assez mesquines de divers écrits sur Monet. Beaucoup d'ill. avec de nombreuses photographies peu connues.

Voir aussi 20-27, 40, 41 et 58.

Marcel Proust s'est servi de quelques traits de Monet pour le personnage du peintre Elstir dans : *A la Recherche du Temps perdu*; voir Chernowitz, M. E. : *Proust and Painting*, New York, 1945. Voir aussi 52.

Biographies

40 DURET, T. : *Histoire des Peintres impressionnistes*, Paris, 1906. Chapitre sur Monet basé principalement sur la longue association de l'auteur avec le peintre.

41 GEFFROY, G. : *Claude Monet, sa vie, son temps, son œuvre*, Paris, 1922 (édition de luxe en un vol. avec d'excellentes ill., et édit. ordinaire en 2 volumes). L'auteur, un des meilleurs amis du peintre, a eu à sa disposition les papiers privés de Monet. Ce livre verbeux contient une grande abondance de documents, de lettres adressées à Monet par ses amis peintres, de citations de coupures de presse des premières années de lutte et de récits confiés par Monet à son ami; l'ouvrage parut encore du vivant de l'artiste. Malheureusement, Geffroy a utilisé toute cette matière sans soin, sans entreprendre de recherches personnelles pour compléter les informations fournies par Monet, sans même classer ces informations; il ne paraît pas non plus avoir consulté le peintre afin d'éclaircir de nombreux points obscurs. Son livre n'a donc pas l'autorité qu'il aurait pu avoir. Plusieurs erreurs flagrantes semblent indiquer que Monet fit à tel point confiance à son ami qu'il ne relut même pas son texte avant qu'il ne fût imprimé. Biblio. étendue, index.

42 MAUCLAIR, C. : *Claude Monet*, Paris, 1924; Londres, 1927. Surtout des commentaires dithyrambiques, sans renseignements de première main. 40 ill. non datées et pas arrangées chronologiquement. Courte biblio.

43 FELS, M. DE : *La Vie de Claude Monet*, Paris, 1929. Jusqu'à ce jour la meilleure biographie de Monet, conçue intelligemment et

mettant proprement en valeur les documents sur lesquels elle s'appuie. L'auteur connut Monet sur la fin de sa vie. Le livre contient une liste des principales œuvres de Monet en France et à l'étranger, mais sans en donner les dates. Courte biblio., pas d'index.

44 LATHOM, X. : *Claude Monet*, Londres, 1931; New York, 1932. Récit sans grand intérêt et sans esprit critique de la vie de Monet; pas exempt d'erreurs. 24 bonnes planches, réunies sans méthode.

45 GWYNN, S. : *Claude Monet and his Garden*, Londres, 1934. Ne contient rien de nouveau; s'appuie surtout sur 34. 23 ill., parmi lesquelles de nombreuses photos du jardin de Monet à Giverny. Index.

46 GRAPPE, G. : *Monet*, Paris, 1941.

47 GRABER, H. : *Pissarro — Sisley — Monet, nach eigenen und fremden Zeugnissen*, Bâle, 1943. Documents empruntés à différentes publications françaises, traduit en allemand sans indication des sources. Sur les « méthodes » de cet auteur voir Cézanne 22.

48 REUTERSWAERD, O : *Monet*, Stockholm, 1948. Ouvrage de compilation basé surtout sur 17, 18, 41 et 43, mais sans indiquer les sources. 130 ill. et quelques planches en couleurs, arrangées chronologiquement et comprenant des œuvres peu connues. Index détaillé (en suédois).

49 WEEKES, C. P. : *The Invincible Monet*, New York, 1960. Une « populaire » biographie, malhabilement conçue, s'appuyant lourdement sur 41 sans nouveau matériel. Courte biblio., pas d'ill., pas d'index.

Études de style

50 SABBRIN, C. : *Science and Philosophy in Art*, Philadelphie, 1886.

51 MIRBEAU, O. : *Claude Monet* dans *L'Art dans les Deux Mondes*, 7 mars 1891. Voir aussi du même auteur chapitres sur Monet dans : *Des Artistes*, Paris, v. I, 1922; v. II, 1924.

52 PROUST, M. : *Contre Sainte-Beuve*, Paris, 1954. Court chapitre sur Monet, probablement écrit entre 1896 et 1904.

53 ALEXANDRE, A. : *Claude Monet*, Paris, 1921. Avec 48 bonnes ill. surtout d'après des œuvres peu connues.

54 TOULET, P.-J. : *Notes d'Art*, Paris, 1924. Court chapitre sur Monet.

55 REGAMEY, R. : *La Formation de Claude Monet* dans *Gazette des Beaux-Arts*, février 1927.

56 GILLET, L. : *Trois variations sur Claude Monet*, Paris, 1927. Pas d'ill.

57 FOSCA, F. : *Claude Monet*, Paris, 1927. Essai sur la vie et l'art de Monet, avec biblio. et liste sommaire des œuvres principales, quelques ill.

58 BLANCHE, J.-E. : *Propos de Peintre — De Gauguin à la revue nègre*, Paris, 1928. Le chap. sur Monet contient aussi des souvenirs de l'artiste.

59 ROSTRUP, H. : *Claude Monet et ses Tableaux dans les Collections danoises*, Copenhague, 1941. Avec quelques bonnes ill.

60 ROGER-MARX, C. : *Monet*, Lausanne, 1949. Quelques petites ill.

61 BACHELARD, G. : « *Les Nymphéas* » *ou les Surprises d'une Aube d'Été*
    dans *Verve*, nos 27-28, 1952.

62 MASSON, A. : *Monet le fondateur* dans *Verve*, nos 27-28, 1952.

63 USENER, K. H. : *Claude Monet Seerosen. Wandbilder in der Orangerie*
    dans *Wallraf-Richartz Jahrbuch*, 14, 1952.

64 FRANCIS, H. S. : « *Spring Flowers* » *by Claude Monet* dans *Bulletin
    of the Cleveland Museum of Art*, février 1954.

65 GREENBERG, C. : *The Later Monet* dans *Art News Annual*, 1957.

66 ROSTRUP H. : *Det Levende Oejeblik* dans *Meddelelser fra Ny Carlsberg
    Glyptotek*, Copenhague, 1958.

67 HAMILTON, G. H. : *Claude Monet's Pictures of Rouen Cathedral*,
    Londres, 1959 (Charlton Lecture, Université de Durham).

68 LINDON, R. : « *Falaise à Étretat* » *par Claude Monet* dans *Gazette
    des Beaux-Arts*, mars 1960. Voir aussi du même auteur : *Étretat
    et les Peintres* dans *Gazette des Beaux-Arts*, mai-juin 1958.

69 SEITZ, W. C. : *Claude Monet*, New York, 1960. Un excellent livre,
    abondamment illustré avec de bonnes planches en couleurs et
    en noir et blanc, arrangées chronologiquement et accompagnées
    de commentaires bien documentés. Table biographique étendue,
    biblio. selectionnée, photographies documentaires. La meilleure
    publication récente sur Monet (Abrams). Voir aussi du même
    auteur : *Monet and Abstract Painting* dans *College Art Journal*,
    automne 1956, ainsi que 10, 13 et 85.

69a LEWISON, F. : *Theodore Robinson and Claude Monet* dans *Apollo*,
    sept. 1963.

69b BUTOR, M. : *Claude Monet ou le Monde renversé* dans *Art de France*,
    1963.

Voir aussi 18 (l'introduction de Venturi), 40 et 41.

Reproductions

70 MIRBEAU, O. : *Claude Monet*, « *Venise* », Paris, 1912. Quelques
    ill.

71 FELS, F. : *Claude Monet*, Paris, 1925. 28 ill. petites et médiocres.
    L'introduction cite quelques propos de Monet.

72 FELS, F. : *Claude Monet*, Paris, 1927. 24 planches médiocres (Album
    d'Art Druet).

73 WERTH, Ł. : *Claude Monet*, Paris, 1928. 67 bonnes planches d'après
    peintures et dessins, arrangées chronologiquement; quelques
    photos de Monet.

74 FRANCASTEL, P. : *Monet, Sisley, Pissarro*, Paris, 1939. Album de
    quelques excellentes planches en couleurs (Skira).

75 MALINGUE, M. : *Claude Monet*, Monaco, 1941. 12 mauvaises planches
    en couleurs.

76 CETTO, A. M. : *Claude Monet*, Bâle, 1943, 1947. Album de 8 bonnes
    planches en couleurs,

77 MALINGUE, M. : *Claude Monet*, Monaco, 1943. 144 planches en noir et blanc pas toujours groupées chronologiquement, et 10 en couleurs, médiocres. Texte insignifiant ; biblio. et liste d'expositions.

78 BESSON, G. : *Claude Monet*, Paris, s.d. 60 excellentes ill., quoique très petites (Coll. des Maîtres).

79 SCHWEICHER, C. : *Monet*, Berne, 1949. Bonnes reprod., quoique petites.

80 ADHÉMAR, H. : *Monet, Peintures*, Paris, 1950.

81 LÉGER, C. : *Claude Monet*, Paris, 1950. 32 bonnes quoique petites ill.

82 WESTHEIM, P. : *Claude Monet*, Zürich, 1953. Album de 6 excellentes planches en couleurs.

83 SALINGER, M. : *Claude Monet*, New York, 1957. Courte introduction et commentaires accompagnant 33 planches en noir et blanc ou en couleurs (Pocket Library of Great Art).

84 ROUART, D. : *Claude Monet*, Genève, 1958. Introduction de L. Degrand (Skira).

85 SEITZ, W. C. : *Monet*, New York, 1960. Album avec courte introduction et 16 bonnes planches en couleurs avec commentaires ; 90 ill. en noir et blanc (Abrams). Voir 69.

86 TAILLANDIER, Y. : *Claude Monet*, Paris s.d. [1963-64]. Planches médiocres, assemblées pêle-mêle.

Voir aussi *Art News Annual*, 1957 (22 et 65).
Voir aussi 6-11, 13,14, 14a, 30, 42, 44, 48, 53, 59, 61, 62, 69.

MORISOT

Catalogues de l'œuvre

1 BATAILLE, M.-L. et WILDENSTEIN, G. : *Berthe Morisot, Catalogue des Peintures, Pastels et Aquarelles*, Paris, 1961. Préface par D. Rouart. Catalogue établi en collaboration avec la fille de l'artiste, Mme Ernest Rouart, née Julie Manet. 820 reproductions avec une étude biographique et critique, biblio. Une publication de base.

Écrits de l'artiste

2 Des lettres se rapportant à Manet sont citées dans E. Moreau-Nelaton : *Manet raconté par lui-même*, Paris, 1926. (La plupart des ouvrages sur Manet contiennent des références à Berthe Morisot ; Angoulvent, toutefois, néglige d'étudier ses rapports avec son beau-frère (11). D'autre part, H. Perruchot : *La Vie de Manet*, Paris, 1959, semble trop insister sur les relations Manet-Morisot.)

3 Des notes de B. Morisot sur Degas sont reproduites dans P. Valéry : *Degas, Danse, Dessin*, Paris, 1938.

4 Quelques lettres de Berthe Morisot se trouvent dans Baudot, J. : *Renoir, ses Amis, ses Modèles*, Paris, 1949.

5   ROUART, D. : *Correspondance de Berthe Morisot*, Paris, 1950. Correspondance de l'artiste avec sa famille (lettres fort intéressantes de sa mère) et ses amis : Puvis de Chavannes, Degas, Monet, Renoir et Mallarmé. De très nombreux documents inédits, parfaitement présentés par le petit-fils du peintre. Ceci est non seulement le meilleur ouvrage sur Berthe Morisot, mais un texte indispensable pour la connaissance de tous ses amis. Nombreuses et excellentes ill. en blanc et noir et en couleurs, surtout d'après des dessins et aquarelles. Ni biblio., ni index.

Des lettres de Renoir à Berthe Morisot, son mari, et sa sœur se trouvent dans *Bulletin des Expositions*, I, Galerie d'art Braun & Cie, Paris, 14 nov.-3 déc., 1932.

Voir aussi 34.

Témoignage de contemporains

6   MALLARMÉ, S. : *Préface au cat. de l'exposition commémorative*, Galerie Durand-Ruel, Paris, mars 1896. Voir aussi H. de Régnier : *Nos Rencontres*, Paris, 1931. Chapitre sur : Mallarmé et les peintres.

7   VALÉRY, P. : *Tante Berthe* dans *La Renaissance*, juin 1926. Le poète était marié avec une des nièces de l'artiste, Jenny Gobillard, fille d'Yves, sœur de Berthe Morisot. Ill. Voir aussi 3 et 24.

8   BERNIER, R. : *Dans la lumière impressionniste* dans *L'Œil*, mai 1959. Une visite avec la fille de l'artiste; ill.

Biographies

9   MARX, R. : *Maîtres d'Hier et d'Aujourd'hui*, Paris, 1914. Chap. sur Berthe Morisot.

10   FOURREAU, A. : *Berthe Morisot*, Paris-New York, 1925. Étude sérieuse et bien documentée, basée sur des documents et renseignements fournis par la famille de l'artiste (son frère Tiburce et sa fille, Mme Ernest Rouart). 40 ill.

11   ANGOULVENT, M. : *Berthe Morisot*, Paris, 1933. Bien qu'assez maladroitement écrit, cet ouvrage est utile en raison de ses documents, son catalogue des œuvres de l'artiste, sa biblio. et ses bonnes ill., arrangées chronologiquement. Pas d'index. La plupart de ce matériel a depuis reparu dans 1 et 5; la liste des 663 peintures, pastels, aquarelles et dessins est périmée par la parution de 1. Voir aussi les commentaires pour 2.

12   ROUART, L. : *Berthe Morisot*, Paris, 1941. Court texte, belles ill. datées.

13   ROUART-VALÉRY, A. : *De « Mme Manet » à « Tante Berthe »*, dans *Arts*, Paris, 29 mars-4 avril 1961.

Voir aussi 1, 5 et 17.

14 WYZEWA, T. DE : *Madame Berthe Morisot* dans *L'Art dans les Deux Mondes*, 28 mars 1891. Réimprimé dans T. de Wyzewa : *Peintres de Jadis et d'Aujourd'hui*, Paris, 1903.

15 PICA, V. : *Artiste Contemporanei : Berthe Morisot, Mary Cassatt* dans *Emporium*, v. XXVI, juillet 1907.

16 ROUART, L. : *Berthe Morisot* dans *Art et Décoration*, mai 1908.

17 DURET, T. : *Histoire des Peintres impressionnistes*, Paris, 1906. Chapitre sur Morisot.

18 REUTERSWAERD, O. : *Berthe Morisot* dans *Konstrevy*, Stockholm 1949, V (en suédois).

19 MONGAN, E. : *Berthe Morisot, Dessins, Pastels, Aquarelles*, New York, 1960. Introduction par E. Mongan, préface par D. Rouart, recherche et chronologie par E. Johnson, catalogue commenté par R. Shoolman. Bonnes, grandes planches, 25 en couleurs, 32 en deux tons, 34 pages en blanc et noir.

20 CHARMET, R. : *Berthe Morisot* dans *Arts*, Paris, 1-7 mars, 1961.

Reproductions

21 MORISOT, B. : *Seize Aquarelles*, Paris, 1946. Album de 16 excellentes reproductions en couleurs, disposées chronologiquement (1871-1893).

22 ROUART, D. : *Berthe Morisot*, Paris, s.d. [1948]. Petites mais bonnes ill., arrangées chronologiquement (Coll. des Maîtres).

22a HUISMAN, P. : *Morisot, Charmes*. Lausanne, 1962. Bonnes ill.

Voir aussi 1, 5, 8, 10, 11, 12, 19, 28, 30, 32, 33 et 34.

Catalogues d'expositions

23 *Berthe Morisot*, Galerie Boussod & Valadon, Paris, 1892. Préface de G. Geffroy. Voir aussi le chapitre sur Berthe Morisot dans Geffroy : *La Vie artistique*, troisième série, Paris, 1894.
    Berthe Morisot (Mme Eugène Manet), Galeries Durand-Ruel, Paris, 1896. Préface de Mallarmé. Voir 6. Sur cette exposition voir l'article de G. Geffroy réimprimé dans Geoffroy : *La Vie artistique* sixième série, Paris, 1900.

24 *Berthe Morisot*, Musée de l'Orangerie, Paris, été 1941. Liste de 287 ouvrages, quelques ill. Préface de P. Valéry. Voir 3.

25 *Berthe Morisot*, Ny Carlsberg Glyptotek, Copenhague, 1949. Avant-propos de H. Rostrup. Cette exposition s'est également tenue au Nationalmuseum, Stockholm.

26 *Berthe Morisot, Paintings and Drawings*, Arts Council of Great Britain, Londres, 1950. Introduction de D. Rouart, 9 ill., chronologie.

27 *Hommage à Berthe Morisot et à Pierre-Auguste Renoir*, Limoges, Musée municipal, 1952. Introductions de M. Gauthier et D. Rouart, ill.

28 *Berthe Morisot and Her Circle*. Exposition circulante, montrée au Canada et aux États-Unis, 1952-1953. Introduction de D. Rouart. 30 ill. d'après des œuvres de Berthe Morisot et ses amis, toutes de la Collection Rouart, Paris, et toutes ill.

29 *Berthe Morisot*, Musée de Dieppe, 1957. Préface de P. Valéry (réimprimée de 24). 84 œuvres, quelques ill.

30 *Berthe Morisot*, Musée Toulouse-Lautrec, Albi, 1958. Préface de R. Escholier, 103 ouvrages, chronologie, biblio., ill.

31 *Musée national du Louvre — Peintures, École française*, XIXᵉ siècle, v. III, H-O, Paris, 1960. Liste et reproductions de 7 peintures de B. Morisot.

32 *Berthe Morisot*, Wildenstein Galleries, New York, 1960. 69 peintures, toutes reproduites.

33 *Berthe Morisot — Drawings, Pastels, Watercolors*, Museum of Fine Arts, Boston; Charles E. Slatkin Galleries, New York, 1906; California Palace of the Legion of Honor; Minneapolis Institute of Fine Arts, 1961. Voir 19.

34 *Berthe Morisot*, Musée Jacquemart-André, Paris, s.d. [1961]. Catalogue inséré dans une exquise reproduction fac-similé d'un des albums de croquis de l'artiste avec notes, chronologie et courts extraits de textes par Geffroy, Mallarmé et Valéry.

35 *Berthe Morisot*, Galerie Lucien Blanc, Aix-en-Provence, 1962.

PISSARRO

Catalogues de l'œuvre

1 DELTEIL, L. : *Pissarro, Sisley, Renoir (Le Peintre-Graveur illustré*, v. XVII), Paris, 1923. L'œuvre graphique très important de Pissarro comprend 194 eaux-fortes, aquatintes et lithographie, toutes décrites ici et reproduites, quelques-unes en différents états. Bonnes ill. Voir aussi 25.

2 PISSARRO, L.-R. et VENTURI, L. : *Camille Pissarro, son Art, son Œuvre*, Paris, 1939. 2 vol.; le volume de texte énumère 1664 peintures, gouaches, détrempes, pastels et faïences (ni aquarelles ni dessins); le volume des planches contient 1632 bonnes ill. Cet ouvrage est indispensable à l'étude de l'œuvre de Pissarro. Le catalogue raisonné a été préparé avec grand soin par le fils du peintre, Ludovic-Rodo, et est précédé d'une importante étude critique par Venturi. De nombreuses notices du catalogue sont accompagnées de citations de lettres, notes et d'autres documents concernant les œuvres en question. Une importante biblio., arrangée chronologiquement, comprend plus de 500 publications. L'index, malheureusement, ne cite que les derniers propriétaires des œuvreṡ. Un supplément est prévu.

3 Voir aussi les cat. des trois ventes Pissarro, Paris : 1) 3 décembre 1928; œuvres de Pissarro et pastels, aquarelles et dessins par Cassatt, Cézanne, Guillaumin, Jongkind, Manet, Seurat; tableaux

de Cézanne, Guillaumin, Luce, Monet, Seurat, Signac, etc. 2) 7 et 8 décembre 1928; œuvres gravées et lithographiées de Pissarro, tableaux, pastels, etc. par divers. 3) 12 et 13 avril 1929; œuvres gravées et lithographiées de Pissarro, Gauguin, Manet, Millet, Toulouse-Lautrec, etc. Bonnes ill.

Écrits de l'artiste

4   Pour les lettres à Dewhurst voir Dewhurst, W. : *Impressionist Painting*, Londres-New York, 1904.

5   LECOMTE, G. et KUNSTLER, C. : *Un Fondateur de l'Impressionnisme* dans *Revue de l'Art ancien et moderne*, 1930. Deux articles avec des citations de lettres à O. Mirbeau et Lucien Pissarro. Pour les lettres à Mirbeau, voir aussi 18; pour les lettres à Lucien voir 8.

6   Pour les lettres à Duret, voir : *Bulletin des Expositions*, III, Galerie d'Art Braun & Cie, Paris, 22 janvier-13 février 1932. Pour les lettres à Muret et Duret, voir aussi 20.

7   VENTURI, L. : *Les Archives de l'Impressionnisme*, Paris-New York, 1939, 2 vol. Le second vol. contient 86 lettres à Durand-Ruel (1881-1903) et 16 lettres à O. Maus.

8   PISSARRO, Camille : *Lettres à son fils Lucien*, Paris, 1950. Présentées, avec l'aide de Lucien Pissarro, par John Rewald. 477 lettres en transcription intégrale ou en extraits, écrites au fils aîné de l'artiste, entre 1883 et 1903. Source précieuse de renseignements sur Pissarro (ces lettres se lisent presque comme un journal), sur l'art en général, sur les mouvements artistiques de l'époque et sur les amis du peintre, notamment Gauguin, Degas, Seurat, Signac, etc. Copieusement illustré, index. Contient également 30 lettres de Lucien Pissarro à son père.

9   Pour les lettres à Fénéon Signac et Verhaeren voir J. Rewald : *Georges Seurat*, Paris, 1948. Voir aussi du même auteur : *Le Post-Impressionnisme, de van Gogh à Gauguin*, Paris, 1961 et G. Cachin-Signac : *Autour de la Correspondance de Signac* dans *Arts*, Paris, 1er sept. 1951.

10 JOETS, J. : *Lettres inédites de Pissarro à Claude Monet* dans *L'Amour de l'Art*, III, 1946. Pour d'autres lettres à Monet, voir Geffroy G. : *Claude Monet, sa Vie, son Œuvre*, Paris, 1922.

11 Pour les lettres à Zola et Huysmans voir J. Rewald : *Cézanne, sa vie, son œuvre, son amitié pour Zola*, Paris, 1939.

12 Pour les lettres à Petitjean voir : *Souvenirs du peintre Jules Joëts, recueillis par M.-A. Bernard* dans *Art-Documents*, novembre 1954.

13 Pour les lettres au Dr. Gachet, E. Murer, et Dr. de Bellio voir : *Lettres impressionnistes au Dr. Gachet et à Murer*, Paris, 1957. Les lettres les plus importantes à Murer sont citées dans 20.

Voir aussi 2.

Témoignages de contemporains

14 MIRBEAU, O. : *Famille d'Artistes* dans *Le Journal*, 6 décembre 1897. Réimprimé dans *Des Artistes*, Paris, 1924, v. II.

15 VILLEHERVÉ, R. DE LA : *Choses du Havre, Les dernières semaines du peintre Camille Pissarro* dans *Havre-Éclair*, 25 septembre 1904.

16 MOORE, G. : *Reminiscences of the Impressionist Painters*, Dublin, 1906. Voir aussi du même auteur : *Modern Painting*, Londres-New York, 1893, chap. : « Monet, Sisley, Pissarro and the Decadence ».

17 DURET, T. : *Histoire des Peintres impressionnistes*, Paris, 1906. Chapitre sur Pissarro.

18 LECOMTE, G. : *Camille Pissarro*, Paris, 1922. Le 1er chap. contient une excellente description de l'aspect physique de Pissarro et de son caractère; le dernier offre de longs extraits de lettres à Mirbeau. Bien que l'auteur ait connu l'artiste intimement pendant plus de vingt ans, il apporte peu de renseignements biographiques ni ne s'étend sur les théories artistiques de Pissarro. Bonnes ill., ni biblio., ni index.

19 NATANSON, T. : *Peints à leur tour*, Paris, 1948. Chapitre sur Pissarro.

Quelques souvenirs de Pissarro se trouvent dans l'ouvrage de C. Kunstler sur un de ses fils, Paul-Émile, Paris, 1928.

Le livre de Meadmore, W. S. : *Lucien Pissarro, un cœur simple*, Londres, 1962, contient beaucoup de renseignements sur Camille Pissarro et tous les siens.

Voir aussi 23.

Biographies

20 TABARANT, A. : *Pissarro*, Paris, 1924; New York, 1925. Excellente étude, bien documentée, fondée principalement sur les papiers personnels d'Eugène Murer et sur des renseignements fournis par la famille du peintre. Citations de lettres à Murer et Duret. 40 bonnes planches; pas d'index. En ce qui concerne Murer voir aussi 13.

21 GRABER, H. : *Camille Pissarro, Alfred Sisley, Claude Monet, nach eigenen und fremden Zeugnissen*, Bâle, 1943. Sur les « méthodes » de cet auteur voir Cézanne 22.

21a REWALD, J. : *Camille Pissarro in Venezuela*, New York, 1964. Plaquette avec ill. d'œuvres de jeunesse. Voir aussi 47.

Voir aussi 2.

Études de style

22 MIRBEAU, O. : *Camille Pissarro* dans *L'Art dans les Deux Mondes*, 10 janvier 1891.

23 STEPHENS, H. G. : *Camille Pissarro, Impressionist* dans *Brush and Pencil*, mars 1904. Contient aussi quelques souvenirs du peintre.

24 HIND, A. M. : *Camille Pissarros graphische Arbeiten und Lucien Pissarros Holzschnitte nach seines Vaters Zeichnungen* dans *Die Graphischen Künste*, 1908.

25 RODO, L. [L.-R. PISSARRO] : *The Etched and Lithographed Works of Camille Pissarro*, dans *The Print Collector's Quarterly*, octobre 1922.

26 REWALD, J. : *Camille Pissarro, his Work and Influence* dans *Burlington Magazine* juin 1938.

27 NICOLSON, B. : *The Anarchism of Pissarro* dans *The Arts*, n° II [1946]. Voir aussi 33 et E. W. Herbert : *The Artist and Social Reform-France and Belgium*, 1885-1898, New Haven, 1961.

28 BROWN, R. F. : *Impressionist Technique, Pissarro's Optical Mixture* dans *Magazine of Art*, janvier 1950.

29 COE, R. T. : *Camille Pissarro in Paris, A Study of his later Development* dans *Gazette des Beaux-Arts*, février 1954.

Voir aussi 2, 7, 21a, 30 et 36a.

Reproductions

30 KUNSTLER, C. : *Camille Pissarro*, Paris, 1930. 32 bonnes ill., quoique petites, chronologiquement arrangées, précédées d'un court texte critique.

31 REWALD, J. : *Camille Pissarro au Musée du Louvre*, Paris-Bruxelles, 1939. 10 bonnes planches en couleurs accompagnées de brefs commentaires.

32 FRANCASTEL, P. : *Monet, Sisley, Pissarro*, Paris, 1939. Quelques bonnes planches en couleurs.

33 *Dessins inconnus de Camille Pissarro : « Turpitudes sociales »* dans *Labyrinthe*, 15 novembre 1944. Dessins anarchiques. Voir aussi 27.

34 JEDLICKA, G. : *Pissarro*, Berne, 1950. 53 excellentes ill., quoique petites, bien choisies et disposées chronologiquement.

35 REWALD, J. : *Pissarro*, New York, 1954. Courte introduction, commentaires, petites et médiocres planches en couleurs (Abrams).

36 REWALD, J. : *Pissarro*, Paris, s.d., 60 bonnes ill., quoique petites, disposées chronologiquement (Coll. des Maîtres).

36a REWALD, J. : *Camille Pissarro*, Paris, 1962. Planches en couleurs passables avec introduction et commentaires. Table biographique, biblio. sélectionnée.

Voir aussi 1-3, 8, 18, 20, 21a, 39, 42 et 49.

Catalogues d'expositions

36b *Eaux-fortes de Camille Pissarro*, Galerie Max Bine, Paris, 1927. Préface de C. Roger-Marx.

37 *Centenaire de la naissance de Camille Pissarro*, Musée de l'Orangerie, Paris, 1930. Introduction de A. Tabarant et R. Rey. Liste de 139 peintures. 57 dessins, pastels et aquarelles, 80 gravures; quelques ill.

38 *Paris by Pissarro*, Carstairs Gallery, New York, s.d. [avril 194?]. Préface de G. Wescott.

39 *Camille Pissarro*, Wildenstein Galleries, New York, 1945. 50 ouvrages, plus des peintures par divers amis de l'artiste, etc. Chronologie, courte biblio., nombreuses ill.

40 *Pissarro*, Galerie André Weil, Paris, 1950. Préface de G. Huisman. 44 peintures, quelques ill.

41 *Camille Pissarro*, Matthiesen Gallery, Londres, 1950. 55 peintures, dessins, pastels et aquarelles; ill.

42 *Three Generations of Pissarros (Camille, Lucien, Manzana, Félix, Ludovic, Rodo, Paulémile, Orovida)*, Ohana Gallery, Londres, 1954. Préface de J. Rewald.

43 *Pissarro, Sisley*, Marlborough Galleries, Londres, 1955. Préface de A. Clutton-Brock. Chronologie, 30 ouvrages par Pissarro, 10 ill.

44 *Camille Pissarro, A Collection of Pastels and Studies*, Leicester Galleries, Londres, 1955. Préface de L. Abul-Huda. 37 ouvrages, ill.

45 *Camille Pissarro*, Galeries Durand-Ruel, Paris, 1956. Préface de R. Domergue, arbre généalogique, 111 ouvrages, ill.

46 *Camille Pissarro*, Berner Kunstmuseum (Bern), 1947. Introduction de F. Daulte. Chronologie, 138 peintures, pastels, dessins, gravures, etc., ill.

47 *Pissarro en Venezuela, Dibujos de Camille Pissarro*, Museo de Bellas Artes, Caracas, 1959. Préface de A. Boulton. Voir aussi 21a.

48 *Camille Pissarro*, Galerie Durand-Ruel, Paris, 1962.

49 *Camille Pissarro*, Wildenstein Galleries, New York, 1965. Préface de J. Rewald.

RENOIR

Catalogues de l'œuvre

F. Daulte prépare un catalogue raisonné des peintures de Renoir, assemblées par sujet et divisé en plusieurs volumes.
Les numéros 1 à 6 représentent des catalogues importants suivis par une série de catalogues d'expositions.

1 VOLLARD, A. : *Tableaux, Pastels et Dessins de Pierre-Auguste Renoir*, Paris; v. I, 1918, 667 ill.; v. II, s.d., 192 planches. Il existe très peu d'exemplaires de cette publication essentielle; une seconde édition a récemment été faite en nombre limité.

2 *Cat. de la vente de la Coll. Maurice Gangnat*, Paris, 1925. Avec 160 ill. principalement d'œuvres des dernières années. Introd. par R. de Flers et E. Faure.

3 ANDRÉ, A. et ELDER, M. : *L'Atelier de Renoir*, Paris, 1931, 2 vol. abondamment ill., reproduisant dans un ordre chronologique toutes les œuvres trouvées dans son atelier à la mort du peintre.

4 DELTEIL, L. : *Pissarro, Sisley, Renoir (Le Peintre-Graveur illustré, v. XVII)*, Paris, 1923. Cat. raisonné des 55 eaux-fortes, lithographies, etc., de Renoir, abondamment ill. Voir aussi 6.

5   HAESAERTS, P. : *Renoir Sculpteur.* Imprimé en Belgique, s.d. Cat.
    des sculptures de Renoir avec un essai sur ces œuvres et sa colla-
    boration avec Guino. Excellentes ill. avec de nombreuses larges
    photos de détails. Voir aussi 48 et 72.

6   ROGER-MARX, C. : *Les Lithographies de Renoir*, Monte-Carlo, 1951.
    Cat. raisonné de 31 lithographies, excellentes ill.

7   *Renoir*, Galeries Bernheim-Jeune, Paris, 1913. Préface de O. Mirbeau.
    Petit catalogue, pas d'ill.

8   *Renoir*, Galeries Alfred Flechtheim, Berlin, 1927. Petit catalogue,
    liste de 70 ouvrages, tous appartenant aux fils de l'artiste;
    plusieurs bronzes. Textes divers, quelques ill.

9   *The Classical Period of Renoir (1875-1886).* Knoedler Galleries,
    New York, 1929. Avant-propos d'E. Bignou et C. Carstaris.
    11 peintures, toutes ill.

10 *Renoir*, Galerie d'art Braun & Cie, Paris, décembre 1932. 27 peintures,
    23 dessins, documents divers.

11 *Renoir*, Musée de l'Orangerie, Paris, 1933. Préface de P. Jamot,
    catalogue préparé par C. Sterling; importantes notes sur 149
    œuvres, biblio. Publié en un volume séparé : *Album de
    soixante-quatre reproductions.*

12 *Masterpieces by Renoir*, Durand-Ruel Galleries, New York, 1935.
    26 œuvres, quelques ill.

13 *Renoir, his Paintings*, Metropolitan Museum of Art, New York,
    1937. Introduction de H. B. Wehle, 62 peintures, toutes ill.,
    5 bronzes.

14 *Renoir*, Rosenberg & Helft, Londres, 1937. 23 peintures, quelques
    ill.

15 *Renoir portraitiste*, Galerie Bernheim-Jeune, 1938. Petit catalogue,
    47 peintures, quelques ill.

16 *Renoir Centennial*, Duveen Galleries, New York, 1941. Avant-propos
    de A. M. Frankfurtur et H. B. Wehle. 86 peintures, toutes ill.

17 *Pierre-Auguste Renoir*, California Palace of the Legion of Honor,
    San Francisco, 1944. Introduction de J. MacAgy, 33 ouvrages,
    tous ill.

18 *9 Selected Paintings by Renoir*, Durand-Ruel Galleries, New York,
    décembre 1946-janvier 1947. Toutes ill.

19 *Masterpieces by Delacroix and Renoir*, Paul Rosenberg Gallery,
    New York, 1948. Avant-propos non signé, 15 peintures de Renoir,
    toutes ill.

20 *Renoir*, Wildenstein Galleries, New York, 1950. Texte de D. Wil-
    denstein, chronologie, 78 peintures, nombreuses ill.

21 *Auguste Renoir, Paintings*, Marlborough Galleries, Londres, 1951.
    45 peintures, nombreuses ill.

22 *Renoir*, Galeries des Ponchettes, Nice, 1952. Préface de G. Bazin,
    courte chronologie, 42 peintures, 10 dessins et aquarelles, ill.

23 *Renoir*, Edinburgh Festival, 1953, Introduction de J. Rothenstein,
    50 ouvrages, quelques ill., chronologie, biblio.

24 *The Last Twenty Years of Renoir's Life*, Rosenberg Gallery, New
    York, 1954. 17 peintures, toutes ill.

25 *Chefs-d'œuvre de Renoir dans les Collections particulières françaises*, Galerie des Beaux-Arts, Paris, 1954. Préface de Jean Renoir, importante chronologie, 100 œuvres, certaines peu connues, nombreuses ill.

26 *Renoir — Collection Maurice Gangnat*, Galeries Durand-Ruel, Paris, 1955. Préface de G. Besson, court texte de Jean Renoir, 53 œuvres, pas d'ill.

27 *Pierre-Auguste Renoir, Paintings, Drawings, Prints and Sculptures*, Los Angeles County Museum et San Francisco Museum of Art, 1955. Textes de G. L. McCann Morley et Jean Renoir, voir 59, longue étude de R. F. Brown; chronologie, 193 ouvrages, nombreuses ill., quelques-unes en couleurs.

28 *Renoir*, Marlborough Galleries, Londres, 1956. Préface de A. Clutton-Brock. 55 œuvres, la plupart ill.

29 *Auguste Renoir*, Städtische Galerie, Munich, 1958. Préface de H. Brüne. 26 peintures, bonnes ill., quelques-unes en couleurs. Une lettre de Renoir inédite. La préface rapporte des souvenirs de la visite de Renoir à Munich.

30 *Renoir*, Wildenstein Galleries, New York, 1958. Réimpression d'un texte de Jean Renoir (voir 59) et Edmond Renoir (voir 42); chronologie de J. Rewald. 69 peintures, toutes ill., 12 sculptures.

31 *Hommage à Renoir*, Galeries Durand-Ruel, Paris, 1958. Préface de G. Besson. 56 œuvres, chronologie, ill.

32 *Renoir-Degas, Drawings, Pastels, Sculptures*, Charles E. Slatkin Galleries, New York, 1958. Avant-propos de V. Price. 39 œuvres de Renoir, nombreuses ill.

Écrits de l'artiste

33 Une lettre importante à Mottez a été publiée comme introduction à la trad. française du *Livre d'Art* de Cennino Cennini, Paris, 1911.

34 GEFFROY, G. : *Claude Monet, sa Vie, son Œuvre*, Paris, 1924. Contient quelques lettres à Monet.

35 Pour les lettres fort importantes à Bazille, écrites entre 1860 et 1870, voir Poulain, G. : *Bazille et ses Amis*, Paris, 1932, ainsi que Daulte, F. : *Frédéric Bazille et son Temps*, Genève, 1952.

36 JOETS, J. : *Les Impressionnistes et Chocquet* dans *L'Amour de l'Art*, avril 1935. Lettres à Chocquet.

37 FLORISOONE, M. : *Renoir et la famille Charpentier* dans *L'Amour de l'Art*, février 1938. Lettres à Charpentier et Duret.

38 VENTURI, L. : *Les Archives de l'Impressionnisme*, Paris-New York, 1939. 2 vol. Le 1er vol. contient 212 lettres à Durand-Ruel, écrites entre 1881 et 1919. Parmi les lettres à Durand-Ruel se trouve le manifeste de la « Société des Irrégularistes ». Le second volume contient 9 lettres à O. Maus. Malheureusement, un certain nombre de lettres de Renoir ont disparu des archives de Durand-Ruel.

39 SCHNEIDER, F. : *Lettres de Renoir sur l'Italie* dans *L'Age d'Or*, n° 1, 1945. 4 lettres à Deudon.

40 *Renoir « Projet d'Exposition Artistique »*, publié par E. Murer et reproduit dans P. Gachet : *Deux Amis des Impressionnistes : le docteur Gachet et Murer*, Paris, 1956, pp. 166-167.

41 P. GACHET : *Lettres impressionnistes au Dr Gachet et à Murer*, Paris, 1957. Contient un groupe de lettres de Renoir au physicien et à Murer.

Une lettre à Manet est citée dans E. Moreau-Nelaton : *Manet raconté par lui-même*, Paris, 1926.

5 lettres à A. André publiées dans 10.

Pour les lettres à Berthe Morisot voir D. Rouart : *Correspondance de Berthe Morisot*, Paris, 1950.

Une lettre concernant le portrait de Wagner par Renoir figure dans *L'Amateur d'Autographes*, Paris, 1913, pp. 231-233; voir aussi 78 et 82.

Une lettre à Durand-Ruel est publiée dans : *Catalogue d'Autographes* n° 61 de Marc Loliée, Paris, 1936.

Des lettres à Jeanne Baudot, B. Morisot, Monet et Paule Gobillard sont citées dans 58.

Les lettres à Roger Marx, Eugène et Julie Manet, et A. André sont citées dans 63.

Pour les extraits des lettres à Le Cœur, voir 81.

Voir aussi 29, 44, 46, 53 et 55.

Témoignages de contemporains

42 RENOIR, E. : *Article sur son Frère* dans *La Vie moderne*, 19 juin 1879; réimprimé dans 38. Sur les souvenirs d'Edmond Renoir voir aussi Rewald, J. : *Renoir and his Brother* dans *Gazette des Beaux-Arts*, mars 1945.

43 MONCADE, C.-L. DE : *Le peintre Renoir et le Salon d'Automne* dans *La Liberté*, 15 octobre 1904. Une interview.

44 PACH, W. : *Interview with Renoir* dans *Scribner's Magazine*, 1912; réimprimé dans l'ouvrage du même auteur : *Queer Thing, Painting*, New York, 1938. Condensation d'une série d'entretiens, 1908-1912. Texte important, approuvé par l'artiste.

45 MIRBEAU, O. : *Renoir*, Paris, 1913. L'introd. de Mirbeau est suivie de 58 extraits intéressants d'écrits de A. Wolff, Burty, Castagnary, Huysmans, Geffroy, Mellerio, Signac, Fontainas, Denis, Pach, Maus, Bonnard, etc. 40 bonnes ill. chronologiquement assemblées.

46 VOLLARD, A. : *Renoir*, Paris, 1918 (abondamment ill.), 1920, 1938. C'est la meilleure des différentes biographies écrites par Vollard qui connut Renoir pendant plus de vingt ans. Les amis du peintre cependant soutiennent que Renoir, qui aimait plaisanter à froid — sachant que Vollard transcrivait tous leurs entretiens — s'amusait à éconduire son biographe par des déclarations saugrenues et paradoxales. Nombre des conversations rapportées par

Vollard ne refléteraient pas les véritables opinions du peintre. Voir à ce sujet G. B. (Besson) : *Renoir, par Ambroise Vollard* dans *Cahiers d'Aujourd'hui*, juillet 1921.

47 BLANCHE, J. E. : *Propos de Peintre, De David à Degas*, Paris, 1919. Chap. De Cézanne à Renoir.

48 OSTHAUS, K. E. : *Erinnerungen an Renoir* dans *Das Feuer*, février 1920. Information sur Renoir sculpteur.

49 GIMPEL, R. : *A Portrait of Renoir at Cagnes* dans *The Dial*, 1920 (pp. 599-604). Voir aussi du même auteur : *Journal d'un Collectionneur marchand de tableaux*, Paris, 1963.

50 ALEXANDRE, A. : *Renoir sans phrases* dans *Les Arts*, n° 183, 1920. Souvenirs ill. de quelques photos inédites.

51 ANONYME : *L'Éternel Jury* dans *Cahiers d'Aujourd'hui*, janvier 1921. 2 lettres concernant Renoir par Mme F., sœur du peintre Jules Le Cœur, ami de l'artiste. Voir 81.

52 RIVIÈRE, G. : *Renoir et ses Amis*, Paris, 1921. Écrit par un des plus intimes amis du peintre, cet ouvrage offre le meilleur, le plus complet et le plus vivant des récits sur Renoir et son entourage. Belles ill., pas de biblio., ni d'index.

53 ANDRÉ, A. : *Renoir*, Paris, 1923, 1928. Rapport précieux de nombreuses conversations avec l'artiste que l'auteur, peintre lui-même, connut intimement pendant les dernières années de sa vie. Les 116 bonnes planches de la 2ᵉ édit. sont groupées chronologiquement, mais les dates indiquées ne sont pas toujours exactes.

54 BESSON, G. : *Auguste Renoir*, Paris, 1929. Quelques souvenirs de Renoir, 32 ill., chronologiquement arrangées. Voir aussi du même auteur : *Arrivée de Matisse à Nice — Matisse et quelques contemporains* dans *Le Point*, juillet 1939; ainsi que : *Renoir à Cagnes* dans *Cahiers d'Aujourd'hui*, novembre 1920.

55 BÉRARD, M. : *Renoir à Wargemont, souvenirs*, Paris, 1939. Une très brève introd. accompagnée de 35 bonnes ill. d'après des œuvres exécutées par Renoir à Wargemont, dans la propriété de ses amis Bérard; fac-similé d'une lettre de Renoir. Voir aussi 60.

56 NATANSON, T. : *Peints à leur tour*, Paris, 1948. Deux chapitres sur Renoir.

57 RENOIR, Cl. : *Renoir, Souvenirs sur mon père*, Paris, 1948. Courte introd. à un album de 16 superbes planches en couleurs d'après des aquarelles et sanguines.

58 BAUDOT, J. : *Renoir, ses Amis, ses Modèles*, Paris, 1949. Texte sans grande importance d'une femme peintre qui posa fréquemment pour Renoir. Avec lettres à l'auteur, B. Morisot, Monet et Paule Gobillard. Parmi les ill. plusieurs œuvres inédites.

59 RENOIR, J. : *My Memories of Renoir* dans *Life*, 19 mai 1952. Voir aussi 25, 27, 61 et 61a.

60 BÉRARD, M. : *Un diplomate ami de Renoir* dans *Revue d'Histoire diplomatique*, juillet-septembre 1956. Voir aussi 55.

61 RENOIR, J. : *Recollections of my father*, dans *Art News*, avril 1958 (extrait d'un livre en préparation) voir 61a.

61a Renoir, J. : *Renoir, mon père*, Paris, 1962. Ce livre de souvenirs
     trace un excellent et touchant portrait du peintre et de son entou-
     rage. L'auteur, qui n'a bien connu son père que durant les
     dernières années de l'artiste, a su néanmoins retracer d'une façon
     assez animée même la jeunesse de Renoir. Mais il y a de fréquentes
     erreurs de chronologie. Ill.

Sert, M. : *Misia*, Paris, 1952. Cette autobiographie de la première femme de
     Thadée Natanson (voir 56), qui a été peinte par Renoir aussi
     bien que par Lautrec, Bonnard, Vuillard, etc. est assez désap-
     pointante car elle parle peu de ces artistes et ce qu'elle dit n'a
     pas grand intérêt.

Voir aussi 29, 62, 67 et 87.

Biographies

62   Duret, T. : *Auguste Renoir*, Paris, 1924. Fondé sur la longue amitié
     de l'auteur avec Renoir. 60 ill. plutôt médiocres, 8 planches en
     couleurs assez mauvaises.

63   Coquiot, G. : *Renoir*, Paris, 1925. Encore un ouvrage décevant de
     cet auteur qui aime à parler de lui autant que de son sujet et est
     un maître incontesté dans l'art de tirer à la ligne. 32 ill. et une
     tentative insuffisante de cataloguer les œuvres de Renoir; ni
     biblio., ni index.

64   Roger-Marx C. : *Renoir*, Paris, 1933. Ill. médiocres, courte biblio.,
     pas d'index.

65   Graber, H. : *Auguste Renoir nach eigenen und fremden Zeugnissen*,
     Bâle, 1943. Sur les « méthodes » de cet auteur voir Cézanne 22.

65a Schuh, W. : *Renoir und Gabrielle* dans *Neue Zürcher Zeitung*,
     22 mars 1959.

65b Daulte, F. : *Renoir, Son œuvre regardé sous l'angle d'un album de
     famille* dans *Connaissance des Arts*, nov. 1964.

Voir aussi 46, 52 et 61a.

Études de style

66   Wyzewa, T. de : *Pierre-Auguste Renoir* dans *L'Art dans les Deux
     Mondes*, 6 décembre 1890. Étude sur la période « classique » du
     peintre; réimprimée, avec des additions importantes, dans :
     Peintres de Jadis et d'Aujourd'hui, Paris, 1903.

67   Meier-Graefe, J. : *Renoir*, Munich, 1911; Leipzig, 1929 (belles ill.).
     Édit. française, Paris, 1912. Étude appuyée sur les rapports de
     l'auteur avec Renoir. Les ill. ne sont pas toujours correctement
     datées.

68   Faure, E. : *Renoir* dans *Revue hebdomadaire*, 1920.

69   Fosca, F. : *Les Dessins de Renoir* dans *Art et Décoration*, octobre
     1921.

70   Jamot, P. : *Renoir* dans *Gazette des Beaux-Arts*, novembre, décembre
     1923.

71 FOSCA, F. : *Renoir*, Paris, 1923; Londres, 1924. Avec 40 planches médiocres, sans date et arrangées sans ordre.
72 GEORGE, W. : *L'Œuvre sculpté de Renoir* dans *L'Amour de l'Art*, novembre 1924, ill.
73 BAZIN, G. : *Dessins à la sanguine de Renoir* dans *Formes*, mai 1930.
74 LABASQUE, F. : *La Pureté de Renoir* dans *Esprit*, 1er décembre 1933.
75 FONTAINAS, A. : *La rencontre d'Ingres et de Renoir* dans *Formes*, mars 1931.
76 REY, R. : *La Renaissance du Sentiment classique*, Paris, 1931. Chap. important sur Renoir, ill.
77 BARNES, A. C. et MAZIA, V. DE : *The Art of Renoir*, New York, 1935. Étude basée sur une méthode qui, selon les auteurs, « promet des résultats d'une objectivité aussi contrôlable que ceux obtenus par les sciences ». 158 bonnes ill., chronologiquement arrangées et accompagnées d'analyses détaillées. Index étendu, pas de biblio.
78 LOCKSPEISER, E. : *The Renoir Portrait of Wagner* dans *Music & Letters*, janvier 1937. Voir aussi 82.
79 THYIS, J. : *Renoir den franska Kvinnans Mälare*, Stockholm, 1944. Nombreuses ill.
80 ROSTRUP, H. : *Blomsten og Frugten* dans *Meddelelser fra Ny Carlsberg Glyptotek*, 1949 (en danois).
81 COOPER, D. : *Renoir, Lise and the Le Cœur Family, A Study of Renoir's Early Development* dans *Burlington Magazine*, mai et sept.-oct. 1959. Nouveaux documents, ill.
82 SCHUH, W. : *Renoir und Wagner*, Zurich-Stuttgart, 1959. Étude approfondie sur la rencontre Wagner-Renoir et le portrait du compositeur par Renoir. Notes importantes avec références bibliographiques, ill. Voir aussi du même auteur : *Renoirs Wagner-Portraits* dans *Schweizerische Musikzeitung*, juillet 1947.
Voir aussi 38 (introduction de Venturi), 64, 94, 102 et 107.

Reproductions

83 *Renoir*. Numéro spécial de *L'Art et les Artistes*, janvier 1920. Avec des contributions d'A. André, G. Lecomte, G. Geffroy.
84 MEIER-GRAEFE, J. et HAUSENSTEIN, W. : *Renoir*, Munich, 1920 et 1929. 2 albums de la Marees Gesellschaft, chacun contenant 20 magnifiques fac-similés d'après des dessins, pastels et aquarelles.
85 *Renoir*. Numéro spécial de *L'Amour de l'Art*, février 1921.
86 RENÉ-JEAN. Album avec 10 planches médiocres d'après des sanguines, aquarelles, et pastels, Paris-Genève, 1921.
87 RÉGNIER, H. DE : *Renoir, peintre du Nu*, Paris, 1923. 40 planches passables, quelques-unes en couleurs. Le bref avant-propos contient quelques souvenirs sur Renoir.
88 DUTHUIT, G. : *Renoir*, Paris, 1923. 15 petites et très mauvaises ill.
89 DUMAS, P. : *Quinze Tableaux inédits de Renoir* dans *La Renaissance de l'Art français*, juillet 1924. Voir aussi 81.

90 BASLER, A. : *Pierre-Auguste Renoir*, Paris, 1928. 29 petites, mauvaises ill., courts extraits de textes divers.

91 STEIN, L. A. : *Renoir*, Paris, s.d. [1928]. 24 planches médiocres (Album d'Art Druet).

92 RENOIR. Numéro spécial de *L'Art vivant*, juillet 1933.

93 BESSON, G. : *Renoir*, Paris, 1938. 60 petites mais bonnes ill. (Coll. des Maîtres).

94 FLORISOONE, M. : *Renoir*, Paris, Londres, 1938. 120 assez bonnes planches en noir et blanc, 8 en couleurs, médiocres, pas assemblées chronologiquement. Biblio. (Hypérion).

95 BAZIN, G. : *Renoir*, Paris-Londres, 1939. Album avec 8 excellentes planches en couleurs.

96 TERRASSE, C. : *Cinquante Portraits de Renoir*, Paris, 1941. 50 reproductions assez bonnes.

97 KUNSTLER, C. : *Renoir, peintre fou de couleur*, Paris, 1941. Court texte. 15 mauvaises planches en couleurs, toutes reproduites d'après 52.

98 LHOTE, A. : *Peintures de Renoir*, Paris, 1944. Album de 12 bonnes planches en couleurs, pas trop bien choisies.

99 FROST, R. : *Pierre-Auguste Renoir*, New York, 1944. Assez bonnes ill. en blanc et noir, médiocres planches en couleurs, assemblées sans ordre (Hypérion).

100 PICENI, E. : *Auguste Renoir*, Milan, 1945. Petites, mauvaises planches. Biblio. étendue de G. Scheiwiller.

101 BELL, C. : *Renoir « Les parapluies »*, Londres, s.d. [1945]. Intéressantes photos de détails.

102 REWALD, J. : *Renoir, Drawings*, New York, 1946, 1958. 89 bonnes reprod. chronologiquement assemblées.

103 JEDLICKA, G. : *Renoir*, Berne, 1947. 53 ill., petites mais bonnes, arrangées chronologiquement; quelques planches en couleurs.

104 JOURDAIN, F. : *Le Moulin de la Galette*, Paris, s.d. [1947]. 13 planches en couleurs, d'après des détails, en format original.

105 WILENSKI, R. H. : *Renoir*, Londres, 1948. 11 planches en couleurs passables, avec commentaires (Faber Gallery).

106 ZAHAR, M. : *Renoir*, Paris, 1948. Court texte, 102 ill. assez bonnes, chronologiquement arrangées, quelques mauvaises planches en couleurs (Somogy).

107 DRUCKER, M. : *Renoir*, Paris, 1949. Texte important sur l'œuvre de Renoir; documentation sérieuse, accompagnée de 162 planches bien choisies et chronologiquement assemblées (celles en noir supérieures à celles en couleurs). Notices analytiques des planches; citations d'écrits et de boutades du peintre, etc.; table chronologique, liste d'expositions, biblio., index. Un livre bien compris et consciencieusement présenté (Tisné).

108 LEYMARIE, J. : *Renoir*, Paris, 1949. Petit vol. avec planches en couleurs passables d'après dessins, pastels et aquarelles (Hazan).

109 ANDRÉ, A. : *Renoir, Dessins*, Paris, 1950. 16 très bonnes planches, quelques-unes en couleurs.

110 PACH, W. : *Renoir*, New York, 1950. 50 larges planches en couleurs assez bonnes, accompagnées de commentaires (Abrams).

111 GAUNT, W. : *Renoir*, Londres, 1952. 104 planches en noir et blanc et en couleurs (ces dernières médiocres). Biblio. insuffisante (Phaidon). Édition française avec texte de M. Berre de Turique. Paris, s.d. [1957].

112 ROUART, D. : *Renoir*, Genève, 1954. Planches en couleurs trop fortes, format et qualité « carte postale ».' Chronologie, biblio. sélectionnée, liste d'expositions, index (Skira).

113 HANOTEAU, G. et DE PIREY, P. : *Auguste Renoir, le peintre de la joie* dans *Paris-Match*, 10-17 juillet 1954.

114 *Renoir en Italie et en Algérie*, introduction de A. André et G. Besson, Paris, 1955. Bon fac-similé d'un album de croquis avec beaucoup de dessins plutôt secondaires.

114a BESSON, G. : *Renoir, Aquarelles et Dessins*, Paris, 1956. 12 planches celles en couleurs passables.

115 SCHNEIDER, B. F. : *Renoir*. Berlin, s.d. [1957]. Très pauvres planches en couleurs et en blanc et noir, arrangées sans ordre (Hyperion).

116 DAULTE, F. : *P.-A. Renoir, Aquarelles, Pastels et Dessins en couleurs*, Bâle, 1958.

117 ROBIDA, M. : *Renoir, Enfants*, Lausanne, 1959. 30 planches en couleurs assez bonnes, chronologie, courte biblio.

118 ROUART, D. : *Degas et Renoir inconnus au Musée de Belgrade*, Paris, Londres, New York, 1964. Bonnes reproductions.

Voir aussi 1-6, 9-11, 13, 16, 17, 20, 21, 24, 25, 27-30, 45, 46, 52-55, 57, 58, 62-64, 65b, 67, 71, 76, 77, 79, 81 et 82.

SISLEY

Catalogues de l'œuvre

1 DELTEIL, L. : *Pissarro, Sisley, Renoir (Le Peintre-Graveur illustré*, v. XVII), Paris, 1923. Cat. des quelques gravures de l'artiste.

2 DAULTE, F. : *Alfred Sisley, Catalogue raisonné de l'œuvre peint*, Lausanne, 1959. Préface de C. Durand-Ruel, essai sur l'art de Sisley par Daulte; chronologie étendue, biblio., avec une section spéciale sur les publications faisant état des collections publiques et privées contenant des œuvres de Sisley; index des sujets, des noms de propriétaires, liste d'expositions. Le catalogue cite et reproduit (ill. petites mais suffisamment lisibles) 884 tableaux exécutés entre 1865 et 1897, 4 bonnes planches en couleurs, quelques portraits de l'artiste et des photographies des sujets de ses tableaux. Un ouvrage essentiel, mais qui ne s'étend pas sur les dates — toujours précises — que l'auteur propose. Il doit être suivi d'un supplément consacré également aux pastels et dessins de Sisley.

Écrits de l'artiste

3 Une lettre à Tavernier, ami du peintre, offrant une explication de la
   manière dont Sisley concevait la représentation de la nature, a été
   publiée par Tavernier dans *L'Art français*, 18 mars 1893.

4 DURET, T. : *Quelques lettres de Manet et Sisley* [à Duret], *Revue
   Blanche*, 15 mars 1899.

5 HUYGHE, R. : *La Grande Pitié d'un Maître impressionniste*, dans
   Formes, novembre 1931. 12 lettres à Charpentier, Mirbeau et
   Tavernier.

6 Huit lettres à Duret, Monet, et le Dr Viau sont publiées dans le
   Bulletin des Expositions, II, Galerie d'art Braun & Cie, Paris,
   30 janvier-18 février 1933.

7 VENTURI, L. : *Les Archives de l'Impressionnisme*, Paris-New York,
   1939. 2 vol. Le 2e vol. contient 16 lettres à Durand-Ruel (1887-
   1891) et 5 lettres à O. Maus (1887-1897). Les archives de la Galerie
   Durand-Ruel à Paris contiennent d'autres lettres de l'artiste.

8 GACHET, P. : *Lettres impressionnistes au Dr Gachet et à Murer*, Paris,
   1957. 6 lettres à E. Murer.

Témoignages de contemporains

ALEXANDRE, A. : Préface au cat. de la vente Alfred Sisley, voir 27.
Voir aussi 21.

Biographies

9 DURET, T. : *Histoire des Peintres impressionnistes*, Paris, 1906. Le
   chapitre sur Sisley offre un résumé biographique. Il n'existe pas
   de biographie complète du peintre. Pour d'autres détails biographiques voir 2 et 7 (introduction de Venturi).

10 WATSON, F. : *Sisley's Struggle for Recognition* dans *The Arts*, février-
   mars 1921. Ill.

11 GRABER, H. : *Pissaro, Sisley, Monet, nach eigenen und fremden
   Zeugnissen*, Bâle, 1943. Sur les « méthodes » de cet auteur voir
   Cézanne 22.

12 SISLEY, C. : *The Ancestry of Alfred Sisley* dans *Burlington Magazine*,
   septembre 1949.

Études de style

13 LECLERCQ, J. : *Alfred Sisley* dans *Gazette des Beaux-Arts*, mars 1899.

14 BIBB, B. : *The Work of Alfred Sisley* dans *The Studio*, décembre 1899.

15 WILENSKI, H. R. : *The Sisley Compromise* dans *Apollo*, janvier 1928.

16 REUTERSWAERD, O. : *Sisley's « Cathedrals »* dans *Gazette des Beaux-
   Arts*, mars 1952.

17 REIDEMEISTER, L. : *Alfred Sisley, Die Brücke von Hampton Court* dans
   Die Kunst und Das schöne Heim, 1956.

18   DAULTE, F. : *Découverte de Sisley* dans *Connaissance des Arts*, février
     1957. Important article avec 21 excellentes ill. dont 3 en couleurs.
19   CARTIER, J. A. : *Sisley, le plus timide et le plus harmonieux des
     impressionnistes* dans *Jardin des Arts*, juillet 1957.
20   WILDENSTEIN, G. : *Un carnet de dessins de Sisley au musée du Louvre*
     dans *Gazette des Beaux-Arts*, janvier 1959.
Voir aussi 7 (introduction de Venturi) et 25.

Reproductions

21   GEFFROY, G. : *Sisley*, Paris, 1923, 23 planches. Nouvelle édition.
     Paris, 1927. 60 bonnes reprod. assemblées sans méthode. L'auteur
     connut Sisley, mais son texte se compose surtout de commentaires
     dithyrambiques.
22   HEILMAIER, H. : *Alfred Sisley* dans *Die Kunst fur Alle*, 1930-1931.
23   BESSON, G. : *Sisley*, Paris, s.d. 60 bonnes ill. quoique petites (Coll. des
     Maîtres).
24   FRANCASTEL, P. : *Monet, Sisley, Pissaro*, Paris, 1939. Quelques
     excellentes planches en couleurs (Skira).
25   COLOMBIER, P. DU : *Sisley au Louvre*, Paris-Bruxelles, 1939. 10 bonnes
     planches en couleurs avec commentaires.
26   JEDLICKA, G. : *Sisley*, Berne, 1949. Bonnes ill., quoique petites, chro-
     nologiquement assemblées.
26a DAULTE, F. : *Les Paysages de Sisley*, Lausanne, 1961. Bonnes repro-
     ductions bien choisies.
Voir aussi 2, 9, 10, 16, 18, 20, 29, 30, 31.

Catalogues d'expositions

27   *Tableaux, Études, Pastels par Alfred Sisley*, Galeries Georges Petit,
     Paris, 1er mai 1899. Avant-propos de G. Geffroy et A. Alexandre,
     quelques ill. Catalogue de la vente Alfred Sisley ; sa famille a
     gardé quelques œuvres. Voir 28.
28   *L'Atelier de Sisley*, Galerie Bernheim-Jeune, Paris, 1907. Introduction
     d'A. Tavernier (voir aussi 3), 24 tableaux, pas ill.
29   *Pissarro, Sisley*, Marlborough Galleries, Londres, 1955. Préface de
     A. Clutton-Brock, chronologie, 21 tableaux de Sisley, 10 ill.
30   *Sisley*, Galeries Durand-Ruel, Paris, 1957. Préface de C. Roger-Marx,
     chronologie, 59 tableaux, 14 ill.
31   *Alfred Sisley*, Berner Kunstmuseum, Berne, 1958. Chronologie de
     F. Daulte ; 98 peintures, pastels et dessins, 24 ill. La plus impor-
     tante exposition de Sisley à cette date.
32   *Sisley*, P. Rosenberg Gallery, New York, 1961.
Pour une liste plus complète d'expositions voir 2.

INDEX

* Les chiffres en romain renvoient au tome 1, les chiffres en italique renvoient au tome 2.

360

TABLE

DES ILLUSTRATIONS

MONET

21 et 21 bis. *L'homme au petit chapeau*, 1856-58 ; *Léon Machon, notaire*, 1856-58. Pages 54 et 55. — 23. *Nature morte*, vers 1859. Page 61. — 45. *Nature morte au rognon*, 1862. Page 97. — 59. *Chemin forestier*, vers 1864. Page 137. — 72. *La côte près d'Honfleur*, 1865. Page 149. — 73. *Fleurs de printemps*, daté 1864. Page 150. — 78. *Route près d'Honfleur en hiver*, 1865. Page 154. — 79. *Route près d'Honfleur*, 1866. Page 154. — 80. *Étude pour « Le déjeuner sur l'herbe »*, daté 1866. Page 158. — 81. *Bazille et Camille*, étude pour *Le déjeuner sur l'herbe*. Page 159. — 84. *L'estuaire de la Seine à Honfleur*, daté 1865. Page 161. — 88. *Rue de la Bavolle, Honfleur*, vers 1865. Page 170. — 98. *Camille*, daté 1866. Page 192. — 99. *Camille (La robe verte)*, daté 1866. Page 193. — 100. *Jardins de l'Infante*, 1866. Page 196. — 101. *Saint-Germain l'Auxerrois*, daté 1866. Page 197. — 103. *Terrasse au bord de la mer près du Havre*, 1866. Page 199. — 112. *Femmes au jardin*, 1866-67. Page 215. — 145. *La Grenouillère*, 1869. Page 283. — 157. *La capeline rouge*, vers 1870. Page 305. — 159. *Hyde Park*, 1871. Page 310. — 164. *Moulin à Zaandam*, 1871-72. Page 316. — 171. *Le jardin de l'artiste à Argenteuil*, daté 1873. Page 332. — 174. *La mare aux canards*, daté 1873. Page 335. — 186. *Impression, soleil levant*, 1872. Page 362. — 187. *Impression, brouillard*, daté 1872. Page 362. — 188. *Le boulevard des Capucines*, 1873. Page 367. — 195. *Le pont d'Argenteuil*, daté 1874. Page 11. — 196. *Le pont du chemin de fer à Argenteuil*, 1875. Page 11. — 197. *Voiliers à Argenteuil*, 1873-74. Page 12. — 213. *La gare Saint-Lazare*, daté 1877. Page 45. — 218. *Femme dans un jardin*, vers 1875. Page 54. — 278. *Saint-Jean Cap Ferrat*, 1888. Page 202. — 286. *Les deux meules*, daté 1891. Page 217.

MORISOT

142. *Vue du petit port de Lorient*, 1869. Page 278. — 152. *La sœur de l'artiste, Edma, et leur mère*, 1870. Page 296. — 184. *Le berceau*, 1873. Page 360. — 258. *Dans la salle à manger*, 1884. Page 148.

PISSARRO

7. *Croquis* d'après *La belle Zélie* par Ingres, vers 1895. Page 20. — 27. *Montmartre, rue Saint-Vincent*, daté 1860. Page 71. — 67. *La Marne à Chennevières*, 1864-65. Page 145. — 105. *Nature morte*, daté 1867. Page 203. — 107. *L'Hermitage de Pontoise*, vers 1867. Page 204. — 156. *Louveciennes, la route de Versailles*, daté 1870. Page 305. — 160. *Chrystal Palace*, daté 1871. Page 310. — 165. *La route de Rocquencourt*, daté 1871. Page 317. — 178. *Rue de Pontoise, en hiver*, daté 1873. Page 339. — 225. *Verger à Pontoise, Quai de Pothuis*, daté 1877. Page 66. — 267. *Printemps à Eragny*, daté 1886. Page 170. — 289. *Rue de l'Épicerie*, daté 1898. Page 222.

REGNAULT

153. *Salomé*, daté 1870. Page 297.

RENOIR

60. *Clairière*, vers 1865. Page 138. — 74. *Plantes en pots*, daté 1864. Page 151. — 93. *L'Auberge de la mère Anthony*, daté 1866. Page 175. — 109. *Bouquet de*

WHISTLER

DOCUMENTS

Les illustrations ne comportant pas de mention de nom de photographe ont été communiquées par M. John Rewald.

TABLE
DES MATIÈRES

ACHEVÉ D'IMPRIMER
LE 5 JANVIER 1976
SUR LES PRESSES DE L'IMPRIMERIE
BRODARD ET TAUPIN
SUR PAPIER COUCHÉ DES PAPETERIES CONDAT
MAQUETTE DE JEANINE FRICKER

IMPRIMÉ EN FRANCE

47/4884/2 - Dépôt légal n° 5084, 1er trimestre 1976.
LE LIVRE DE POCHE - 22, avenue PIERRE Ier DE SERBIE, PARIS.
30.55.1925.03   I. S. B. N. 2.253.01231.9